습서

금자랑 놀자!

중학교 **기술·가정**① 자습서

기술편

민창기 • 윤병구 • 박세열 • 류보람
이고은 • 임윤희 • 신예나

금성출판사

이 책의 **구성과 특징**

이 책은 2015개정 교육과정이 추구하는 핵심 성취 기준의 '알아야 할 것 (이해)'과 '할 수 있어야 하는 것(능력)'으로 구성되어 있습니다. 각 단원별로 '알아야 할 것'에는 이론적 학습 내용을, '할 수 있어야 하는 것'에는 실천적 활동 내용을 넣었습니다.

알아야 할 것!

섹션 성취 기준 분석
해당 성취 기준을 분석하여 학습 안내 역할을 합니다.

추가 설명
교과서의 내용 해설을 제시하였습니다.

개념 익히기
간단한 문제 풀이를 통해 핵심 내용 을 점검할 수 있습니다.

개념 활용하기
학습 내용을 활용한 다양한 문제 유 형을 제시하였습니다.

할 수 있어야 하는 것!

활동 TIP
활동에 대한 주의 사항을 알 수 있습니다.

선생님 생각 엿보기
교과서 활동의 목적, 평가 기준, 예시 답안 등을 제 시하였습니다.

이와 관련된 활동
주제와 유사한 활동에 대한 정보를 제시하였습 니다.

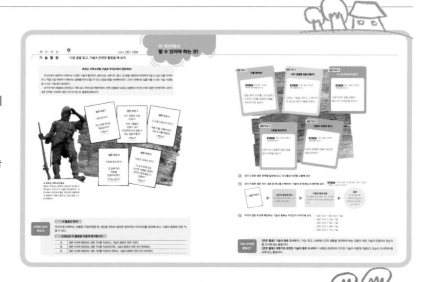

차례

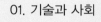

기술을 통한 적용

1. 기술과 사회

2. 기술과 안전

이 단원의 성취 기준

1. 기술의 발달에 따른 사회, 가정, 직업의 변화를 이해하고, 미래 기술 활용 및 사회의 변화에 대하여 예측한다.

2. 가정과 사회의 변화에 따른 안전 사항에 대하여 조사하고, 예방 및 대처 방안에 대하여 이해한다.

[01. 기술과 사회]

기술의 발달에 따른 사회, 가정, 직업의 변화를 이해하고, 미래 기술 활용 및 사회의 변화에 대하여 예측한다.

이 섹션에서 '알아야 할 것' (이해)	**기술의 발달에 따른 사회, 가정, 직업의 변화를 이해한다.** 1. 기술의 뜻 2. 기술의 종류 3. 기술의 발달에 따른 사회, 가정, 직업의 변화 4. 미래 기술의 활용과 사회의 변화

이 섹션에서 '할 수 있어야 하는 것' (능력)	**기술의 발달에 따른 미래 기술 활용 및 사회의 변화에 대하여 예측한다.** [활동1] ·로빈슨 크루소처럼 기술로 무인도에서 생존하라!'를 읽고, 기술과 관련된 활동을 해 보자. [활동2] ·그림을 보고, 과거와 현재의 변화된 모습과 새로 생겨난 직업을 이야기해 보자. [활동3] ·동화를 읽고, 빈칸에 미래 사회를 가정한 나만의 이야기를 창작하여 그림으로 그리거나 글로 써 보자. 또 내가 창작한 이야기에서는 누구를 사위로 삼을지, 그 이유는 무엇인지 이야기해 보자.

01 기술과 사회

1. 기술의 뜻

① 기술의 정의

인간의 필요와 욕구를 충족시키기 위해 자원의 형태를 변화시키는 수단이나 활동을 말한다.

② 기술의 특징

㉠ **실천적 특성:** 실질적이고 창의적인 결과가 나오는 것으로, 인간의 필요에 의해 실생활에 직접 이용할 수 있는 결과물을 만든다.

㉡ **실용적 특성:** 우리 생활을 편리하게 해 주는 것으로, 기술의 발달은 물질적인 풍요와 편리함을 만들어 주고, 그 실용적 혜택을 우리에게 준다.

㉢ **생산적 특성:** 우리에게 필요한 것을 생산하는 것으로, 인간은 스스로 필요에 의해 여러 가지 자원의 형태를 변화시키는 수단이나 활동을 이용하여 결과물을 얻는다.

2. 기술의 종류

기술은 목적이나 대상, 방법에 따라 제조 기술, 건설 기술, 수송 기술, 정보 통신 기술, 생명 기술로 분류된다. 오늘날 기술은 복잡하고 고도화되고 있으며 각각의 기술은 통합되어 활용되고 있다.

① **제조 기술:** 재료를 이용하여 생활에 필요한 제품을 만드는 기술이다.

② **건설 기술:** 인간 생활에 필요한 구조물을 만드는 기술이다.

③ **수송 기술:** 사람이나 물건을 다른 장소로 이동시키는 기술이다.

④ **정보 통신 기술:** 정보를 생산·처리하여 주고받는 기술이다.

⑤ **생명 기술:** 생명체의 특성이나 기능을 이용하여 유용한 물질을 만드는 기술이다.

3. 기술의 발달에 따른 사회, 가정, 직업의 변화

① 사회의 변화

㉠ 기술이 발달함에 따라 농업 사회에서 산업 사회로 변화하였고, 이후 정보 통신 기술의 발달로 산업 사회가 정보 사회로 변화하였다.

㉡ **농업 사회:** 농업 기술의 발달과 도구의 이용으로 수확량이 증가하였다.

㉢ **산업 사회:** 제조 기술의 발달로 대량 생산이 가능해졌다.

㉣ **정보 사회:** 컴퓨터와 정보 통신 기술의 발달로 정보와 지식이 중요하게 되었다.

② 가정의 변화

㉠ **농업 사회**

• 농사를 짓기 위하여 가족의 규모가 확대되었다.

동기 유발 [교과서 136쪽]

사과를 얻기 위한 방법은 무엇일까?

예시 답안

• 나무를 흔든다.
• 돌을 던진다.
• 주변의 것을 이용하여 도구를 만든다.

보조 노트

기술의 어원

기술(technology)의 어원은 예술을 뜻하는 그리스어의 테크네(techne)와 학문을 뜻하는 로고스(logos)이다. 테크네는 좁은 의미로는 인간이 자연에 작용하여 물건을 생산하는 방식 또는 목적을 실현하는 과정을 뜻하고, 넓은 의미로는 예술, 의술, 전술 등의 뜻도 포함한다.

작은 활동 [교과서 137쪽]

사례에 맞는 기술의 종류를 찾아 선으로 이어 보자.

예시 답안

• 제조 기술: 스마트폰, 버스, 위성을 만드는 기술
• 건설 기술: 도로와 버스 정류장을 만드는 기술
• 정보 통신 기술: 버스의 위치를 스마트폰에 전송, 위성과 버스가 정보를 주고받는 기술, 전광판에서 버스 도착 정보를 제공하는 기술
• 수송 기술: 버스로 사람을 이동시키는 기술
• 생명 기술: 식물에서 추출한 자동차 연료인 바이오 디젤

작은
활동 [교과서 140쪽]

할아버지 시절의 유망 직종 중에서 현재 사라진 직업을 찾아보고, 사라진 이유를 이야기해 보자.

예시 답안

농업 사회에서 산업 사회로 변화되면서 이동 수단의 발달로 인해 가마꾼이라는 직업이 사라졌다.

보조 노트

산업 사회

산업 혁명 이후 증기 기관과 각종 기계의 발달로 인해 대량 생산이 가능해졌다.

인공 지능(AI)

인간의 사고나 학습 등 인간이 가진 지적 능력을 컴퓨터를 통해 구현하는 기술이다.

3차원 디스플레이

두 눈의 시차를 이용해서 실물을 보듯 3차원 영상을 볼 수 있도록 하는 디스플레이다.

줄기세포

여러 종류의 신체 조직으로 분화할 수 있는 세포로 배아 줄기세포와 성체 줄기세포가 있다. 줄기세포는 제 기능을 못하는 세포나 장기를 대체할 수 있어 난치병에 이용하려는 연구가 활발하다.

창의적인
실습 [교과서 145쪽]

미래의 기술 홀로그램 만들기

활동 TIP

홀로그램을 만들어 보면서 홀로그램의 원리를 이해하고, 홀로그램이 활용될 수 있는 분야를 생각해 본다.

- 가정에서 농사에 필요한 농기를 스스로 제작하였다.
- 가족 내 위계질서가 뚜렷한 수직적 가족 관계이다.

ⓛ **산업 사회**
- 여성들의 사회 진출이 많아지면서 가족의 규모가 축소되었다.
- 농업 사회의 가족 관계에 비해 수평적 관계로 변화하였다.

ⓒ **정보 사회**
- 홈 네트워크, 홈서비스 등으로 편리한 가정생활을 누릴 수 있게 되었다.
- 정보화 기기의 발달로 언제나 가족 간의 연결이 가능하게 되었다.
- 서로에게 의지하는 친구 같은 가족 관계로 변화하였다.

③ **직업의 변화**

㉠ 기술이 발전함에 따라 새로운 직업이 생겨나고, 일부 직업은 사라진다.

㉡ 기술의 발달로 전문 지식을 필요로 하는 직업이 늘어났고, 직업이 여러 종류로 나누어지면서 그 종류가 다양해져 직업 선택의 폭이 넓어진다.

5. 미래 기술의 활용과 사회의 변화

미래에는 다양한 기술을 통해 더욱 편리하고, 스마트하고, 지속 가능하며, 안전하고, 건강한 사회가 될 것이다.

〈미래 사회의 변화 모습과 관련 기술〉

미래 사회	관련 기술
편리한 사회	서비스 로봇 기술, 무인 항공기 기술, 3차원 디스플레이 기술 등
스마트한 사회	사물 인터넷 기술, 웨어러블 기술, 빅 데이터 분석 기술
지속 가능한 사회	스마트 그리드 기술, 신·재생 에너지 기술
안전한 사회	식량 안보 기술, 생체 인식 기술
건강한 사회	맞춤형 치료 기술, 사이버 헬스 케어 기술, 나노 의학 기술

> **이 섹션의 핵심 키워드** | 기술, 실천적, 생산적, 실용적, 제조 기술, 건설 기술, 수송 기술, 정보 통신 기술, 생명 기술

스스로 정리하기

1 인간의 필요와 욕구를 충족시키기 위해 자원의 형태를 변화시키는 수단이나 활동을 무엇이라 하는가?
기술

2 산업 사회가 정보 사회로 변화하게 된 것은 무엇의 발달 때문인가? 컴퓨터와 정보 통신 기술

3 나노 의학 기술, 사이버 헬스 케어 기술, 맞춤형 치료 기술 등은 미래에 어떤 사회를 만들까? 건강한 사회

4 창의·인성 기술의 발달은 직업 세계에 큰 영향을 끼친다. 지금 내가 갖고 싶은 직업을 이야기해 보자.
로봇 개발자, 인간 대신 어려운 일을 하게 하여 편리한 생활을 할 수 있게 한다.

01 인간의 필요와 욕구를 충족시키기 위해 자원의 형태를 변화시키는 수단이나 활동을 (　　　　　　)(이)라 한다.

02 기술에는 인간의 창의적인 노력이 깃들어 있다.
(○ , ×)

03 생활하는 데 필요한 구조물을 만드는 것은 정보 통신 기술에 해당한다.
(○ , ×)

04 기술이 발달함에 따라 (　　　　) 사 회 → (　　　　) 사회 → (　　　　) 사회로 변화한다.

05 기술이 빠른 속도로 발전함에 따라 새로운 직업이 생성되거나 소멸되었다.
(○ , ×)

06 기술의 발달에 따른 직업의 변화로 옳지 <u>않은</u> 것은?
① 일부 직업이 사라진다.
② 새로운 직업이 생겨난다.
③ 직업 선택의 폭이 좁아진다.
④ 직업이 여러 종류로 나누어진다.
⑤ 전문 지식을 필요로 하는 직업이 늘어난다.

07 서비스 로봇 기술, 무인 항공기 기술, 3차원 디스플레이 기술 등 미래 기술로 나타나게 될 사회 변화는?
① 편리한 사회
② 안전한 사회
③ 건강한 사회
④ 인공 지능 사회
⑤ 지속 가능한 사회

08 완전함 또는 전체라는 뜻과 메시지 또는 정보라는 뜻이 합쳐진 말로 사물이 바로 눈앞에 있는 것처럼 생생한 입체 영상을 가리키는 용어는?
(　　　　　　　　　)

09 기존의 방법으로 처리하기 어려운 막대한 양의 데이터를 효과적으로 분석하는 기술은?
(　　　　　　　　　)

10 모든 사물이 인터넷으로 연결되는 것을 무엇이라고 하는가?
① 드론　　　　　　② 생체 인증
③ 사물 인터넷　　　④ 스마트 그리드
⑤ 빅 데이터 분석

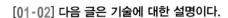

[01-02] 다음 글은 기술에 대한 설명이다.

> 인간의 필요와 욕구를 충족시키기 위해 자원의 형태를 변화시키는 수단이나 활동을 (가)(이)라고 한다. 이러한 (가)은/는 실천적, ㉠ 실용적, (나)적인 특성을 가지고 있다.

01 (가), (나)에 들어갈 용어를 바르게 연결한 것은?

	(가)	(나)
①	기술	자원
②	기술	생산
③	자원	생산
④	자원	실용
⑤	실용	자원

02 밑줄 친 ㉠에 대한 설명으로 옳은 것은?

① 우리 생활에 유용하게 이용한다.
② 우리 생활에 필요한 것을 만든다.
③ 물건을 필요한 다른 곳으로 옮긴다.
④ 정보를 생산하여 실질적으로 이용한다.
⑤ 생각한 것을 창의적인 결과물로 만든다.

03 기술의 특성으로 바르지 못한 것은?

① 우리 생활에서 유용하게 이용된다.
② 인간의 필요와 욕구에 의해 기술을 활용한다.
③ 생각한 것을 창의적인 결과물로 만들 수 있다.
④ 이론적인 부분을 분석하여 무형의 권리로만 존재한다.
⑤ 자원을 이용해 우리 생활에 필요한 것을 만들 수 있다.

04 〈보기〉에 해당하는 기술의 종류를 바르게 연결한 것은?

> ┤ 보기 ├
> ㉠ 재료를 가공하여 우리 생활에 필요한 제품을 만든다.
> ㉡ 사람이나 물건을 다른 장소로 이동시킨다.
> ㉢ 정보를 수집, 가공, 처리하여 주고받는다.
> ㉣ 생명체의 특성이나 기술을 활용하여 유용한 물질을 만든다.

① ㉠-수송 기술
② ㉡-제조 기술
③ ㉡-건설 기술
④ ㉢-정보 통신 기술
⑤ ㉣-제조 기술

05 기술의 발달에 따른 사회, 가정, 직업의 변화로 바르지 못한 것은?

① 산업 사회에서는 여성들의 사회 진출이 증가하게 되었다.
② 기술이 빠른 속도로 발전하면서 일부 직업은 사라지게 되었다.
③ 기술의 발달로 농업 사회에서 산업 사회, 정보 사회로 변화하였다.
④ 컴퓨터와 정보 통신 기술의 발달로 산업 사회가 등장하게 되었다.
⑤ 정보 통신 기술과 제조 기술, 건설 기술 등이 통합되어 발전하게 되었다.

06 〈보기〉에서 설명하고 있는 사회는?

> ┤ 보기 ├
> 가. 여성들의 사회 진출이 많아지면서 가족의 규모가 축소되었다.
> 나. 가족 관계가 수평 관계로 변화하였다.
> 다. 제조 기술의 발달로 대량 생산이 가능해졌다.
> 라. 공장 근로자, 전자 제품 및 TV 조립원, 은행원, 회사원 등의 직업이 유망 직업이 되었다.

① 수렵 사회
② 농업 사회
③ 산업 사회
④ 정보 사회
⑤ 인공 지능 사회

07 정보 사회의 가정 변화로 가장 옳은 것은?

① 가족 관계가 수평적 관계로 변화하였다.
② 가족 규모가 확대되어 대가족 제도가 되었다.
③ 서로에게 의지하는 친구 같은 가족 관계이다.
④ 여성들의 사회 진출로 가족 규모가 축소되었다.
⑤ 가족 내 위계질서가 뚜렷한 수직적 가족 관계이다.

08 미래 사회에 대한 설명으로 바르지 못한 것은?

① 운전자가 없어도 움직이는 자율 주행 자동차가 확대될 것이다.
② 먹을 수 있는 곤충 등을 이용하여 식량 부족 문제를 해결할 것이다.
③ 생체 인증 기술을 이용하여 사람의 인체 정보로 신원을 확인하게 될 것이다.
④ 스마트 그리드 기술을 이용해 자유롭게 의료 서비스를 받을 수 있을 것이다.
⑤ 신·재생 에너지의 이용으로 자원 고갈의 문제를 일부 해결할 수 있을 것이다.

09 다음 글에서 설명하고 있는 미래 유망 기술은?

> 기존 방법으로는 처리하기 어려운 막대한 양의 데이터를 효과적으로 분석하여 미래를 예측한다.

① 무인 항공 기술　　② 서비스 로봇 기술
③ 빅 데이터 분석 기술　④ 3차원 디스플레이 기술
⑤ 사이버 헬스 케어 기술

10 효율적으로 전력의 생산과 소비가 가능하여 에너지를 효율적으로 이용할 수 있는 기술은?

① 생체 인증 기술　　② 웨어러블 기술
③ 무인 항공 기술　　④ 빅 데이터 분석 기술
⑤ 스마트 그리드 기술

11 〈보기〉는 미래에 발전할 기술이다. 건강한 사회와 관련된 기술을 모두 고르면?

| 보기 |

　가. 웨어러블 기술
　나. 생체 인증 기술
　다. 나노 의학 기술
　라. 맞춤형 치료 기술
　마. 사이버 헬스 케어 기술

① 가, 나, 다　　　② 가, 다, 라
③ 나, 다, 라　　　④ 나, 라, 마
⑤ 다, 라, 마

12 〈보기〉는 미래 사회와 활용될 기술을 나타낸 것이다. 옳은 것을 모두 고르면?

| 보기 |

　가. 편리한 사회 – 생체 인증 기술, 식량 안보 기술
　나. 스마트한 사회 – 웨어러블 기술, 미래 자동차 기술
　다. 지속 가능한 사회 – 신재생 에너지 기술, 스마트 그리드 기술
　라. 안전한 사회 – 무인 항공 기술, 서비스 로봇 기술
　마. 건강한 사회 – 맞춤형 치료 기술, 나노 의학 기술

① 가, 나, 다　　　② 나, 다, 라
③ 나, 다, 마　　　④ 나, 다, 라, 마
⑤ 가, 나, 다, 라, 마

이 섹션에서
할 수 있어야 하는 것!

기 술 활 동

다음 글을 읽고, 기술과 관련된 활동을 해 보자.

로빈슨 크루소처럼 기술로 무인도에서 생존하라!

무인도에서 생존하기 위해서는 다양한 기술이 필요하다. 숲에 있는 나뭇가지, 줄기, 잎 등을 이용하여 안전하게 지낼 수 있는 집을 지어야 하고, 먹을 것을 마련하기 위해서는 열매를 따거나 물고기 또는 산짐승 등을 사냥해야 한다. 그러기 위해서는 집을 지을 수 있는 기술, 사냥을 할 수 있는 기술 등이 필요하다.

내가 탄 배가 폭풍에 난파되었고, 깨어 보니 무인도로 떠밀려 왔다. 언제 구출될지 모르는 상황에서 주어진 5개의 생존 미션에 따라 나만의 생존 전략을 구상하여 생존 카드에 적은 후, 물음에 답해 보자.

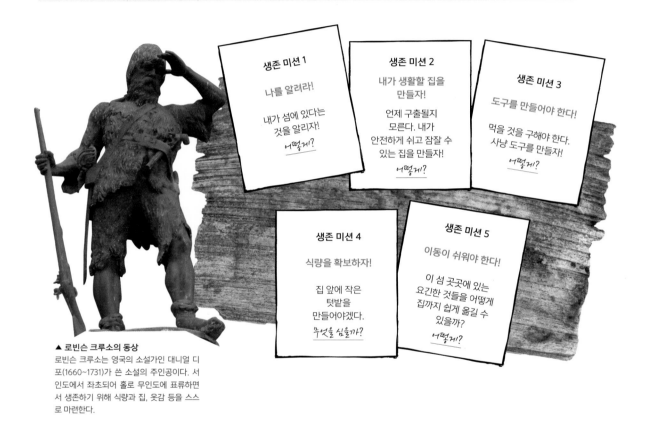

▲ 로빈슨 크루소의 동상
로빈슨 크루소는 영국의 소설가인 대니얼 디
포(1660~1731)가 쓴 소설의 주인공이다. 서
인도에서 좌초되어 홀로 무인도에 표류하면
서 생존하기 위해 식량과 집, 옷감 등을 스스
로 마련한다.

생존 미션 1
나를 알려라!
내가 섬에 있다는
것을 알리자!
어떻게?

생존 미션 2
내가 생활할 집을
만들자!
언제 구출될지
모른다. 내가
안전하게 쉬고 잠잘 수
있는 집을 만들자!
어떻게?

생존 미션 3
도구를 만들어야 한다!
먹을 것을 구해야 한다.
사냥 도구를 만들자!
어떻게?

생존 미션 4
식량을 확보하자!
집 앞에 작은
텃밭을
만들어야겠다.
무엇을 심을까?

생존 미션 5
이동이 쉬워야 한다!
이 섬 곳곳에 있는
요긴한 것들을 어떻게
집까지 쉽게 옮길 수
있을까?
어떻게?

**선생님 생각
엿보기**

· 이 활동의 목적

무인도에 표류하는 상황을 가정하였을 때, 생존을 위하여 필요한 창의적인 아이디어를 생각해 보고, 기술의 종류와 연관 지을 수 있다.

· 선생님은 이 활동을 이렇게 평가합니다.

상	생존 미션에 해당하는 생존 카드를 작성하고, 기술의 종류와 연관 지었다.
중	생존 미션에 해당하는 생존 카드를 작성하였지만, 기술의 종류와 연관 짓지 못하였다.
하	생존 미션에 해당하는 생존 카드를 작성하지 못하고, 기술의 종류와 연관 짓지 못하였다.

생존 카드 1
나를 알려라!

활동 TIP 정보 통신 기술과
관련된 생존법을 찾는다.

• 돌을 쌓아 'SOS'를 그려 알린다.
• 나무와 나무를 마찰하여 불을
  피워 연기로 알린다.

생존 카드 2
내가 생활할 집을 만들자!

활동 TIP 건설 기술과 관련된
생존법을 찾는다.

나무로 기둥을 세우고, 나뭇가지
와 잎으로 벽과 지붕을 만든다.

생존 카드 3
도구를 만들어야 한다!

활동 TIP 제조 기술과 관련된
생존법을 찾는다.

나뭇가지로 창을 만들어
물고기나 산짐승을 잡는다.

생존 카드 4
식량을 확보하자!

활동 TIP 생명 기술과 관련된
생존법을 찾는다.

나뭇가지나 동물의 뼈로 땅을
갈아 씨앗을 심는다.

생존 카드 5
이동이 쉬워야 한다!

활동 TIP 수송 기술과 관련된
생존법을 찾는다.

나무로 뗏목을 만들어 필요한
것을 운반한다.

1 내가 구상한 생존 전략을 발표해 보고, 친구들과 의견을 교환해 보자.

2 내가 작성한 생존 카드 내용 중 하나를 선택하여 '기술의 뜻'에 맞는지 확인해 보자. **활동 TIP** 작성한 생존 카드를 통해 기술의 개념을 이해할 수 있도록 지도한다.

예 생존 미션 5 ▶ **인간의 필요와 욕구** 예 짐을 쉽게 운반할 수 있는 방법이 필요했다. ▶ **자원의 형태 변화** 예 넝쿨로 만든 줄로 나무 상자를 연결하여 나만의 케이블카를 만들었다. ▶ **결과** 예 케이블카를 이용하여 짐을 쉽고 편리하게 운반할 수 있게 되었다.

3 각각의 생존 미션에 해당하는 기술의 종류는 무엇인지 이야기해 보자.
• 생존 미션 1 정보 통신 기술
• 생존 미션 2 건설 기술
• 생존 미션 3 제조 기술
• 생존 미션 4 생명 기술
• 생존 미션 5 수송 기술

이와 관련된 활동은?
[관련 활동] 기술의 종류 조사하기 | 가정, 학교, 사회에서 우리 생활을 편리하게 하는 것들이 어떤 기술과 연결되어 있는지를 조사해 보는 활동이다.
[관련 활동] 비행기와 관련한 기술의 종류 조사하기 | 비행과 관련하여 각각의 기술이 어떻게 적용되고 있는지 조사하여 발표해 보는 활동이다.

기 술 활 동

그림을 보고, 과거와 현재의 변화된 모습과 새로 생겨난 직업을 이야기해 보자.

빨래터

매일매일 개울에 나와서 빨래하느라 힘드네! 빨래를 대신해 주는 신통한 물건은 없을까?

말도 안 되는 소리! 세상에 그런 게 어디 있어! 좋은 빨래 방망이나 사야겠네!

세탁소

▲ 김홍도, <빨래터>

세탁과 관련된 직업에는 세탁기 제작 과정에 기여하는 직업과 같이 다양한 직업이 포함됨을 이해할 수 있어야 합니다.

• **변화된 모습:** 과거에는 빨래를 직접 손으로 하였지만 현재에는 세탁기라는 기계로 빨래를 한다.

• **새로 생겨난 직업:** • 세탁소 직원
  • 세탁기 디자이너
  • 세탁기 개발자

선생님 생각 엿보기

• **이 활동의 목적**

기술의 발달에 따른 사회 변화로 직업의 변화 과정을 이해할 수 있기를 바랍니다.

• **선생님은 이 활동을 이렇게 평가합니다.**

상	생존 미션에 해당하는 생존 카드를 작성하고, 기술의 종류와 연관 지었다.
중	생존 미션에 해당하는 생존 카드를 작성하였지만, 기술의 종류와 연관 짓지 못하였다.
하	생존 미션에 해당하는 생존 카드를 작성하지 못하고, 기술의 종류와 연관 짓지 못하였다.

이와 관련된 활동은?

[관련 활동] 기술 발달에 따른 미래 직업 찾아보기 | 미래에 생겨날 직업을 예측하고, 자신이 하고 싶은 직업과 그 이유를 찾아보는 활동이다.

기 술 활 동

동화를 읽고, 빈칸에 미래 사회를 가정한 나만의 이야기를 창작하여 그림으로 그리거나 글로 써 보자. 또 내가 창작한 이야기에서는 누구를 사위로 삼을지, 그 이유는 무엇인지 이야기해 보자.

첫째: 인터넷에 먼 나라 공주가 아프다는 기사가 났어!

둘째: 내 초고속 비행기를 타고 가자.

셋째: 내 만병통치약으로 공주를 낫게 해야지.

첫째, 둘째, 셋째: 그래! 출동이다!

공주를 치료한다.

왕: 왕위는 인터넷에서 유용한 정보를 찾아낸 첫째에게 물려주겠다! 이유는 정보의 시대에 맞게 공주가 아픈 사실을 제일 먼저 알기 때문이다.

선생님 생각 엿보기

• 이 활동의 목적

기술의 발달에 따른 사회 변화로 직업의 변화 과정을 이해할 수 있기를 바랍니다.

• 선생님은 이 활동을 이렇게 평가합니다.

상	다양한 미래 기술을 제시하여 스토리를 전개하고, 사위 삼을 사람을 정하였다.
중	미래 기술을 제시하여 스토리를 전개하였지만, 사위 삼을 사람을 정하지 못하였다.
하	미래 기술을 제시하여 스토리를 전개하지 못하고, 사위 삼을 사람을 정하지 못하였다.

이와 관련된 활동은?

[관련 활동] 미래 기술 일기 쓰기 | 무인 자동차, 3D 프린팅, 인공 지능 기술 등이 일상화된 미래의 삶을 상상하며 하루 일기를 써보는 활동이다.

[02. 기술과 안전]

가정과 사회의 변화에 따른 안전 사항에 대하여 조사하고, 예방 및 대처방안에 대하여 이해한다.

이 섹션에서 '알아야 할 것' (이해)	가정과 사회의 변화에 따른 안전사고를 예방하고 대처 방안에 대하여 이해한다. 1. 안전과 안전사고 2. 안전사고의 유형 3. 안전사고의 유형에 따른 예방 및 대처 방안

이 섹션에서 '할 수 있어야 하는 것' (능력)	가정과 사회의 변화에 따른 안전 사항에 대하여 조사한다. [활동] • 안전 사항과 관련된 미로 게임을 해 보고, 학교생활 중 일어날 수 있는 안전사고와 이에 따른 예방 및 대처 방안을 적어보자.

02 기술과 안전

1. 안전과 안전사고

① 안전

위험이 생기거나 사고가 날 염려가 없이 편안하고 온전한 상태 또는 그러한 상태를 유지하는 일을 말한다.

② 안전사고

일상생활이나 공장, 학교 등에서 안전 교육의 미비 또는 부주의 등으로 일어나는 사고를 말한다.

2 안전사고의 유형

① 넘어짐 사고

⊙ 가정
- 욕실이나 화장실에서 미끄러져 넘어짐
- 집 앞 빙판길에서 미끄러져 넘어짐

ⓛ 학교: 학교 계단에서 미끄러져 넘어짐

ⓒ 작업장: 작업장 설비 등에 걸려 넘어짐

② 떨어짐 사고

⊙ 가정
- 창문이나 베란다에서 떨어짐   • 옥상에서 떨어짐

ⓛ 학교: 학교 계단에서 떨어짐

ⓒ 작업장
- 건설 공사장의 높은 곳에서 떨어짐   • 높은 곳에서 물건이 떨어짐

③ 전기 사고

⊙ 가정이나 학교
- 가전제품에 의한 감전   • 절연 불량 등 누전으로 인한 감전

ⓛ 작업장
- 기계 장비의 과열   • 기계 누전으로 인한 감전

④ 화재 사고

⊙ 가정
- 문어발식 콘센트 연결로 인한 화재 발생
- 누전으로 인하여 전기 화재 발생
- 가스 누설로 인한 화재 발생

ⓛ 학교: 실험실에서 실험 재료의 연소로 화재 발생

동기 유발 [교과서 145쪽]

완용 펌프에는 없고 소방차에 있는 것이 무엇인지 찾아보고 이유를 말해보자.

예시 답안

- 소방차에는 사다리가 있다. 현대에는 고층 건물이 많아져 사다리가 필요하다.

보조 노트

안전 개념의 도입

19세기 산업 사회의 시작으로 많은 산업 재해 피해자가 생기면서 안전에 대한 개념이 등장하게 되었다. 산업화된 국가에서는 사고로 인한 사망자 수가 전염병으로 인한 사망자 수보다 많이 발생하였다.

학교 안전 7대 표준안

	대분류
1	생활 안전
2	교통 안전
3	폭력 및 신변 안전
4	약물–사이버 중독
5	재난 안전
6	직업 안전
7	응급 처치

작은 활동 [교과서 147쪽]

내가 경험한 안전사고의 유형을 골라 말해 보자.

예시 답안

- 가정이나 학교에서 일상생활 중에 문에 손가락이 끼어 멍이 든 사고를 경험했다.

하인리히 법칙

허버트 윌리엄 하인리히(Herbert William Heinrich)가 발견한 법칙으로, 큰 재해와 중간 재해, 가벼운 재해의 발생 수의 비율이 1 : 29 : 300 정도라는 법칙이다.

창의적인 실습

[교과서 150쪽]

움직이는 픽토그램 만들기

활동 TIP

움직이는 픽토그램 만드는 노작 활동을 통해 재미있게 안전에 대한 이해와 의식을 높일 수 있다. 움직이는 픽토그램을 통해 창의적으로 표현되도록 한다.

세상을 이어 주는 **기술 이야기**

[교과서 151쪽]

우리 학교에서 소화기가 놓인 자리를 말해 보고, 확인해 보자.

예시 답안

식당 조리실, 기술실, 과학실, 복도 등

ⓒ **작업장:** 인화 물질로 화재 발생

⑤ **끼임 사고**

ⓐ **가정이나 학교**
- 학교 출입문에 손가락이 끼임
- 버스, 지하철 등의 출입문, 에스컬레이터에 끼임

ⓑ **작업장:** 작업 기계에 손이나 옷이 끼임

⑥ **교통사고**

ⓐ **가정이나 학교**
- 자전거로 통학할 때의 사고
- 등·하굣길에 버스 사고

ⓑ **작업장**
- 물품 운반 장비의 사고
- 건설 장비의 사고

3. 안전사고의 유형에 따른 예방 및 대처 방안

유형	예방 및 대처 방안
넘어짐 사고	• 욕실 또는 화장실에는 미끄럼 방지 도구를 설치한다. • 겨울철에는 집 앞의 눈을 치운다. • 작업장 및 안전 통로는 미끄럽거나 걸려 넘어지는 것이 없도록 항상 정리한다.
떨어짐 사고	• 창문이나 베란다에서 장난을 치지 않는다. • 높은 곳에서 작업할 경우 반드시 안전 장비를 갖추고 추락 위험이 있는 곳에 안전 표지판을 부착한다.
전기 사고	• 전기 제품을 사용하지 않는 경우 전원을 차단한다. • 기계 가동 시 감전 사고에 주의한다.
화재 사고	• 집에서 가스를 사용하지 않을 경우에는 반드시 가스 밸브를 잠근다. • 학교에서 불을 이용하는 실험·실습 시에는 선생님의 지시 및 안전 수칙을 따른다.
끼임 사고	• 엘리베이터 문 등에 끼이지 않도록 주의한다. • 안전 복장을 착용하고 모든 기계는 정해진 담당자 외에 취급하지 않는다.
교통사고	• 등하교 시 교통 법규를 준수한다. • 공장 내 수송 수단 작동 시 주의한다.

이 섹션의 핵심 키워드 | 안전, 안전사고, 넘어짐 사고, 떨어짐 사고, 전기 사고, 화재 사고, 끼임 사고, 교통사고

스스로 정리하기

1 위험이 생기거나 사고가 날 염려가 없는 편안한 것을 무엇이라고 하는가? 안전

2 안전시설을 갖추지 않았거나 안전 사항을 지키지 않을 때 일어나는 사고를 무엇이라고 하는가? 안전사고

3 **창의·인성** 학교에서 일어날 수 있는 떨어짐 사고를 예방하기 위한 방법을 이야기해 보자.
떨어짐 방지 난간이나 그물을 설치한다.

01 위험이 생기거나 사고가 날 염려가 없는 편안한 상태를 의미하는 것은?

① 기술　　　　　② 사고
③ 안전　　　　　④ 휴식
⑤ 예방

02 가정, 학교, 작업장 등에서 안전시설을 갖추지 않았거나 안전 사항을 지키지 않았을 때 일어나는 사고를 (　　　　　)(이)라 한다.

03 다음은 어떤 유형의 안전사고인가?

> • 자전거로 통학할 때의 사고
> • 등·하굣길에 버스 사고

04 기술실 안전에 대한 내용으로 바르지 못한 것은?

① 질서를 지키면서 실험 및 실습에 임한다.
② 실험 및 실습 후에 뒷정리는 다른 친구에게 부탁한다.
③ 기계, 도구 등의 정확한 사용법을 사전에 숙지한 후 사용한다.
④ 안전 교육은 학생을 상해로부터 보호하고 생명을 지키는 교육이다.
⑤ 안전사고 발생 시 간단한 응급 처치 요령에 대해 배우고 즉시 치료받도록 안내한다.

05 전선 피복이 벗겨진 부분은 누전이 되지 않도록 일반 테이프로 감는다.

(○ , ×)

06 끼임 사고를 방지하기 위해서 문의 모서리 부분에 (　　　　　)을/를 부착한다.

07 (　　　　　) 사고를 예방하기 위해서는 옥상 가장자리에 안전 펜스를 설치한다.

08 소리로 불을 끄는 소화기는 소방관이 진입하기 어려운 좁은 지역에서 사용하기에 좋다.

(○ , ×)

01 〈보기〉는 어떤 사고의 예방 및 대처 방안인가?

| 보기 |

- 기계 가동 중 청소, 측정, 정비 등을 하지 않는다.
- 출입문을 지날 때에는 뒤에 사람이 오는지 살펴보고 출입문을 닫는다.
- 버스, 지하철이나 에스컬레이터에 무리하게 탑승하지 않는다.

① 떨어짐 사고 　　② 끼임 사고
③ 전기 사고 　　④ 넘어짐 사고
⑤ 교통사고

02 교통사고 예방과 가장 거리가 먼 것은 무엇인가?

① 등하굣길에 교통 법규를 준수한다.
② 작업장 내 운반 장비를 작동할 때 주의한다.
③ 자동차를 타면 반드시 안전벨트를 착용한다.
④ 출입문을 지날 때에는 뒤에 사람이 오는지 살펴보고 출입문을 닫는다.
⑤ 자전거 상태를 주기적으로 점검하고, 탈 때에는 안전 보호 장비를 착용한다.

03 〈보기〉는 어떤 사고의 예방 및 대처 방안인가?

| 보기 |

- 창문 모양의 안전망을 설치한다.
- 창문이나 베란다에서 장난치지 않는다.

① 떨어짐 사고 　　② 끼임 사고
③ 전기 사고 　　④ 넘어짐 사고
⑤ 교통사고

04 〈보기〉의 빈칸에 공통으로 들어갈 용어로 올바른 것은?

| 보기 |

- 문어발식 콘센트 연결에 의한 (　　　) 발생
- 누전으로 인한 전기(　　　) 발생
- 가스 누설로 인한 (　　　) 발생

① 낙상 　　② 화재
③ 지진 　　④ 교통사고
⑤ 끼임 사고

05 사물, 시설, 행위, 개념 등을 쉽게 알아볼 수 있도록 나타낸 그림 문자를 무엇이라고 하는가?

① 애니어그램 　　② 상형 문자
③ 픽토그램 　　④ 인스타그램
⑤ 다이어그램

06 〈보기〉는 간이 소화기 만들기 과정이다. 괄호 안에 들어갈 물질은 무엇인가?

| 보기 |

〈만들기 과정〉
- 페트병에 물과 식초를 넣는다.
- 화장지에 (　　　　)을/를 넣어 둘둘 만다.
- 화장지를 페트병 상단에 고정한다.
- 페트병을 흔들어 힘껏 누르면 분사된다.

① 밀가루 　　② 설탕
③ 소금 　　④ 비누
⑤ 베이킹파우더

07 우리 집 화장실에서의 넘어짐 사고를 예방하기 위해 할 수 있는 일을 한 가지만 써 보자.

기 술 활 동　안전과 관련된 다음 활동을 해 보자.

교과서 **148~149**쪽

**이 섹션에서
할 수 있어야 하는 것!**

① 주어진 질문에 옳게 답하여 미로를 빠져나가 보자.

❶ 기술의 발달과 안전은 관련이 없다. (○, ⊗)
❷ 안전이란 위험이 생기거나 사고가 날 염려가 없는 편안한 것을 의미한다. (◎, ×)
❸ 안전사고란 가정, 학교, 작업장 등에서 안전시설은 갖추었지만 안전 사항을 지키지 않았을 때 일어나는 사고를 말한다. (○, ⊗)
❹ 실습실 기계의 오작동과 실습 장비의 과열로 인한 사고는 전기 사고의 예이다. (◎, ×)
❺ 인화 물질 또는 폭발 위험이 있는 곳에서 화기 취급을 금지하는 것은 떨어짐 사고의 예방 및 대처 방안이다. (○, ⊗)

→ 정답이 ○일 때 따라가시오.　┈┈▶ 정답이 ×일 때 따라가시오.

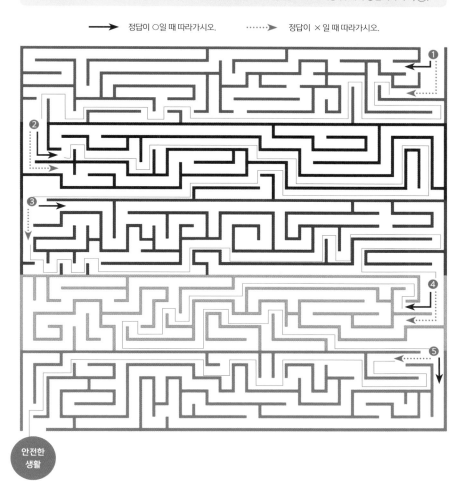

**안전한
생활**

**선생님 생각
엿보기**

▶ **· 이 활동의 목적**
선생님은 안전 미로를 빠져나가는 활동을 통해 안전 및 안전사고를 이해하기를 바랍니다.

▶ **· 선생님은 이 활동을 이렇게 평가합니다.**

상	안전에 관한 질문을 모두 잘 맞히어 미로를 한 번에 통과하였다.
중	안전에 관한 질문을 일부 맞히어 미로를 세 번 이내에 통과하였다.
하	안전에 관한 질문을 잘 맞히지 못해 미로를 통과하지 못하였다.

② 학교 사진을 보고, 장소별로 일어날 수 있는 안전사고와 예방 및 대처 방안을 적어 보자.

복도 및 계단

- 일어날 수 있는 안전사고
  - 넘어짐 사고
  - 떨어짐 사고

- 예방 및 대처 방안
  - 학교 계단 끝부분에는 미끄럼 방지 장치를 설치한다.
  - 계단 난간 위에 타고 내려오지 못하도록 미끄럼 방지 장치를 설치한다.

기술실

과학실

급식실

- 일어날 수 있는 안전사고
  넘어짐 사고

- 예방 및 대처 방안
  미끄럽거나 걸려 넘어지는 것이 없도록 항상 정리한다.

- 일어날 수 있는 안전사고
  - 전기 사고
  - 화재 사고

- 예방 및 대처 방안 · 전기 배선 작업이 필요한 실험을 할 때는 전선 피복의 벗겨짐으로 감전의 우려가 있으므로 주의해야 한다.
- 화재가 발생 시 '불이야'라고 외쳐 선생님과 다른 학생들에게 상황을 알리고, 젖은 걸레나 실험복 등으로 덮어서 끈다.

- 일어날 수 있는 안전사고
  넘어짐 사고

- 예방 및 대처 방안
  식판을 들고 걸을 때는 주변을 잘 살핀다.

체육관

- 일어날 수 있는 안전사고
  넘어짐 사고

- 예방 및 대처 방안
  바닥의 미끄러운 오염 물질을 제거한다.

선생님 생각 엿보기	**· 이 활동의 목적** 선생님은 학교의 장소별로 일어날 수 있는 안전사고를 찾아보고, 예방 및 대처 방안을 적을 수 있기를 바랍니다.

· 선생님은 이 활동을 이렇게 평가합니다.

상	교통사고를 제외한 안전사고의 4~5가지 유형과 예방 및 대처 방안을 작성하였다.
중	교통사고를 제외한 안전사고의 2~3가지 유형과 예방 및 대처 방안을 작성하였다.
하	교통사고를 제외한 안전사고의 1가지 유형과 예방 및 대처 방안을 작성하였거나, 모두 작성하지 못하였다.

이와 관련된 활동은?	**[관련 활동] 우리 학교 안전 픽토그램 지도 만들기 |** 우리 학교의 어느 곳에 안전 안내 표지판이 필요한지 생각하거나 찾아다녀 보고 안전 픽토그램 지도를 만들어 보는 활동이다.

Ⅴ 기술을 통한 적용

학습 마무리

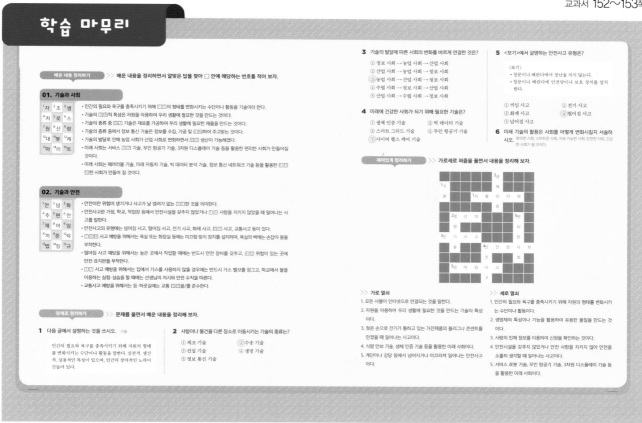

배운 내용 정리하기 >> 배운 내용을 정리하면서 알맞은 답을 찾아 □ 안에 해당하는 번호를 적어 보자.

01. 기술과 사회

¹자	²조	³생
⁴처	⁵로	⁶스
⁷원	⁸산	⁹랑
¹⁰대	¹¹봇	¹²제
¹³마	¹⁴리	¹⁵트

- 인간의 필요와 욕구를 충족시키기 위해 □□의 형태를 변화시키는 수단이나 활동을 기술이라 한다.
- 기술의 □□적 특성은 자원을 이용하여 우리 생활에 필요한 것을 만드는 것이다.
- 기술의 종류 중 □□ 기술은 재료를 가공하여 우리 생활에 필요한 제품을 만드는 것이다.
- 기술의 종류 중에서 정보 통신 기술은 정보를 수집, 가공 및 □□하여 주고받는 것이다.
- 기술의 발달로 인해 농업 사회가 산업 사회로 변화하면서 □□ 생산이 가능해졌다.
- 미래 사회는 서비스 □□ 기술, 무인 항공기 기술, 3차원 디스플레이 기술 등을 활용한 편리한 사회가 만들어질 것이다.
- 미래 사회는 웨어러블 기술, 미래 자동차 기술, 빅 데이터 분석 기술, 정보 통신 네트워크 기술 등을 활용한 □□한 사회가 만들어 질 것이다.

02. 기술과 안전

¹안	²넘	³화
⁴추	⁵편	⁶임
⁷재	⁸어	⁹임
¹⁰끼	¹¹준	¹²락
¹³법	¹⁴짐	¹⁵규

- 안전이란 위험이 생기거나 사고가 날 염려가 없는 □□한 것을 의미한다.
- 안전사고란 가정, 학교, 작업장 등에서 안전시설을 갖추지 않았거나 □□ 사항을 지키지 않았을 때 일어나는 사고를 말한다.
- 안전사고의 유형에는 넘어짐 사고, 떨어짐 사고, 전기 사고, 화재 사고, □□ 사고, 교통사고 등이 있다.
- □□□ 사고 예방을 위해서는 욕실 또는 화장실 등에는 미끄럼 방지 장치를 설치하며, 욕실의 벽에는 손잡이 봉을 부착한다.
- 떨어짐 사고 예방을 위해서는 높은 곳에서 작업할 때에는 반드시 안전 장비를 갖추고, □□ 위험이 있는 곳에 안전 표지판을 부착한다.
- □□ 사고 예방을 위해서는 집에서 가스를 사용하지 않을 경우에는 반드시 가스 밸브를 잠그고, 학교에서 불을 이용하는 실험·실습을 할 때에는 선생님의 지시와 안전 수칙을 따른다.
- 교통사고 예방을 위해서는 등·하굣길에는 교통 □□을/를 준수한다.

문제로 정리하기 >> 문제를 풀면서 배운 내용을 정리해 보자.

1 다음 글에서 설명하는 것을 쓰시오. 기술

인간의 필요와 욕구를 충족시키기 위해 자원의 형태를 변화시키는 수단이나 활동을 말한다. 실천적, 생산적, 실용적 특성이 있으며, 인간의 창의적인 노력이 깃들어 있다.

2 사람이나 물건을 다른 장소로 이동시키는 기술의 종류는?
① 제조 기술 ② 수송 기술
③ 건설 기술 ④ 생명 기술
⑤ 정보 통신 기술

3 기술의 발달에 따른 사회의 변화를 바르게 연결한 것은?
① 정보 사회 → 농업 사회 → 산업 사회
② 산업 사회 → 농업 사회 → 정보 사회
③ 농업 사회 → 산업 사회 → 정보 사회
④ 수렵 사회 → 정보 사회 → 산업 사회
⑤ 산업 사회 → 수렵 사회 → 정보 사회

4 미래에 건강한 사회가 되기 위해 필요한 기술은?
① 생체 인증 기술 ② 빅 데이터 기술
③ 스마트 그리드 기술 ④ 무인 항공기 기술
⑤ 사이버 헬스 케어 기술

5 <보기>에서 설명하는 안전사고 유형은?

〈보기〉
- 창문이나 베란다에서 장난을 치지 않는다.
- 창문이나 베란다에 안전망이나 보호 장치를 설치한다.

① 끼임 사고 ② 전기 사고
③ 화재 사고 ④ 떨어짐 사고
⑤ 넘어짐 사고

6 미래 기술의 활용은 사회를 어떻게 변화시킬지 서술하시오.
편리한 사회, 스마트한 사회, 지속 가능한 사회, 안전한 사회, 건강한 사회가 될 것이다.

재미있게 정리하기 >> 가로세로 퍼즐을 풀면서 내용을 정리해 보자.

>> **가로 열쇠**
1. 모든 사물이 인터넷으로 연결되는 것을 말한다.
2. 자원을 이용하여 우리 생활에 필요한 것을 만드는 기술의 특성이다.
3. 젖은 손으로 전기가 통하고 있는 가전제품의 플러그나 콘센트를 만졌을 때 일어나는 사고이다.
4. 식량 안보 기술, 생체 인증 기술 등을 활용한 미래 사회이다.
5. 계단이나 감당 에서 넘어지거나 미끄러져 일어나는 안전사고 이다.

>> **세로 열쇠**
1. 인간의 필요와 욕구를 충족시키기 위해 자원의 형태를 변화시키는 수단이나 활동이다.
2. 생명체의 특성이나 기능을 활용하여 유용한 물질을 만드는 것 이다.
3. 사람의 인체 정보를 이용하여 신원을 확인하는 것이다.
4. 안전시설을 갖추지 않거나 안전 사항을 지키지 않아 안전을 소홀히 생각할 때 일어나는 사고이다.
5. 서비스 로봇 기술, 무인 항공기 기술, 3차원 디스플레이 기술 등을 활용한 미래 사회이다.

정답 및 해설

배운 내용 정리하기

01. 자원(1, 7) / 생산(3, 8) / 제조(12, 2) / 처리(4, 14) / 로봇(5, 11) / 스마트 (6, 13, 15)

02. 편안(5, 1) / 안전(1, 6) / 끼임(10, 9) / 넘어짐(2, 8, 14) / 추락(4, 12) / 화재(3, 7) / 법규(13, 15)

문제로 정리하기

1. 기술
2. ② 수송 기술은 사람이나 물건을 다른 장소로 이동시키는 기술이다.
3. ③ 기술이 발달하면서 농업 사회에서 산업 사회로 변화하였고, 이후 정보 통신 기술의 발달로 산업 사회가 정보 사회로 변화하였다.
4. ⑤ ①은 안전한 사회, ②는 스마트한 사회, ③은 지속 가능한 사회, ④는 편리한 사회가 되기 위해 필요한 기술이다.
5. ④ 떨어짐 사고의 예방 및 대처 방안이다.
6. 편리한 사회, 스마트한 사회, 지속 가능한 사회, 안전한 사회, 건강한 사회

재미있게 정리하기

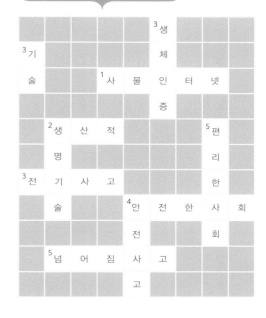

혁신

핵심 개념

1. 기술적 문제 해결 과정
2. 발명의 이해
3. 특허의 이해
4. 생활 속 문제의 창의적 해결
5. 표준의 이해 / 6. 표준화의 창의적 문제 해결

VI

기술적 문제 해결을 통한 혁신

1. 일상생활에서 사용되는 제품들이 기술적 문제 해결 과정을 통해 개발되고 발전하고 있음을 이해한다.

2. 발명의 개념, 특징을 이해하고 발명이 사회 변화에 미친 영향을 설명한다.

3. 특허의 개념을 이해하고 지식재산권 침해 사례를 분석하고 발표한다.

4. 생활 속 문제를 찾아 아이디어를 구상하고 확산적 · 수렴적 사고 기법을 활용하여 창의적으로 해결한다.

5. 표준의 개념과 중요성을 알고 표준화의 영향을 분석하고, 평가한다.

6. 표준화가 되어 있지 않아 불편한 사례를 찾아 해결 방안을 탐색하고 실현하며 평가한다.

[01. 기술적 문제 해결 과정]

일상생활에서 사용되는 제품들이 기술적 문제 해결 과정을 통해 개발되고 발전하고 있음을 이해한다.

이 섹션에서 '알아야 할 것' (이해)	**일상생활에서 사용되는 제품들이 기술적 문제 해결 과정을 통해 개발되고 발전하고 있음을 이해한다.** 1. 기술적 문제 해결 과정의 이해 2. 기술적 문제 해결 과정의 예

이 섹션에서 '할 수 있어야 하는 것' (능력)	**일상생활에 사용하는 제품에 기술적 문제 해결 과정을 적용할 수 있다.** [활동] ・생활 주변의 제품 중에서 기술적 문제 해결 과정을 거쳐 개발된 것을 찾아보고, 그 과정을 적어 보자.

01 기술적 문제 해결 과정

이 섹션에서
알아야 할 것!

1. 기술적 문제 해결 과정의 이해

① 기술적 문제 해결 과정

㉠ 기술적 문제 해결 과정은 기술적 지식과 방법으로 문제를 실천적으로 해결하는 과정을 말한다.

㉡ 기술적 문제는 하나의 답을 요구하는 수학이나 과학 문제와는 달리 다양한 형태의 해결책이 나온다.

㉢ 기술적 문제 해결 과정은 창의성이 필요하며, 실천적이며 우리 실생활에 적용된다.

② 기술적 문제 해결 단계

문제 확인, 아이디어 창출, 아이디어 구체화, 실행, 평가 순으로 이루어진다.

㉠ 문제 확인

- 기술적 문제를 구체적으로 확인하는 단계이다.
- 개선하려는 대상의 특성인 구조, 모양, 색상, 성질, 용도 등을 나열한다.
- 사용할 때의 불편한 점이나 마음에 들지 않는 점 등을 나열한다.
- 문제 확인기법으로 문제에 따른 원인을 찾아내는 방법과 '왜?'라는 질문을 하면서 문제의 원인을 찾아내는 방법 등이 있다.

㉡ 아이디어 창출

- 확인된 문제를 개선하기 위해 해결 방안을 찾는 단계이다.
- 문제를 확인하고 나서 문제를 해결하기 위해 정보를 수집하고 가능한 해결 방안을 찾아보는 단계이다.
- 창의적 사고 기법(확산적 · 수렴적 사고 기법)을 이용하여 다양한 아이디어를 내어 최적의 아이디어를 선정한다.
  - 창의적 사고 기법: 어떤 창의적 사고를 하기 위해 생각의 과정이나 생각하는 방법 등을 체계화한 것을 말한다.
  - 창의적 사고 기법은 다양한 아이디어, 독특한 아이디어, 정교한 아이디어를 많이 창출하기 위해 결과보다는 과정을 중시한다.

⟨확산적 사고 기법과 수렴적 사고 기법⟩

구분	확산적 사고 기법	수렴적 사고 기법
의미	다양한 아이디어(대안, 가능성)를 만들어 내는 사고 과정	아이디어(대안, 가능성)를 선택하거나 개선하는 사고 과정
원리	판단 지연의 원리(충분한 수의 대안이 만들어질 때까지 판단을 지연하는 것)	긍정적 판단의 원리(더 나은 대안을 찾거나 만들기 위해 긍정적으로 생각하는 것)
종류	브레인스토밍, 브레인라이팅, 마인드맵, 스캠퍼 등	하이라이팅 기법, ALU 기법, 역브레인스토밍, PMI 기법 등

동기 유발 [교과서 158쪽]

그림에서 나타난 문제를 어떻게 해결할 수 있을까?

예시 답안

배수관의 소음 문제는 장치를 구상하고 만드는 등 실천적인 활동이 필요하고, 수학 문제는 책상에 앉아 배운 내용을 토대로 계산하고 문제를 푸는 과정이 필요하다.

보조 노트

기술적 문제

생활 속에서 겪는 불편함 또는 기존에 만들어진 제품에 개선이 필요한 상황을 말한다.

아이디어

어떤 문제를 풀기 위한 번쩍이는 생각이나 힌트를 의미하거나 낡은 요소들의 새로운 조합을 말한다.

와이-와이(why-why) 기법

발견된 문제를 정의하기 위해 '왜?'라는 질문에 대한 답을 왼쪽에서 오른쪽으로 나뭇가지를 그리듯이 진술해 나가는 기법이다.

스케치

스케치는 자나 컴퍼스와 같은 도구를 사용하지 않고 손으로 입체 형상을 그리는 기술을 말한다.

도면

한국산업규격(KS)에 정해진 규칙에 따라 선, 문자, 기호를 이용하여 물체의 모양, 크기, 구조, 제작 방법 등을 나타내는 것이다.

시제품 제작 과정

준비하기→마름질하기→가공하기→조립하기→검사하기

작은
활동 ▶ [교과서 161쪽]

그림에서 확산적 사고 기법과 수렴적 사고 기법이 적용된 것을 찾아 이야기해 보자.

예시 답안

아이디어 창출 과정에 해당하는 그림을 통해 알 수 있다. 이 단계에서 친구들의 의견은 확산적 사고 기법에 해당하고, 여기서 주인공이 한 가지 아이디어를 선택한 것이 수렴적 사고 기법에 해당한다.

ⓒ **아이디어 구체화:** 선정한 아이디어를 다른 사람이 알아볼 수 있도록 표현하는 단계이다.

- 스케치하기: 스케치를 할 때에는 입체적으로 높이, 너비, 길이 등을 표현하면 더욱 좋고, 이러한 스케치를 바탕으로 제품의 제작도를 그린다.
- 도면 그리기: 물체를 나타내는 방법은 등각 투상도, 사투상도, 정투상도 등이 있다. 정투상법은 제품의 조립도, 부품도 등을 그릴 때 가장 많이 이용되며 제3각법으로 그리는 것을 원칙으로 한다.

ⓓ **실행:** 구체화된 아이디어를 도면에 따라 제작 계획을 세워 시제품으로 만드는 단계이다.

- 시제품이란 제품을 제작하기 전에 시범적으로 만드는 제품으로, 시제품을 만들면 제품을 입체적으로 볼 수 있어 구상한 아이디어의 문제점이나 새로운 개선 방법을 발견할 수 있고, 이를 보완할 수 있다.
- 시제품을 만들 때에는 사용하는 재료의 특성과 공구의 사용법을 잘 이해하여 활용하도록 하고 안전에 유의해야 한다.

ⓔ **평가:** 완성된 제품을 일정한 기준에 따라 평가하는 단계이다.

- 완성된 제품을 평가하고, 개선해야 할 문제점이 발견되면 다시 문제 해결 과정을 거쳐 수정하고 보완한다.
- 평가 결과에 따라 어떤 수정·보완이 필요한지 종합적으로 판단하여 후속 조치를 할 수 있어야 한다.
- 일반적으로 발명품의 평가는 제품의 구조, 기능, 동작, 심미성, 재료, 가격, 제조 방법, 독창성 등을 평가할 수 있는 항목들이 포함된다.

2. 기술적 문제 해결 과정의 예

일상생활 속에서 많은 제품들은 기술적 문제 해결 과정을 통해 개발되고 발전하고 있다.

〈기술적 문제 해결 과정의 예〉

일반 제품	문제 확인	아이디어 창출	아이디어 구체화	실행	평가	아이디어 제품
콘센트	욕실 콘센트 감전 위험	콘센트 덮개	스케치 및 도면화	재료와 공구 준비 제작	실용성, 경제성, 제작 가능성 등	욕실용 콘센트
자전거	여행지 가서 자전거 타기	접는 자전거				접이식 자전거

핵심 용어 | 기술적 문제 해결 과정, 확산적 사고 기법, 수렴적 사고 기법

스스로 정리하기

1 기술적 지식과 방법을 통해 문제를 실천적으로 해결하는 과정을 무엇이라고 하는가? 기술적 문제 해결 과정

2 아이디어 창출 단계는 확인된 문제를 개선하기 위해 무엇을 찾는 단계인가? 해결 방안

3 선정한 아이디어를 다른 사람이 알아볼 수 있도록 표현하는 단계를 무엇이라고 하는가? 아이디어 구체화

4 **창의·인성** 일반 콘센트에 비해 욕실용 콘센트가 좋은 점이 무엇인지 이야기해 보자.

욕실에서 콘센트에 물이 들어가는 것을 방지해 줄 수 있는 덮개가 있어 안전하게 사용할 수 있다.

01 기술적 지식과 방법으로 문제를 실천적으로 해결하는 과정을 기술적 (   ) 과정이라고 한다.

02 기술적 문제 해결 과정은 문제 확인 → 아이디어 창출 → 아이디어 구체화 → 실행 → 평가 순으로 이루어진다.

(○ , ×)

03 기술적 문제 해결 과정에서 확인된 문제를 개선하기 위해 해결 방안을 찾는 단계는?

① 문제 확인
② 아이디어 창출
③ 아이디어 구체화
④ 실행
⑤ 평가

04 아이디어 구체화 단계는 선정한 아이디어를 다른 사람이 알아볼 수 있도록 (   )하는 단계이다.

05 다양한 아이디어를 내어 최적의 아이디어를 선정하는 창의적 사고 기법 2가지를 쓰시오.

06 평가는 구체화된 아이디어를 도면에 따라 제작 계획을 세워 제품을 실제로 만드는 단계이다.

(○ , ×)

07 구체화된 아이디어를 자나 컴퍼스와 같은 도구를 사용하지 않고 손으로 입체 형상을 그리는 기술은?

① 스케치   ② 전개도
③ 구상도   ④ 정투상법
⑤ 투시 투상법

08 다음에서 설명하는 기술적 문제 해결 과정을 쓰시오.

> • 샤워 커튼을 달아 콘센트에 물이 튀지 않게 하자.
> • 콘센트 덮개를 만들어 물이 튀어도 안전하게 하자.
> • 콘센트를 샤워기에서 최대한 멀리 설치하자.

09 몸에 전기가 통하여 순간적으로 충격을 받는 것을 무엇이라 하는지 쓰시오.

(   )

10 완성된 접이식 자전거가 실용성, (   ), 제작 가능성 등을 고려해 볼 때 적합한지 평가해 본다.

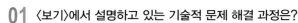

01 〈보기〉에서 설명하고 있는 기술적 문제 해결 과정은?

┤ 보기 ├
- 개선하려는 대상의 특성과 불편한 점을 찾는다.
- 대상의 구조, 모양, 색상, 성질, 용도 등을 나열하고, 사용할 때의 불편한 점이나 개선하고자 하는 점 등을 나열한다.

① 실행
② 평가
③ 문제 확인
④ 아이디어 창출
⑤ 아이디어 구체화

02 아이디어 구체화에 대한 설명으로 옳은 것은?

① 기술적 문제를 구체적으로 확인하는 단계이다.
② 시제품을 일정한 기준에 따라 평가하는 단계이다.
③ 확인된 문제를 개선하기 위해 해결 방안을 찾는 단계이다.
④ 선정한 아이디어를 다른 사람이 알아볼 수 있도록 표현하는 단계이다.
⑤ 구체화된 아이디어를 도면에 따라 제작 계획을 세워 제품을 실제로 만드는 단계이다.

03 창의적 사고 기법을 이용하여 다양한 아이디어를 내는 단계는?

① 아이디어 확인
② 아이디어 창출
③ 아이디어 평가
④ 아이디어 실행
⑤ 아이디어 구체화

04 제작 계획을 세워 제품을 실제로 만드는 단계는?

① 문제 확인
② 아이디어 창출
③ 아이디어 구체화
④ 실행
⑤ 평가

05 〈보기〉는 기술적 문제 해결 과정을 나타낸 것이다. 그 순서를 바르게 나열한 것은?

┤ 보기 ├
가. 문제 확인
나. 아이디어 창출
다. 아이디어 구체화
라. 실행
마. 평가

① 가 → 나 → 다 → 라 → 마
② 가 → 다 → 나 → 라 → 마
③ 나 → 가 → 다 → 라 → 마
④ 나 → 다 → 가 → 라 → 마
⑤ 다 → 나 → 가 → 라 → 마

06 〈보기〉는 기술적 문제 해결 과정의 아이디어 구체화 단계에 대한 내용이다. ㉠, ㉡에 들어갈 알맞은 단어가 순서대로 나열된 것은?

┤ 보기 ├
(㉠)은/는 필기도구만을 이용하여 종이에 빠르고 쉽게 표현하는 방법이고, (㉡)은/는 (㉠)을/를 바탕으로 선, 문자, 기호 등을 사용하여 정해진 규칙에 따라 자세하고 정확하게 표현하는 것이다.

	㉠	㉡
①	모형	시제품
②	도면	모형
③	모형	도면
④	시제품 프리핸드	스케치
⑤	프리핸드 스케치	도면

기 술 활 동

생활 주변의 제품 중에서 기술적 문제 해결 과정을
거쳐 개발된 것을 찾아보고, 그 과정을 적어 보자.

이 섹션에서
할 수 있어야 하는 것!

일반 제품	문제 확인	아이디어 창출	아이디어 구체화	실행	평가	아이디어 제품
	⑩ 여러 색의 볼펜이 필요한데 세 개를 갖고 다니기 너무 불편해.	• 필통을 이용하여 쉽게 보관하자. • 하나의 펜에 여러 색의 볼펜 심을 넣자. • 펜을 작게 만들어서 부피를 줄이자.	여러 색의 볼펜 심을 넣은 펜을 프리핸드 스케치와 도면으로 표현해 보자.	필요한 재료와 공구를 이용하여 제품을 만들자.	완성된 제품이 실용성, 경제성, 제작 가능성 등에 적합한지 평가해 보자.	

일반 제품이
기술적 문제 해결
과정을 거쳐 아이디어
제품으로 발전될 수
있답니다.

선생님 생각 엿보기

• 이 활동의 목적

선생님은 이 활동을 통해 기존의 제품에 기술적 문제 해결 과정을 적용하여 개선된 아이디어 제품을 생각해 낼 수 있기를 바랍니다.

• 선생님은 이 활동을 이렇게 평가합니다.

상	기술적 문제 해결 과정의 아이디어 창출, 아이디어 구체화, 실행, 평가 단계가 모두 명확히 제시되었다.
중	기술적 문제 해결 과정의 아이디어 창출, 아이디어 구체화, 실행, 평가 단계 중 2~3가지가 잘 제시되었다.
하	기술적 문제 해결 과정의 아이디어 창출, 아이디어 구체화, 실행, 평가 단계 중 1가지만 잘 제시되었거나, 모두 잘못 제시되었다.

이와 관련된 활동은?

[관련 활동] 문제 상황을 제시한 기술적 문제 해결 과정 적용하기 | 우유갑이 불투명해서 우유의 내용물 상태가 확인이 되지 않아 남은 우유의 양을 파악하지 못하는 문제 상황을 주고 기술적 문제 해결 과정을 통해 해결하는 활동이다.

[02. 발명의 이해]

발명의 개념과 특징을 이해하고, 발명이 사회 변화에 미친 영향을 설명한다.

이 섹션에서 '알아야 할 것' (이해)	**발명의 개념과 특징을 이해하고, 발명이 사회 변화에 미친 영향을 설명한다.** 1. 발명의 개념과 특징 2. 발명이 사회 변화에 미친 영향

이 섹션에서 '할 수 있어야 하는 것' (능력)	**발명과 발견이 밀접한 관계 속에서 인류가 발전해 왔음을 알 수 있는 실제 사례를 찾을 수 있다.** [활동] · 발명과 발견의 관계를 읽고, [보기]에서 알맞은 단어를 골라 빈칸을 채워 보자.

02 발명의 이해

1. 발명의 개념과 특징

① 발명의 개념

㉠ 지금까지 없었던 물건을 새로 만들거나 이미 있는 물건을 좀 더 편리하게 만드는 활동이다.

㉡ 자연법칙이나 현상을 이용하여 아이디어를 찾아내는 활동이다.

㉢ 창의적인 생각으로 새로운 방법이나 기술, 물건, 기구 등을 만드는 활동이다.

㉣ 단순한 모방이 아닌 창의성이 있어야 하며 실용성과 경제성이 포함되어 있어야 한다.
- 창의성: 기존에 없던 것을 새롭게 만들어 낸 것이어야 한다.
- 실용성: 기존에 사용하던 것보다 더 편리해지거나 쓰임새가 좋아져야 한다.
- 경제성: 적은 비용으로 높은 가치를 갖도록 만들어야 한다.

② 발명의 종류

㉠ **발명 수준에 따른 종류**
- 착상 발명: 순간적으로 떠오르는 아이디어에 의한 발명으로, 비교적 간단하다.
  예 철조망, 물갈퀴, 십자드라이버, 지우개 달린 연필 등
- 과학 발명: 과학의 원리를 응용하거나 기계 원리를 이용한 발명으로 전문 지식이 필요하다.
  예 컴퓨터, 텔레비전, 로봇, 모터, 엔진, 냉장고, 에어컨, 반도체, 휴대 전화 등
- 응용 발명: 어떤 제품이나 부품을 다른 제품에 조합하여 새로운 발명을 한다.
  예 바이메탈(금속판의 결합), 폴라로이드 카메라(카메라와 현상 기구의 결합), 시계 겸용 달력 등

㉡ **발명 대상에 따른 종류**
- 물건의 발명: 기술적 사상의 창작이 물건 또는 물질 자체에 구체화한 발명이다.
- 방법의 발명: 어떤 물건을 생산해 내는 새로운 방법의 발명을 말한다.

㉢ **형태에 따른 종류**
- 물리적 형태: 자동차, 컴퓨터 등
- 사회적 형태: 보험, 금융 제도, 교통 운송 체제 등
- 정신적 형태: 게임 및 경기 방법 등

③ 발명의 특징

㉠ 기술을 발달시킨다. → 발명은 새로운 제품이나 기술을 만들어 내는 것이므로 해당 부분의 기술을 발달시킨다.(새로운 바퀴 – 수송 기술 발달)

㉡ 경제적 이익을 주고, 국가 경쟁력도 길러준다. → 발명은 기업 생산 활동에 도움을 주며, 이로 인해 기업에 이익을 주며, 국가 경쟁력도 증가한다. (타이어 발명 – 산업 발달 국가 경쟁력 증가)

동기 유발 [교과서 162쪽]

성냥개비 5개를 이용하여 '원'을 만들어 보자.

예시 답안

성냥개비 5개를 하나로 모아 '숫자 1(one)'을 만든다.

보조 노트

발명의 어원

발명(invention)의 어원인 라틴어의 'inventio'는 '생각이 떠오르다'라는 뜻이다.

발상

발상은 발명의 씨앗으로 '어떤 생각이 떠오른다.'또는 '사상을 표현하다.'라는 것을 의미한다.

발명의 요건

실용성, 창의성, 경제성

발명의 중요성
- 발명을 통해 새로운 물건을 만들어 냄으로써 우리 생활은 더욱 편리하게 된다.
- 개인에게는 부와 명예를 가져다주며, 사회 발전의 원동력과 국가발전의 밑바탕이 된다.

[교과서 162쪽]

작은 활동

타이어 바퀴 다음에는 어떤 바퀴가 나올지 이야기해 보자.

예시 답안

• 센서가 탑재되어 위험 물질이나 장애물을 자율적으로 피하는 바퀴가 나올 것 같다.
• 구 형태의 바퀴가 나와서 어떤 방향으로든 이동할 수 있을 것 같다.

보조 노트

자전거용 공기 타이어 발명

영국 스코틀랜드의 발명가, 던롭(John Boyd Dunlop)은 아들의 자전거를 개량하다가 고형 고무 대신 압축 공기의 쿠션을 이용하여 진동을 줄이는 방법을 고안하였다. 그 결과 공기 주입 자전거 타이어를 발명하여 1888년 특허를 획득하고 2년 후 공업화에 성공하였다.

나침반

자침(磁針)으로 방위를 알 수 있도록 만든 기구이다. 특히, 배나 항공기의 진로를 측정하는 데 쓰이며, 나침의(羅針儀) 또는 컴퍼스라고도 한다.

엘리베이터

사다리의 필요성을 도르래의 원리로 해결한 것으로, 고층 건물 생활에 없어서는 안 되는 장치이다. 엘리베이터는 기원전 236년 아르키메데스가 도르래에 줄을 매달아 사람을 올리는 원시적인 엘리베이터를 시작으로 발전을 거듭하였다.

[교과서 164쪽]

작은 활동

사회를 변화시킬 수 있는 어떠한 발명품을 만들고 싶은지 이야기해 보자.

예시 답안

건강을 실시간으로 측정 및 관리해 주는 헬스 케어 제품을 만들고 싶다.

ⓒ 문제 해결 능력을 길러준다. → 스스로 불편한 점들을 발견하고 발견된 문제를 해결하는 과정에서 문제 해결 능력이 향상된다.(나무 바퀴 – 타이어 바퀴)

ⓔ 생활을 편리하게 해준다. → 생활에서 겪는 문제를 해결해 주는 새로운 물건이 만들어져 이전보다 더욱 편리한 생활을 하게 해준다.(바퀴의 발명 – 먼 곳 빠르고 편안하게 이동)

ⓜ 창의력을 길러준다. → 발명은 단순한 모방이 아닌 새로운 것을 생각해 내는 것이므로 창의력이 향상된다.(새로운 형태의 바퀴)

④ **발명과 발견**

㉠ **발명:** 인간의 욕구와 필요를 충족시키며, 변화하는 환경에 적응하고 개선하는 과정에서 지금까지 없던 기술이나 물건 등을 새로 생각해 내거나 만들어 내는 것을 말한다. 예 전구의 발명, 증기 기관의 발명, 컴퓨터의 발명 등

㉡ **발견:** 자연에 존재하고 있는 것을 우연이나 끈질긴 탐구 끝에 찾아내는 것으로 다른 사람이 찾아내지 못하였거나 세상에 널리 알려지지 않은 것을 먼저 찾아내는 것을 말한다. 예 신대륙의 발견, 혜성의 발견, 새로운 식물의 발견 등

㉢ **발명과 발견의 관계:** 발견과 발명은 서로 밀접한 관계를 가지고 있다. 발견은 다른 발명으로 이어지거나 기술의 발달로 인한 발명이 새로운 발견으로 이어지기도 한다. 예 렌즈의 원리를 이용한 현미경의 발명으로 미생물이나 박테리아 등을 발견

2. 발명이 사회 변화에 미친 영향

① 발명이 사회에 미친 영향

발명	발명 시기와 발명가	영향
엘리베이터	1852년, 오티스	고층 빌딩 건설이 가능해졌다.
비행기	1903년, 라이트 형제	대형 비행기로 발전하여 세계를 빠르고 안전하게 이동할 수 있게 되었다.
텔레비전	1924년, 존 로지 베어드	오늘날 위성 TV 등으로 발전하여 지구촌 구석구석까지 전파를 보내고 있다.
전기세탁기	1908년, 알바 피셔	가사 부담을 획기적으로 덜어주어 여성이 사회 진출을 하는 데 영향을 주었다.
나일론	1938년, 캐러더스	가격이 싼 나일론의 대량 생산으로 섬유, 패션, 의료, 공업 분야 등에 널리 활용되었다.
페니실린	1928년, 알렉산더 플레밍	페니실린으로 인류는 수많은 질병으로부터 해방되었다.
컴퓨터	1946년, 에커트와 모클리가 에니악 발명	현대 사회의 거의 모든 분야에 컴퓨터를 활용하고 있다.
인터넷	1969년, 미국 국방부	인터넷을 통해 전 인류가 하나로 연결되어 다양한 정보를 서로 주고받을 수 있게 되었다.
스마트폰	1992년, IBM사의 '사이먼'으로 추정	인터넷 검색, 은행 업무, 소셜 네트워크 서비스, 방송, 영상 통화, 게임 등 일상생활의 다양한 분야에서 활용되고 있다.

③ **발명 기법의 예**

　㉠ **더하기 기법**: 기존의 물건에 물건이나 기능 및 내용을 더하여 새로운 물건이 되도록 하는 기법이다.

　　• 렌즈+렌즈 → 망원경, 신발+바퀴 → 인라인 스케이트, 연필+지우개 → 지우개 달린 연필, 우유+초콜릿 → 초콜릿 우유, 스팀+걸레 → 스팀 청소기 등

　㉡ **빼기 기법**: 기존의 물건에서 물건을 덜어 내거나 기능 또는 내용을 빼내어 새로운 물건이 되도록 하는 기법이다.

　　• 유선전화기-선 → 무선 전화기, 의자-다리 → 좌식 의자, 일반 주스-설탕 → 무가당 주스, 카메라-필름 → 디지털카메라, 추 있는 시계-추 → 추 없는 시계 등

　㉢ **모양 바꾸기**: 물건의 일부 또는 전체의 모양을 변형시켜 간단하게 새로운 물건을 만드는 발명 기법이다.

　　• 일회용 종이컵 → 봉투 컵 또는 원뿔형 종이컵, 일자형 빨대 → 구부러진 빨대, 일자형 물파스 → 구부러진 물파스, 버스 손잡이 → 손 모양 손잡이, 화장지 → 올록볼록 화장지, 원통형 음료수병 → 콜라병, 1회용 반창고 → 골무형 1회용 반창고 등

　㉣ **크기 바꾸기**: 물건의 크기를 바꾸어 새로운 것을 만들어 내는 발명 기법이다.

　　• CRT TV → LCD, LED, OLED TV, 커다란 다리미 → 미니 다리미, 큰 커피포트 → 미니 커피포트, 커다란 카세트 → MP3 플레이어 등

　㉤ **아이디어 빌리기**: 다른 사람의 아이디어를 응용하여 새로운 물건을 만드는 발명 기법이다.

　　• 파리 끈끈이를 바퀴벌레 끈끈이로 제조, 아기 양말 바닥의 고무 부착, 쥐틀을 이용한 바퀴벌레 틀 등

　㉥ **재료 바꾸기**: 물건의 재료를 바꾸어 새로운 것을 만들어 내는 발명 기법이다.

　　• 합성수지로 만든 당구공 – 상아, 플라스틱제 컵 – 유리, 쇠, 흙 등, 일회용 종이컵 – 컵을 종이로 만듦, 카본 낚싯대 – 대나무 낚싯대 등

핵심 용어 | 발명의 개념, 발견, 발명의 특징, 발명이 사회에 미친 영향, 발명 기법

스스로 정리하기

1 지금까지 없었던 물건을 새로 만들거나 이미 있는 물건을 좀 더 편리하게 만드는 활동을 무엇이라고 하는가? 발명

2 발견이 인간의 관찰에 의해 이루어진다면, 발명은 인간의 무엇에 의해 이루어지는가? 창의적인 노력

3 창의·인성 지금 스마트폰이 나에게 어떠한 영향을 끼치고 있는지 이야기해 보자.
스마트폰을 이용하여 인터넷 강의를 듣기도 하고, 음악 감상을 하거나, 영화를 보는 등 일상 속 많은 부분에서 편리하게 활용하고 있다.

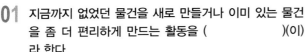
01 지금까지 없었던 물건을 새로 만들거나 이미 있는 물건을 좀 더 편리하게 만드는 활동을 ( )(이)라 한다.

02 발명을 잘하려면 일상생활에서 불편한 점을 해결하기 위한 창의적인 아이디어가 필요하다.
(○ , ×)

03 바퀴의 발명으로 인간은 먼 곳을 빠르게 이동할 수 있다는 점에서 알 수 있는 발명의 특징은?
① 기술을 발달시킨다.
② 창의력을 길러준다.
③ 생활을 편리하게 해준다.
④ 문제 해결 능력을 길러준다.
⑤ 경제적 이익을 주고, 국가 경쟁력도 길러준다.

04 자연에 이미 존재하지만 아직 알려지지 않은 사물이나 현상, 사실, 과학적 원리 등을 찾아내는 것을 ( )(이)라 하며, 이는 인간의 관찰에 의해 이루어지고 있다.

05 발명은 인간의 창의적인 노력에 의해 이루어지는데, 창의적인 아이디어를 내기 위해서는 기존에 생각했던 ( )을/를 깨는 것이 중요하다.

06 발명은 인간의 관찰에 의해 이루어지고, 발견은 인간의 창의적인 노력에 의해 이루어진다.
(○ , ×)

07 신대륙 발견에 영향을 끼친 발명품은?
① 화약
② 피뢰침
③ 나침반
④ 망원경
⑤ 수레바퀴

08 다음에서 설명하는 발명품을 쓰시오.

> • 1908년, 미국 시카고의 한 기계 회사에서 근무하던 알바 피셔라는 발명가가 만들었다.
> • 가사 부담을 획기적으로 덜어주어 여성이 사회 진출을 하는 데 영향을 주었다.

09 1946년, 미국의 에커트와 모클리가 발명한 세계 최초의 컴퓨터를 쓰시오.
( )

10 기존의 물건에 물건이나 기능 및 내용을 더하여 새로운 물건이 되도록 하는 발명 기법을 쓰시오.
( )

01 〈보기〉에서 설명하는 바퀴 발명의 특징은?

┤ 보기 ├

바퀴는 나무 바퀴에서 타이어 바퀴까지 각각의 불편한 점을 해결하는 과정을 통해 발달하게 되었다.

① 기술을 발달시킨다.
② 창의력을 길러준다.
③ 생활을 편리하게 해준다.
④ 문제 해결 능력을 길러준다.
⑤ 경제적 이익을 주고, 국가 경쟁력도 길러준다.

02 발명에 대한 설명으로 옳은 것은?

① 항상 우연한 기회에 이루어진다.
② 인간의 꾸준한 관찰에 의해 이루어진다.
③ 인간의 창의적인 노력에 의해 이루어진다.
④ 기존에 생각했던 고정 관념을 깨지 않는 것이 중요하다.
⑤ 자연에 이미 존재하지만 알려지지 않는 것을 찾는 것이다.

03 발명품으로만 짝지어진 것은?

① 나침반, 로봇, 자동차, 금, 자석
② 컴퓨터, 전화기, 자석, 금, 비행기
③ 증기 기관, 자석, 금, 로봇, 텔레비전
④ 불, 전기세탁기, 자석, 전기, 자동차
⑤ 엘리베이터, 비행기, 텔레비전, 컴퓨터

04 고층빌딩이 건설하는 데 도움을 준 발명품은?

① 나침반 　　　　② 수레바퀴
③ 텔레비전 　　　④ 비행기
⑤ 엘리베이터

05 〈보기〉에서 발견과 발명의 상호관계를 나타낸 것이다. 바르게 나열한 것은?

┤ 보기 ├

가. 신대륙의 발견
나. 나침반의 발명
다. 자석 원리의 발견

① 가 → 나 → 다 　　　② 가 → 다 → 나
③ 나 → 가 → 다 　　　④ 다 → 가 → 나
⑤ 다 → 나 → 가

06 〈보기〉는 발명과 발견의 밀접한 관계에 대한 내용이다. ㉠, ㉡에 들어갈 알맞은 단어가 순서대로 나열된 것은?

┤ 보기 ├

자석의 원리를(㉠)하고 이를 바탕으로 (㉡)된 나침반은 미지의 땅을 (㉠)하는데 도움을 주었다. 이처럼 (㉠)이/가 (㉡)으로 이어지고, 다시 새로운 발전을 하게 되는 과정 속에서 인류의 문명은 발전하였다

	㉠	㉡
①	발명	발견
②	발견	발명
③	개발	개척
④	개척	개발
⑤	개발	발전

07 다음 글에서 설명하는 발명품은?

• 1928년, 스코틀랜드의 알렉산더 플레밍이 처음 발견한 후, 1941년에 치료용 주사제로 만들었다.
• 인류는 수많은 질병으로부터 해방되었다.

① 나일론 　　　　② 컴퓨터
③ 페니실린 　　　④ 아스피린
⑤ 스테로이드

기 술 활 동

발명과 발견의 관계를 읽고, [보기]에서 알맞은 단어를 골라 빈칸을 채워 보자.

이 섹션에서 할 수 있어야 하는 것!

[보기]
㉠ 은하　　　㉡ 허블 우주 망원경　　　㉢ 작용과 반작용 법칙　　　㉣ 전기
㉤ 로켓　　　㉥ 화약　　　　　　　　　㉦ 피뢰침　　　　　　　　　㉧ 총

1 발명을 하기 위해 발견을 이용할 수 있다.
- 뉴턴은 _____(가)__㉢___을/를 발견하였다.
- 프랜시스 베이컨은 (가)을/를 이용하여 _____㉧_____을/를 발명하였다.

2 발견을 하기 위해 발명을 이용할 수 있다.
- 1990년대에 발명된 _____㉡_____을/를 이용하여 1996년에 새로운 _____㉠_____을/를 발견하였다.

3 하나의 발명은 또 다른 발명을 가져온다.
- 7세기 중국에서의 _____㉥_____의 발명은 중세 유럽에서의 _____㉧_____의 발명을 가져왔다.

4 한 사람이 발명과 발견 두 가지 모두를 할 수 있다.
- 벤자민 프랭클린의 _____㉦_____의 발명은 _____㉣_____의 발견을 가져왔다.

선생님 생각 엿보기

· 이 활동의 목적
선생님은 이 활동을 통해 발명과 발견의 관계를 이해하고, 실제 사례와 연결 지을 수 있기를 바랍니다.

· 선생님은 이 활동을 이렇게 평가합니다.

상	발명과 발견의 관계 4가지에 관해 모두 알맞은 단어를 골라 빈칸을 완성하였다.
중	발명과 발견의 관계 2~3가지에 관해 알맞은 단어를 골라 빈칸을 완성하였다.
하	발명과 발견의 관계 1가지에 관해 알맞은 단어를 골라 빈칸을 완성하였거나, 모두 완성하지 못하였다.

이와 관련된 활동은?

[관련 활동 ①] 발명의 중요성 | 가정, 음식, 학용품, 스포츠 등의 일상생활 영역에서 발명품을 찾아보고, 발명품이 발명되기 전과 후의 변화를 비교해 보는 활동과 전기와 관련된 발명품에 대해 알아보는 활동이다.
[관련 활동 ②] 5대 발명 선정하기 | 우리나라 역사(고대~조선 시대)에서 자신이 생각하는 5대 발명품을 선정해 보는 활동이다.
[관련 활동 ③] 발명과 발견 이해하기 | 렌즈 두 개를 겹치면 먼 곳의 물체가 가까이 보인다는 것을 발견하고, 이 원리를 이용하여 망원경을 발명하고, 이 망원경으로 천체의 원리를 발견한다는 발명과 발견의 관계에 대한 글을 읽고, 발명과 발견의 예를 찾아보는 활동이다.
[관련 활동 ④] 자연에서 얻은 발명품 | 엉겅퀴에서 벨크로를, 장미의 가시에서 철조망을, 오리의 발에서 물갈퀴를 발명한 것처럼 자연의 원리를 이용한 발명품을 찾아보는 활동이다.

[03. 특허의 이해]

특허의 개념을 이해하고, 지식 재산권 침해 사례를 분석하고 발표한다.

이 섹션에서 '알아야 할 것' (이해)	특허의 개념을 이해하고, 지식 재산권 침해 사례를 분석하기 위해 지식 재산권의 개념과 침해 사례를 이해한다. 1. 특허의 개념 2. 지식 재산권의 이해 3. 지식 재산권의 침해 사례

이 섹션에서 '할 수 있어야 하는 것' (능력)	지식 재산권 침해 사례를 분석하고 발표한다. [활동] · 지식 재산권에 대한 두 가지 입장 중에서 나의 의견과 같은 　입장에서 학급 친구들과 토론해 보자.

03 특허의 이해

동기 유발 [교과서 166쪽]

위 사람들은 왜 특허를 강조하였을까?

예시 답안

특허는 발명품에 관한 발명가의 권리를 보호해 주기 때문이다.

보조 노트

특허청

특허, 실용실안, 디자인 및 상표에 관한 사무와 이에 대한 심사, 심판에 관한 사무를 담당한다.

특허 출원

일정한 서류와 요건을 갖추어 특허청에 자신의 발명이 특허권을 받기 적합한지 심사를 요청하는 행위이다.

산업 재산권의 유지 기간

• 특허권: 출원일로부터 20년간
• 실용신안권: 출원일로부터 10년간
• 디자인권: 출원일로부터 20년간
• 상표권: 등록일로부터 10년(10년 단위로 갱신)

1. 특허의 개념

① 특허와 특허권

㉠ 특허란 발명자가 허락 없이 다른 사람에게 권리를 침해받지 않도록 정해진 기간 동안 권리를 특별히 인정해 주는 것을 말하고, 특허권이란 다른 사람의 침해를 받지 않고 발명을 이용할 수 있도록 보장하는 권리를 말한다.

㉡ 특허권을 주는 제도를 특허 제도라고 하고, 우리나라에서는 특허청에서 특허 제도와 관련된 사무를 담당하고 있다.

㉢ 타인이 침해하였을 경우 재판 과정을 거쳐 특허권자에게 손해 배상을 해야 한다.

㉣ 특허의 유지 기간은 20년이며, 이 기간이 지나면 다른 사람들이 자유롭게 해당 기술을 이용할 수 있다.

② 특허의 조건

㉠ 자연법칙을 이용한 기술적 창작이어야 한다. → 실현 가능성이 없는 것을 특허로 인정받을 수 없다

㉡ 지금까지 없었던 새로운 것이어야 한다. → 이미 발명한 것을 모방한 것은 새로운 것이 아니므로, 특허로 인정받을 수 없다.

㉢ 산업적으로 이용 가능한 발명이어야 한다. → 치료나 수술 방법 등은 인간의 생명 유지에 특별히 필요한 것으로, 공공의 이익을 위한 것이며 산업적으로 이용할 수 없는 발명이므로 특허의 대상이 될 수 없다.

㉣ 쉽게 생각해 내기 어려운, 진보된 것이어야 한다. → 현재 발명된 것보다 기술적으로 발전된 것이어야만 특허로 인 받을 수 있다.

③ 특허 제도의 영향과 효과

㉠ 기술과 산업 발전에 이바지한다.

㉡ 다른 사람에게 사용료를 받게 해 줌으로써 발명을 적극 장려한다.

㉢ 발명 보호와 발명 공개를 통하여 개인과 사회 및 국가에 도움을 준다.

㉣ 국가 경쟁력을 키운다. 국제 특허는 다른 나라에도 효력을 미치므로 발명을 보호하고 기술료를 받게 해 준다. 기술이 발달하고 부강한 국가일수록 특히 특허 기술을 많이 소유하고 있어 기술료 수입이 많다.

2. 지식 재산권의 이해

① 지식 재산권

인간의 창작 활동에 의한 지적 창작물에 부여하는 권리로서, 산업 재산권, 저작권, 신지식 재산권 등으로 나눌 수 있다.

② **지식 재산권의 종류**

　㉠ **산업 재산권:** 생활과 산업에 관련된 발명이나 디자인, 상표 등에 부여하는 권리이다.

　　• 특허권: 기술적 창작인 원천·핵심 기술, 물건 및 방법에 관한 새롭고 수준 높은 발명에 부여하는 권리이다.

　　• 실용신안권: 이미 발명된 것을 개량해서 보다 편리하고 유용하게 하는 발명에 부여하는 권리이다.

　　• 디자인권: 심미감을 느낄 수 있는 물품의 모양, 색채를 아름답게 하는 것에 부여하는 권리이다.

　　• 상표권: 다른 상품과 구별할 수 있는 기호·문자·도형 등이 표지인 상표에 부여하는 권리이다.

　㉡ **저작권:** 문화 예술 분야의 창작물에 부여하는 권리이다.

　　• 협의의 저작권: 저작자의 재산적 이익을 보호하는 권리와 저작물에 구현되는 저작자의 인격적 이익을 보호하는 권리이다.

　　• 저작 인접권: 실연자, 음반 제작가, 방송 사업자 등에 부여하는 권리이다.

　㉢ **신지식 재산권:** 산업 재산권과 저작권만으로 보호할 수 없는 영역을 보호하는 권리이다.

　　• 첨단 산업 재산권: 반도체 집적 회로 배치 설계, 생명 공학, 식물 신품종 등이 있다.

　　• 산업 저작권: 컴퓨터 프로그램과 인공지능 등에 부여하는 권리이다.

　　• 정보 재산권: 데이터베이스권, 뉴미디어권 등이 있다.

　　• 기타: 캐릭터, 입체 상표 등에 부여하는 권리와 퍼블리시티권 등이 있다.

3. 지식 재산권의 침해 사례

권리 침해	사례
상표권 침해	다른 상품과 구별되는 표지인 상표에 대한 권리를 상표권이라 하는데, 간판과 포장지에 유명 브랜드의 상표와 유사한 마크를 사용하여 상표가 갖는 식별력이나 명성을 손상하는 행위이다.
저작권 침해	영화는 영상 저작물로서 저작자의 허락 없이 불법으로 내려받아 이용하고, 불특정 다수에게 전파하는 행위이다.
퍼블리시티권 침해	유명인이 자신의 성명이나 초상을 상품의 광고에 이용하는 것을 허락하는 권리를 퍼블리시티권이라 하는데, 이는 신지식 재산권으로 보호받을 수 있다.
디자인권 침해	물품의 모양, 색채 등을 비슷하게 모방하는 경우, 산업 재산권 중에서 디자인권 침해에 해당한다.

핵심 용어 | 특허, 지식 재산권, 산업 재산권, 저작권, 신지식 재산권

작은 활동 ▶ [교과서 169쪽]

사다리 타기 놀이를 통해 지식 재산권의 침해 사례를 알아보자.

예시 답안

사례 1 – 퍼블리시티권 침해
사례 2 – 디자인권 침해
사례 3 – 입체 상표 침해
사례 4 – 상표권 침해
사례 5 – 저작권 침해(신문 사설)
사례 6 – 저작권 침해(영화)

세상을 이어 주는 **기술 이야기**

[교과서 171쪽]

나만의 특허품을 상상해 보고, 그림으로 표현해 보자.

활동 TIP

지금은 현실 가능성이 없더라도 자신이 상상하는 특이한 물건을 그림으로 자유롭게 표현한다.

스스로 정리하기	
	1 발명가가 정해진 기간 동안 침해를 받지 않도록 발명을 인정해 주는 것을 무엇이라고 하는가? 특허
	2 인간의 창작 활동에 의한 지적 창작물에 부여하는 권리를 무엇이라고 하는가? 지식 재산권
	3 산업 재산권 중에서 특허권과 실용신안권의 차이점은 무엇인가? 특허권은 물건 및 방법에 관한 새롭고 수준 높은 발명에 부여하는 권리이고, 실용신안권은 이미 발명된 것을 개량해서 보다 편리하고 유용하게 하는 발명에 부여하는 권리이다.
	4 　창의·인성　 지식 재산권의 침해 사례를 찾아 이야기해 보자. 노래를 복제하여 여러 사람에게 공유하는 행위

01 발명가가 정해진 기간 동안 침해를 받지 않도록 발명을 인정해 주는 것을 (   )(이)라 한다.

02 발명가의 노력에 의해 만들어진 발명품은 공익을 위해 여러 사람들이 널리 사용해도 된다.

(○ , ×)

03 특허의 조건으로 옳은 것은?

① 지금까지 없었던 새로운 것이어야 한다.
② 누구나 쉽게 생각할 수 있는 것이어야 한다.
③ 개인적으로 이용 가능한 발명이면 가능하다.
④ 자연법칙을 이용한 기술이면 모방을 하여도 된다.
⑤ 공중위생에 해를 끼칠 염려가 있더라도 기발한 발명이면 가능하다.

04 인간의 창작 활동에 의한 지적 창작물에 부여하는 권리인 (   ) 재산권에는 산업 재산권, 저작권, 신지식 재산권 등이 있다.

05 이미 발명된 것을 개량해서 보다 편리하고 유용하게 하는 발명에 부여하는 권리를 쓰시오.

(   )

06 지식 재산권을 통하여 발명가, 저작자, 과학 기술자, 예술가 등은 지식 재산을 보호받을 수 있게 되었다.

(○ , ×)

07 신지식 재산권에 속하는 것은?

① 특허권
② 실용신안권
③ 산업 저작권
④ 저작 인접권
⑤ 협의의 저작권

08 다음에서 설명하는 지식 재산권은?

- 문화 예술 분야의 창작물에 부여하는 저작권이다.
- 실연가, 음반 제작자, 방송 사업자 등에 부여하는 권리이다.

09 물품의 모양, 색채 등을 비슷하게 모방하는 경우, 산업 재산권 중 (   ) 침해에 해당한다.

10 유명인이 자신의 성명이나 초상을 상품의 광고에 이용하는 것을 허락하는 권리를 쓰시오.

(   )

01 〈보기〉는 특허를 받기 위한 조건들이다. 옳은 것끼리만 짝지어진 것은?

┤ 보기 ├

가. 지금까지 없었던 새로운 것이어야 한다.
나. 산업적으로 이용 가능한 발명이어야 한다.
다. 자연법칙을 이용한 기술적 창작이어야 한다.
라. 누구나 쉽게 생각할 수 있는 발명이어야 한다.
마. 개인이 사용하기에 진보된 발명이 아니어야 한다.

① 가, 나, 다   ② 가, 나, 라
③ 나, 다, 라   ④ 나, 라, 마
⑤ 다, 라, 마

02 특허에 대한 설명으로 옳은 것은?

① 기존에 생각했던 고정 관념을 깨는 것이다.
② 지금까지 없었던 물건을 새로 만드는 것이다.
③ 이미 있는 물건을 좀 더 편리하게 만드는 것이다.
④ 발명가에게 일정 기간 동안 침해를 받지 않도록 발명을 인정해 주는 것이다.
⑤ 자연에 이미 존재하지만 아직 알려지지 않은 사물이나 현상 등을 찾아내는 것이다.

03 산업재산권에 속하는 것은?

① 산업 저작권   ② 저작 인접권
③ 실용신안권   ④ 정보 재산권
⑤ 첨단 산업 재산권

04 컴퓨터 프로그램과 인공 지능 등에 부여하는 권리는?

① 산업 저작권   ② 정보 재산권
③ 저작 인접권   ④ 협의의 저작권
⑤ 첨단 산업 재산권

05 〈보기〉의 대화에서 침해된 지식 재산권은?

┤ 보기 ├

• 지욱: 이런, 내가 아는 빵집이 아니었네! 가게 이름이 빨리바케트였군!
• 소현: 그러게, 이름뿐만 아니라 상표 모양이나 포장지도 거의 똑같아!
• 지욱, 소현: 이래도 괜찮은 걸까?

① 저작권   ② 상표권
③ 특허권   ④ 정보 재산권
⑤ 퍼블리시티권

06 〈보기〉의 산업 재산권이 바르게 연결된 것은?

┤ 보기 ├

가. 물건 및 방법에 관한 새롭고 수준 높은 발명에 부여하는 권리이다.
나. 이미 발명된 것을 개량해서 보다 편리하고 유용하게 하는 발명에 부여하는 권리이다.
다. 물품의 모양, 색채를 아름답게 하는 것에 부여하는 권리이다.

	가	나	다
①	특허권	저작권	상표권
②	특허권	디자인권	상표권
③	특허권	실용신안권	디자인권
④	상표권	실용신안권	디자인권
⑤	상표권	정보재산권	저작인접권

07 다음 글에서 설명하는 권리는?

유명인이 자신의 성명이나 초상을 상품의 광고에 이용하는 것을 허락하는 권리로, 이는 신지식 재산권으로 보호받을 수 있다.

① 상표권   ② 저작권
③ 디자인권   ④ 저작 인접권
⑤ 퍼블리시티권

기 술 활 동

지식 재산권에 대한 두 가지 입장 중에서 나의 의견과 같은 입장에서 학급 친구들과 토론해 보자.

토론 주제
지식 재산권은 꼭 지켜져야 하는가?

[찬성]
지식 재산권은 어떤 상황에서도 반드시 지켜져야만 한다.

VS

[반대]
과도한 지식 재산권 보호는 기술 개발과 창조를 오히려 방해한다.

기업이 창조한 고유한 지식 재산권에 대해 보호하는 것은 시장의 공정한 경쟁을 지키기 위한 기본적인 규칙이고, 창조한 것을 베껴서 이익을 취하는 것은 공정한 경쟁이 아니다.

지식 재산권의 과도한 보호는 기업의 독점화를 부추겨 다른 기업이 기술을 개발할 수 있는 기회와 창조를 막아 시장의 경쟁을 저해하는 요인이 된다.

[토론 방법]

① 주제에 대한 찬성, 반대, 중립 등의 의견 중에서 선택한다.
② 찬성과 반대를 선택한 학생들은 자신의 의견을 제한 시간(60초) 내에 번갈아가며 말하면서, 결정을 내리지 못한 중립적인 학생들을 논리적으로 설득한다.
③ 결정을 내리지 못한 학생들은 각각의 의견을 듣고 더 옳다고 생각하는 구역으로 자리를 옮긴다.

처음부터 찬성과 반대의 입장을 갖지 않고, 중립 입장에서 찬반의 의견을 결정할 수 있다.

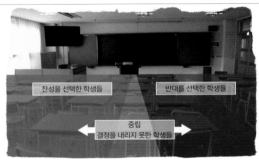

찬성을 선택한 학생들 | 반대를 선택한 학생들

중립
결정을 내리지 못한 학생들

토론이 끝난 후, 자신의 최종적인 주장을 적어 보자.
- 최초 의견: 찬성(　　　), 중립(　○　), 반대(　　　)　■ 최종 의견: 찬성(　○　), 반대(　　　)
- 자신의 주장: 지식 재산권은 어떤 상황에서도 반드시 지켜져야만 한다.
- 이러한 주장을 갖게 된 이유: 지식 재산권을 보호하지 않으면 모방을 통한 부정적인 이익을 취할 수 있고, 이는 시장의 공정한 경쟁을 저해한다.

선생님 생각 엿보기

· 이 활동의 목적

선생님은 이 토론 활동을 통해 지식 재산권을 이해하고, 학생들 간에 서로의 생각을 공유하며 자신의 의견을 명료하게 표현하는 방법을 배울 수 있기를 기대합니다.

· 선생님은 이 활동을 이렇게 평가합니다.

상	지식 재산권의 의미를 이해하고, 자신의 의견을 논리적으로 주장하였다.
중	지식 재산권의 의미를 이해하였지만, 자신의 의견을 논리적으로 주장하지 못하였다.
하	지식 재산권의 의미를 이해하지 못하고, 자신의 의견을 논리적으로 주장하지 못하였다.

이와 관련된 활동은?

[관련 활동 ①] 특허의 중요성 알아보기 | 최초 발명과 특허 획득이 다른 역사 속 사례를 통해 특허의 중요성을 알아보는 활동이다.
[관련 활동 ②] 시계 속에 숨어 있는 산업 재산권 조사하기 | 손목시계에서 특허권, 실용신안권, 디자인권, 상표권 등을 찾아보는 활동이다.

[04. 생활 속 문제의 창의적 해결]

생활 속 문제를 찾아 아이디어를 구상하고 확산적·수렴적 사고 기법을 활용하여 창의적으로 해결한다.

이 섹션에서 '알아야 할 것' (이해)	'학교에서 사용할 수 있는 새로운 수납함을 만드는 과정'을 예로 들어 생활 속 문제를 찾아 아이디어를 구상하고 확산적·수렴적 사고 기법을 활용하여 창의적으로 해결할 수 있음을 이해한다. 1. 문제 확인하기 2. 아이디어 창출하기 3. 아이디어 구체화하기 4. 실행하기 5. 평가하기

04 생활 속 문제의 창의적 해결

동기 유발 [교과서 172쪽]

학교에서 사용할 수 있는 새로운 수납함을 만드는 방법을 생각해 보자.

예시 답안

재활용품을 이용하여 탈부착이 가능한 수납함을 만든다.

보조 노트

물체를 나타내는 방법

정투상법, 등각 투상법, 사투상법 등이 있다.

작업 시 안전

• 칼을 사용할 때에는 손이 베이지 않도록 주의한다.
• 글루건을 사용할 때에는 손을 데지 않도록 주의한다.

작은 활동 [교과서 175쪽]

문제가 해결되었는지, 더 좋은 방법은 없는지 생각해 보자.

예시 답안

의자의 크기가 달라져도 변형하여 사용할 수 있도록 치수 조절이 가능하게 만든다.

---

1. 문제 확인하기

① 문제 확인하기는 개선하려는 대상의 특성과 불편한 점을 찾는 단계이다.
② 개선하려는 대상의 특성인 구조, 모양, 색상, 성질, 용도 등을 나열한다.
③ 사용할 때의 불편한 점이나 마음에 들지 않는 점 등을 나열한다.

2. 아이디어 창출하기

① 아이디어 창출하기는 확인된 문제를 개선하기 위해 해결 방안을 찾는 단계이다.
② 문제를 확인하고 나서 문제를 해결하기 위해 정보를 수집하고 가능한 해결 방안을 찾아본다.
③ 문제 해결을 위해 확산적 사고 기법을 이용하여 다양한 아이디어를 생성하고, 수렴적 사고 기법으로 정리한 아이디어에서 최적의 아이디어를 한 가지를 창출한다.

3. 아이디어 구체화하기

① 아이디어 구체화하기는 창출된 아이디어를 다른 사람이 알아볼 수 있도록 표현하는 단계이다.
② 구상한 아이디어는 프리핸드 스케치나 도면으로 나타낼 수 있다.

4. 실행하기

① 실행하기는 구체화된 아이디어를 도면에 따라 제작 계획을 세워 제품으로 만드는 단계이다.
② 실행 과정
　㉠ 준비하기: 만들기에 필요한 재료와 공구를 준비하는 과정이다.
　㉡ 마름질하기: 재료 표면에 금을 긋거나 자르는 과정이다.
　㉢ 조립하기: 잘라낸 부품을 조립하여 제품을 만드는 과정이다.
　㉣ 검사하기: 제품이 구상한 대로 만들어졌는지 검사하는 과정이다.

5. 평가하기

① 평가하기는 완성된 제품을 일정한 기준에 따라 평가하는 단계이다.
② 완성된 제품을 평가하고, 개선해야 할 문제점이 발견되면 다시 문제 해결 과정을 거쳐 수정하고 보완한다.

핵심 용어 | 문제 확인하기, 아이디어 창출하기, 아이디어 구체화하기, 실행하기, 평가하기

스스로 정리하기

1 창의적인 사고를 하기 위해 생각의 과정이나 생각하는 방법 등을 체계화한 것을 무엇이라고 하는가?
　　　　　　　　　　　　　　　　　　　　　　　　　　　창의적 사고 기법
2 확산적 사고 기법으로 나온 다양한 아이디어를 최적의 아이디어로 만드는 기법을 무엇이라고 하는가?
　　　　　　　　　　　　　　　　　　　　　　　　　　　수렴적 사고

01 개선하려는 대상의 특성과 불편한 점을 찾는 단계는 (   ) 확인하기이다.

02 창의적 사고 기법은 다양한 아이디어, 독특한 아이디어, 정교한 아이디어를 많이 창출하기 위해 결과보다는 과정을 중요시한다.
(○ , ×)

03 문제의 창의적 해결 과정에서 창의적 사고 기법이 이용되는 단계는?
① 문제 확인
② 아이디어 창출
③ 아이디어 구체화
④ 실행
⑤ 평가

04 확산적 사고 기법은 다양한 (   )을/를 만들어 가는 기법이다.

05 문제의 창의적 해결 과정에서 아이디어를 완성품으로 만들기 위해 창출된 생각을 다른 사람이 알아볼 수 있도록 표현하는 단계를 쓰시오.
(   )

06 만들기에 필요한 재료와 공구를 준비하는 과정을 마름질하기라고 한다.
(○ , ×)

07 재료에 금을 긋고 자르는 과정은?
① 준비하기   ② 설계하기
③ 평가하기   ④ 조립하기
⑤ 마름질하기

08 다음에서 설명하는 실행하기 공정을 쓰시오.

- 빨대에 나무 막대를 꽂는다.
- 글루건을 사용하여 서류철의 가장자리에 빨대와 나무 막대를 붙인다.
- 글루건을 사용하여 부직포를 서류철에 붙인다.

09 완성품을 적절한 기준에 따라 새로운 방향과 활용 방안을 찾는 단계를 쓰시오.
(   )

10 문제의 창의적 해결 과정에서 실행하기는 준비하기 → 마름질하기 → 가공하기 → (   )하기 → 검사하기 순으로 이루어진다.

01 〈보기〉에서 설명하고 있는 창의적 문제 해결 단계는?

┤ 보기 ├
- 특성: 나무, 금속, 플라스틱 등으로 되어 있다.
- 불편한 점: 물건을 보관하기 힘들고, 옷을 의자에 걸면 빠지거나 더럽힐 수 있다.

① 실행하기　　　　② 평가하기
③ 문제 확인하기　　④ 아이디어 창출하기
⑤ 아이디어 구체화하기

02 아이디어 창출하기에 대한 설명으로 옳은 것은?
① 대상의 특성과 불편한 점을 찾는 단계이다.
② 창의적 사고 기법을 이용하여 해결할 수 있다.
③ 새로운 개선 방향과 활용 방안을 찾는 단계이다.
④ 표현된 아이디어를 완성품으로 만드는 단계이다.
⑤ 다른 사람이 알아볼 수 있도록 표현하는 단계이다.

03 창의적 사고 기법 중 확산적 사고 기법에 속하는 것은?
① PMI 기법　　　　② AUL 기법
③ 브레인스토밍　　④ 역브레인스토밍
⑤ 하이라이팅 기법

04 표현된 아이디어를 완성품으로 만드는 단계는?
① 문제 확인하기　　② 아이디어 창출하기
③ 아이디어 구체화하기　④ 실행하기
⑤ 평가하기

05 〈보기〉는 창의적 문제 해결 과정을 나타낸 것이다. 그 순서를 바르게 나열한 것은?

┤ 보기 ├
가. 평가하기
나. 실행하기
다. 문제 확인하기
라. 아이디어 창출하기
마. 아이디어 구체화하기

① 가 → 나 → 다 → 라 → 마
② 가 → 다 → 나 → 라 → 마
③ 나 → 가 → 다 → 마 → 라
④ 나 → 다 → 라 → 마 → 가
⑤ 다 → 라 → 마 → 나 → 가

06 〈보기〉는 창의적 문제 해결 과정의 실행하기 단계에 대한 내용이다. ㉠, ㉡에 들어갈 알맞은 단어가 순서대로 나열된 것은?

┤ 보기 ├
- (㉠)하기는 만들기에 필요한 재료와 공구를 준비하는 과정이다.
- (㉡)하기는 재료 표면에 금을 긋고 자르는 과정이다.

　　㉠　　㉡　　　　㉠　　㉡
① 검사　가공　　② 조립　평가
③ 평가　조립　　④ 가공　준비
⑤ 준비　마름질

07 실행 과정에서 제품이 구상한 대로 만들어졌는지 확인하는 과정은?
① 가공하기　　　　② 준비하기
③ 조립하기　　　　④ 검사하기
⑤ 마름질하기

[05. 표준의 이해 / 06. 표준화의 창의적 문제 해결]

- 표준의 개념과 중요성을 알고, 표준화의 영향을 분석하고 평가한다.
- 표준화가 되지 않아 불편한 사례를 찾아 해결 방안을 탐색하고 실현하며 평가한다.

이 섹션에서 '알아야 할 것' (이해)	**표준의 개념과 중요성을 이해한다.** 1. 표준의 개념과 중요성 2. 표준화의 영향

이 섹션에서 '할 수 있어야 하는 것' (능력)	**표준화의 영향을 분석하고, 평가한다.** [활동] • 생활 속에서 이용되고 있는 표준화의 영향을 알아보자.

창의적 문제 해결

'음식물을 조절하는 식판 모형 만들기'를 통해 학교 급식에서 음식물이 남는 문제를 해결하고, 탐색하며 실현, 평가한다.

05 표준의 이해

동기 유발 [교과서 176쪽]

색깔의 이름이 표준화되지 않았다면 어땠을까?

예시 답안

생각하는 색을 말로 표현하기가 어렵다.

창의적인 실습 [교과서 180쪽]

롤링 볼로 10초를 표준화하라!

활동 TIP

창의적이고 기술적으로 길을 구상하여 10초를 표준화한다. 롤링 볼이 정해진 시간을 지킬 수 있도록 공의 경로를 고려하여 설계하고, 안전에 주의한다. 공이 잘 굴러갈 수 있도록 우드락 길의 너비를 공의 지름보다 크게 한다.

세상을 이어 주는 기술 이야기 [교과서 181쪽]

대화에서 정약용이 주장한 내용과 현대의 표준화의 중요성을 비교해 보자.

예시 답안

정약용의 주장대로 배를 9등급으로 구분하면, 등급을 예측하고 나무를 베기 때문에 목재의 낭비를 막을 수 있고, 배의 규격이 같아 다른 배의 목재를 가져다가 바꾸어 쓸 수도 있다. 이것은 적정량을 정하므로 자원의 낭비를 막고 제품의 부품이 통일되어 편리한 표준의 중요성과 연결된다.

1. 표준의 개념과 중요성

① 표준과 표준화

㉠ **표준**: 사람들 간의 편의, 효율, 그리고 안전을 위한 서로 간의 약속이다.

㉡ **표준화**: 표준을 정하고 이를 활용하는 것이다.

② 표준화의 목적

㉠ 단순화와 호환성 향상
㉡ 관계자들 간의 의사소통 원활
㉢ 전체적인 경제성 추구
㉣ 안전, 건강, 환경 및 생명 보호
㉤ 소비자 및 작업자의 이익 보호
㉥ 현장 및 사무실 자동화에 기여

③ 표준의 중요성

㉠ 사람과 사람 사이의 의사소통을 원활하게 한다.
㉡ 제품의 부품이 통일되어 편리하다.
㉢ 안전한 생활을 가능하게 한다.
㉣ 적정량을 정하므로 자원의 낭비를 막을 수 있다.

2. 표준화의 영향

① 긍정적 영향

㉠ 생산 비용이 줄어들어 신기술 개발이 빨라진다.
㉡ 더 많은 국가에 제품을 공급한다.
㉢ 품질이 향상되고 일정하게 유지된다.
㉣ 생활이 편리해진다.
㉤ 제품의 호환성이 생긴다.

② 부정적 영향

㉠ 자동화된 표준화로 일자리가 줄어든다.
㉡ 선진국의 독점화가 발생한다.
㉢ 과도한 표준화로 제품의 다양성이 줄어든다.
㉣ 기술 혁신을 어렵게 한다.

핵심 용어 | 표준, 표준화, 표준화의 목적, 중요성, 영향

스스로 정리하기

1 사람들 간의 편의, 효율, 그리고 안전을 위한 서로 간의 약속을 무엇이라고 하는가? 표준

2 **창의·인성** 표준화가 우리에게 주는 긍정적인 영향을 이야기해 보자.
제품의 부품이 통일되면 제품 간의 호환성이 높아진다.

[문제 확인하기]

① 학교 급식에서 음식물이 남는 문제 확인를 확인한다.

② 음식량을 조절하는 식판 모형을 만드는 것으로 문제 해결을 시작한다.

③ **제한 사항**

  ㉠ 우드락, 자, 핀, 칼, 등을 사용한다.   ㉡ 밥의 양을 조절할 수 있어야 한다.

[아이디어 창출하기]

① **정보 수집:** 음식물을 남기지 않는 방법과 밥 한 공기의 양 조사하기

② **창의적인 아이디어 구상**

음식물 쓰레기를 남기지 않기 위해서는 어떤 방법이 있을까? → 처음부터 음식을 적게 퍼오는 건 어때? 부족하면 다시 가지러 가게! → 좋은 방법이긴 하지만, 급식실 안이 복잡해지고 배식하는 데 어려움이 있지 않을까? → 앞에 학생들이 많이 먹게 되면 뒤에 학생들이 못 먹을 수도 있잖아.

↓

좋은 생각이야! 내가 담는 음식량을 한눈에 확인할 수 있을 거야! ← 그렇다면 음식량을 측정할 수 있는 식판을 만드는 건 어때? ← 식판이 작아지면 학생들이 적당량의 음식을 먹지 못하게 될 거야. ← 그럼 식판을 작게 만드는 건 어때?

[아이디어 구체화하기]

선정된 아이디어 프리핸드로 스케치한다.

[실행하기]

① 필요한 재료와 공구를 준비하여 음식량을 조절하는 식판 모형을 만든다.

② **준비물:** 우드락, 자, 칼, 핀 등

③ **만들기:** 설계한 대로 우드락에 선을 긋는다. → 우드락을 자른다. → 핀을 사용하여 밥을 담을 부분의 레일을 만든다.(핀은 사선으로 꽂는다.) → 레일을 부착하여 밥을 담는 부분을 만든다. → 레일 위의 조절판을 끼워 움직여 본다. → 나머지 음식을 담는 부분을 만든다. → 식판 크기의 우드락에 선을 긋고 자른다. → 핀을 이용하여 음식을 담는 부분을 연결한다. → 밥을 식판에 넣고, 조절판을 이동하여 밥의 양을 측정하고 표시한다.

[평가하기]

스스로 평가를 하거나 친구와 완성품에 대한 평가를 한다.

동기 유발   [교과서 176쪽]

음식물을 남기지 않는 방법을 생각해 보자.

예시 답안

음식을 먹을 양만큼만 분배하여 나눠 준다.

보조 노트

안전 사항

· 칼을 사용할 때에는 손을 베지 않도록 주의한다.

· 핀을 사용할 때에는 손을 찔리지 않도록 주의한다.

뭔가 아쉬워!

[교과서 186쪽]

더 편리하고 정확한 방법으로 식판의 음식량을 조절할 수 있는 방법을 구상하여 아이디어를 적어 보거나 스케치해 보자.

예시 답안

식판에 자를 결합하여 내가 담은 음식의 양을 눈금으로 정확하게 확인할 수 있게 한다.

세상을 이어 주는 **기술 이야기**

[교과서 187쪽]

어떠한 제품에 측정 장치를 결합하고 싶은지 이야기해 보자.

예시 답안

필통과 결합하고 싶다. 이유는 길이가 다양한 필기도구의 보관이 가능한지 여부를 쉽게 알 수 있고, 자를 따로 가지고 다니지 않아도 필요할 때 필통으로 활용할 수 있기 때문이다.

스스로 정리하기	**1** 음식량을 조절하는 식판 모형 만들기에서 주의할 점은 무엇인가? 칼과 핀을 사용할 때에는 안전에 주의한다.
	2 창의·인성 음식물을 남기지 않기 위해 내가 할 수 있는 것을 이야기해 보자.
	편식을 하지 않으며, 먹을 양만큼 적당히 담는다.

01 사람들 간의 편의, 효율, 그리고 안전을 위한 서로 간의 약속을 ( )(이)라고 하며, 이를 활용하는 것을 ( )(이)라고 한다.

02 표준은 제품을 만드는 과정에서 사람 사이의 의사소통을 원활하게 한다.

(○ , ×)

03 표준화의 긍정적인 영향은?

① 제품의 호환성이 생긴다.
② 기술 혁신이 어렵게 된다.
③ 제품의 다양성이 줄어든다.
④ 선진국의 독점화가 발생한다.
⑤ 자동화된 표준화로 일자리가 줄어든다.

04 음식량을 조절하는 식판 모형을 만들기 위해 관련 정보를 수집하고, 창의적인 아이디어를 구상하는 단계는 ( )이다.

05 다음에서 설명하는 표준의 중요성을 쓰시오.

> A: 휴대 전화가 고장 났어요.
> 휴대 전화를 새로 사야 하는 건가요?
> B: 아니요.
> 부품 하나만 교체하면 사용 가능합니다.

06 표준화된 과정을 통해 재료 및 제작 과정이 단축되어, 생산에 들어가는 비용이 늘어나고 신기술 개발이 점점 늦어진다.

(○ , ×)

07 음식을 조절하는 식판 모형 만들기에서 선정된 아이디어를 프리핸드로 스케치하는 단계는?

① 문제 확인하기   ② 동료 평가하기
③ 자기 평가하기   ④ 제품 평가하기
⑤ 아이디어 구체화하기

08 다음에서 설명하는 표준화의 부정적 영향을 쓰시오.

> 내가 만든 제품이 더 효율적이지만 이미 표준화된 것이 있어 아무도 사용하지 않는다니……

09 표준화는 제품은 ( )이/가 생겨 동일 부품을 서로 바꾸어 끼울 수 있다.

10 음식을 조절하는 식판 모형 만들기에서 평가는 항목에 따라 자기 평가, ( ) 평가, 제품 평가를 하도록 한다.

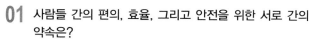
01 사람들 간의 편의, 효율, 그리고 안전을 위한 서로 간의 약속은?

① 특허
② 발명
③ 표준
④ 평가
⑤ 혁신

02 〈보기〉는 표준의 중요성을 나타낸 것이다. 옳은 것을 모두 고르면은?

┤ 보기 ├

가. 제품의 부품이 통일되어 편리하다.
나. 기술 혁신과 복제를 쉽게 할 수 있다.
다. 사람 사이의 의사소통을 원활하게 한다.
라. 소비자의 안전한 생활을 가능하게 한다.
마. 신기술로 자신만 이용하는 특혜를 누릴 수 있다.

① 가, 나, 다
② 가, 나, 라
③ 가, 나, 마
④ 가, 다, 라
⑤ 가, 라, 마

03 〈보기〉는 표준의 중요성에 대한 대화이다. 이에 해당하는 것은?

┤ 보기 ├

A: 누나, 빨간불이 되니 쌩쌩 달리던 자동차가 한 번에 모두 멈추었어!
B: 하하. 정해진 신호등 규칙 덕분에 우리가 안전하게 생활할 수 있게 되었지.

① 기술 혁신을 쉽게 한다.
② 자원의 낭비를 막을 수 있다.
③ 안전한 생활을 가능하게 한다.
④ 제품의 부품이 통일되어 편리하다.
⑤ 사람 사이의 의사소통을 원활하게 한다.

04 〈보기〉는 표준화의 긍정적 영향을 나타낸 것이다. (가), (나)에 들어갈 영향이 바르게 나열된 것은?

┤ 보기 ├

(가) 우리나라 모든 지역에서 같은 교통 카드를 사용할 수 있으니 편리하네!
(나) 건전지를 게임기에 옮겨 끼면 또 게임을 할 수 있지!

	(가)	(나)
①	품질이 향상된다.	제품의 호환성이 생긴다.
②	생활이 편리해진다.	제품의 호환성이 생긴다.
③	기술혁신이 어렵다.	제품을 더 많이 공급한다.
④	독점화가 발생한다.	생산 비용이 크게 줄어든다.
⑤	일자리가 줄어든다.	생산 비용이 크게 줄어든다.

05 표준화의 영향에 대한 설명으로 옳은 것은?

① 표준화로 기술 혁신이 쉬워진다.
② 표준화로 제품의 호환성이 생긴다.
③ 표준화로 제품의 다양성이 늘어난다.
④ 자동화된 표준화로 일자리가 늘어난다.
⑤ 생산 비용이 늘어 신기술 개발이 늦어진다.

06 표준화의 부정적인 영향에 속하는 것은?

① 생활이 편리해진다.
② 생산 비용이 줄어든다.
③ 신기술 개발이 빨라진다.
④ 제품의 호환성이 생긴다.
⑤ 선진국의 독점화가 발생한다.

07 음식을 조절하는 식판 모형 만들기에서 자기 평가에 해당하는 것은?

① 조절판은 잘 작동하는가?
② 밥의 양이 잘 조절되는가?
③ 표준의 개념을 이해하였는가?
④ 식판 모형은 견고하게 제작되었는가?
⑤ 창의적인 아이디어를 낸 사람은 누구인가?

기 술 활 동

생활 속에서 이용되고 있는 표준화의 영향을 알아
보자.

1 다음 만화를 읽고, 나의 하루 일과 중에서 표준화 사례를 찾아 적어 보자.

표준화와 나의 하루 일과

등교 전	오전 수업	점심시간	오후 수업	하교 후
• 시계 • 교통 카드	• 책걸상의 치수 • 교실의 크기 • 멀티미디어 장비	• 급식 시설	• 공 • 축구장, 농구장 크기	• 휴대 전화 충전기 • USB

2 다음 만화를 읽고, 나의 하루 일과 중에서 표준화 사례를 찾아 적어 보자.

[조건]

■ 신문명, 발행인, 발행 날짜 등이 들어가야 한다.
■ 정보 제공을 위한 기사, 여론 형성을 위한 사설,
  만화, 만평, 광고 등이 들어가야 한다.
■ 기사에는 사진이 들어가야 한다.
■ 사절지 1~2쪽으로 구성한다.

[순서]

1. 신문의 주제를 정하고, 그 목적을 정한다.
2. 신문을 만들기 위한 역할(취재, 편집, 사진 기자, 만화가 등)을 분담한다.
   ① 기사를 취재한다.
   ② 취재한 기사를 작성한다.
   ③ 만화나 만평을 만든다.
   ④ 캠페인이나 광고를 만든다.
3. 신문을 구상하여 완성한다.
4. 만들어진 신문 품평회를 하고, 내가 몰랐던 표준 사례에 대해 정리한다.

선생님 생각 엿보기

• **이 활동의 목적**

표준화의 영향을 이해하고, 자신이 생활 속에서 이용하고 있는 표준을 찾을 수 있다.

• **선생님은 이 활동을 이렇게 평가합니다.**

상	하루 일과 중에서 다양한 표준화 사례를 찾고, 표준화가 우리 생활에 끼치는 영향을 설명하였다.
중	하루 일과 중에서 표준화 사례를 찾았지만, 표준화가 우리 생활에 끼치는 영향을 설명하지 못하였다.
하	하루 일과 중에서 표준화 사례를 찾지 못하고, 표준화가 우리 생활에 끼치는 영향을 설명하지 못하였다.

상	신문의 구성 요소가 적절하고, 표준에 관한 내용이 구체적으로 잘 표현되었다.
중	신문의 구성 요소가 일부 빠져 있고, 표준에 관한 내용이 구체적으로 표현되지 못하였다.
하	신문의 구성 요소가 많이 빠져 있고, 표준에 관한 내용이 잘 표현되지 못하였다.

이와 관련된 활동은?

[관련 활동] 일생생활 속의 표준화 | 표준화가 된 사례에서 표준화가 되기 전의 모습을 그림으로 그려 보고, 표준화 이후 어
떤 점이 좋아졌는지를 찾아보는 활동이다.

학습 마무리

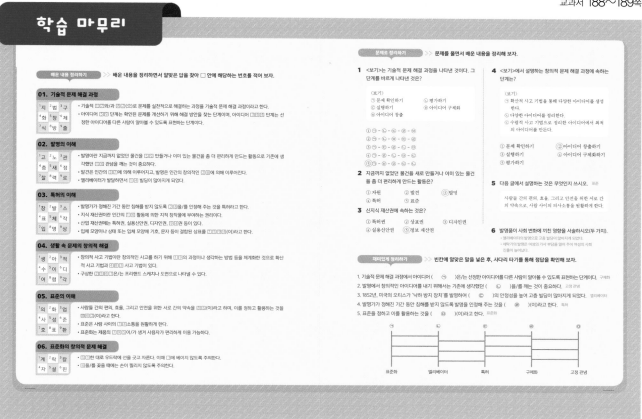

정답 및 해설

배운 내용 정리하기

01. 지식(1, 7), 방법(8, 2) / 창출(5, 9) / 구체화(3, 6, 4)
02. 새로(5, 9), 고정(1, 6) / 관찰(3, 7), 노력(2, 8) / 고층(1, 4)
03. 발명(2, 8) / 창작(3, 7) / 상표(9, 4) / 입체상표(7, 5, 9, 4)
04. 생각(2, 8), 수렴적(4, 8, 3) / 아이디어(2, 5, 6, 7)
05. 표준(8, 6), 표준화(8, 6, 2) / 의사(1, 4) / 호환성(7, 9, 5)
06. 설계(5, 1), 칼(3) / 핀(6)

4. ② [해설] 아이디어 창출하기는 확인된 문제를 개선하기 위해 해결 방안을 찾는 단계이다.
5. 표준
6. • 엘리베이터의 발명으로 고층 빌딩이 많아지게 되었다.
   • 세탁기의 발명은 여성의 가사 부담을 덜어 주어 여성의 사회 진출이 늘어났다.

문제로 정리하기

1. ⑤ [해설] 기술적 문제 해결 과정이란 기술적 지식과 방법으로 문제를 실천적으로 해결하는 과정을 말한다.
2. ③ [해설] 발명은 인간의 창의적인 노력에 의해 이루어지고, 발견은 인간의 관찰에 의해 이루어진다.
3. ⑤ [해설] ①, ②, ③, ④은 산업 재산권에 해당한다.

재미있게 정리하기

01. ㉠ – 구체화
02. ㉡ – 고정 관념
03. ㉢ – 엘리베이터
04. ㉣ – 특허
05. ㉤ – 표준화

핵심 개념

삶을 창조하는 기술

이 단원의 성취 기준

1. 생산 기술이 인간 생활에 유용한 산출물을 만들어 내는 것을 이해하고 하위 요소인 재료, 설계, 공정을 설명한다.

2. 제조 기술 시스템의 의미와 단계별 세부 요소를 이해하고 제품의 생산 과정을 설명한다.

3. 제조 기술의 특징과 발달 과정, 재료의 특성과 이용을 설명하고 제조 기술의 발달 전망을 예측한다.

4. 제조 기술과 관련된 문제를 이해하고, 해결책을 창의적으로 탐색하고 실현하며 평가한다.

5. 건설 기술 시스템의 의미와 단계별 세부 요소를 이해하고 건설 구조물의 생산 과정을 구체적으로 설명한다.

6. 건설 기술의 특징과 발달 과정을 이해하고 최신 건설 기술을 탐색하여 건설 기술의 발달 전망을 예측한다.

7. 건설 기술과 관련된 문제를 이해하고, 해결책을 창의적으로 탐색하고 실현하며 평가한다.

[01. 생산기술의 이해]

생산 기술이 인간 생활에 유용한 산출물을 만들어 내는 것을 이해하고 하위 요소인 재료, 설계, 공정을 설명한다.

이 섹션에서 '알아야 할 것' (이해)	생산 기술이 인간 생활에 유용한 산출물을 만들어 내는 것을 이해할 수 있다. 1. 생산 기술 시스템의 이해 2. 생산 기술의 요소

이 섹션에서 '할 수 있어야 하는 것' (능력)	생산기술의 하위 요소인 재료, 설계, 공정을 설명할 수 있다. [활동] · 보기가 제시하는 의자에서 생산 기술 요소를 찾아보자.

01 생산 기술의 이해

이 섹션에서
알아야 할 것!

1. 생산 기술 시스템의 이해

① 생산 기술

자연에서 얻은 자원을 활용하여 인류의 삶에 유용한 산출물을 개발하여 이용하는 것이다.

② 생산 기술의 목적

ㄱ 품질이 향상된다.　　　　ㄴ 다양한 산출물을 만든다.

ㄷ 새로운 기술이 등장한다.　　ㄹ 가격을 낮춘다.

ㅁ 생산 기간을 단축한다.

2. 생산 기술의 요소

생산 기술의 요소에는 재료, 설계, 공정 등이 있다.

① 재료: 유용한 산출물을 만들 때 바탕으로 사용하는 것으로, 목재, 금속, 플라스틱, 시멘트 등이 있다.

ㄱ **목재의 생산 방법**

- 벌목: 산이나 숲에서 나무를 자른다.
- 건조: 자른 나무의 수분을 제거한다.
- 제재: 나무를 일정한 크기로 만든다.

ㄴ **금속의 생산 방법**

- 채취: 광산에서 광석을 채취한다.
- 제선 및 제강: 광석에서 금속을 분리하고, 불순물을 제거한다.
- 압연: 일정한 형태로 만든다.

ㄷ **플라스틱의 생산 방법**

- 채굴: 관을 통하여 원유를 뽑아낸다.
- 증류: 열에 의해 다양한 물질로 분류된다.
- 분리: 분류된 것 중에서 플라스틱의 원료가 되는 나프타를 분리한다.

ㄹ **시멘트의 생산 방법**

- 채취: 광산에서 석회석을 채취한다.
- 혼합: 점토질과 첨가물 등을 혼합하여 단단하게 한다.
- 분쇄: 단단해진 것을 가루로 만든다.

② 설계: 제품이나 생산 구조물 등을 만들 때, 사용 목적에 맞도록 모양, 크기, 구조, 재료, 가공법 등을 합리적으로 구상하고, 이를 바탕으로 구체적인 계획을 작성하는 것이다.

ㄱ **설계 요소**

- 기능: 목적에 알맞은가?
- 아름다움: 외형이 아름다운가?

동기 유발 [교과서 194쪽]

생산 기술을 통해 얻어진 결과물이다.

예시 답안

나무는 나에게 그늘을 주고, 땔감을 주기도 하고, 목재를 주기도 하여 집을 짓거나 책상 등을 만들기도 한다.

보조 노트

생산 기술의 목적

생산 기술의 목적은 '더 좋게', '더 저렴한' 산출물을 '제 때에' 생산하는 것을 말한다.

생산 기술의 하위 요소

재료, 설계, 공정의 생산 요소가 일정한 과정을 거치면 우리 생활에 유용한 제품이 완성된다.

제선

자연에서 얻은 철광석을 녹여 철을 얻는 과정으로서 이 철에는 불순물이 많이 포함되어 있으며, 선철이라 부른다.

제강

선철에서 불순물을 제거하여 우리가 사용할 수 있는 철로 만드는 과정을 말한다.

나프타

원유를 일정한 온도로 가열하면 기화하는 온도에 따라 분류되어 나오는 물질이 다르다.
LPG, 나프타, 휘발유, 등유, 경유, 중유, 윤활유, 아스팔트 순으로 분리된다.
이때 나오는 나프타를 분해하여 다양한 플라스틱을 만든다.

석회석

주성분이 탄산칼슘으로 시멘트의 원료로 쓰인다.

보조 노트

제품 설계 순서

아이디어 창출 → 제품 선정 → 예비
설계 → 최종 설계

볼트

너트와 짝지어 사용하는 수나사를 갖은
물품으로 불체를 조립할 때 사용한다.

시멘트 제품 용어

• 시멘트 페이스트=시멘트+물
• 시멘트 모르타르=시멘트+모래+물
• 콘크리트=시멘트+모래+자갈+물

공기 취입 성형법

• 방법: 플라스틱을 형틀에 넣고 닫은
다음 공기를 불어넣어 형틀의 모양
대로 만드는 방법이다.
• 용도: 플라스틱 병이나 작은 용기를
만들 때 이용한다.

그림으로
보는

[교과서 199쪽]
다음 예에서 금속의 가공 원리를
찾아보자.

예시 답안

1. 주조
2. 압축

• 창의성: 새로운 제품인가?
• 경제성: 제작 비용은 적당한가?
• 재료: 적당한 재료인가?
• 구조: 용도에 맞는 구조인가?
ⓛ **설계 과정:** 제품을 설계할 때에는 제품에 대한 필요성을 인식하고 그에 맞는 아이디어를 구상한 후, 도면으로 표현한다.
• 1단계: 문제 인식하기
• 2단계: 아이디어 구상하기
• 3단계: 아이디어 평가하기
• 4단계: 아이디어 선정하기
• 5단계: 구상도 및 제작도 그리기

③ **공정:** 제품이나 생산 구조물을 설계에 따라 가공, 조립 등의 방법을 거쳐서 완성하는 것이다.
ⓐ **목제품 만드는 공정**
• 자르기, 구멍 뚫기, 깎기
• 끼워 맞추거나, 못, 나사 등으로 조립하기
ⓛ **금속 제품 만드는 공정**
• 자르기, 구멍 뚫기
• 나사, 볼트 등으로 결합하기
• 용접하기
ⓒ **플라스틱 만드는 공정**
• 형틀에 넣거나 롤러 사이 통과시켜 성형하기
ⓓ **시멘트 제품 만드는 공정**
• 재료 반죽하기
• 굳히기

④ **산출:** 생산 기술을 통해 얻어진 결과물로서, 제품이나 생산 구조물의 형태를 갖는다.

> **이 섹션의 핵심 키워드** | 생산 기술의 개념, 생산 기술의 요소, 재료, 설계, 공정, 산출

스스로 정리하기

1 자연에서 얻은 자원을 활용하여 인류의 삶에 유용한 산출물을 개발하여 이용하는 것을 무엇이라고 하는가? 생산 기술

2 목재를 얻기 위해 산이나 숲에서 나무를 자르는 과정을 무엇이라고 하는가? 벌목

3 금속을 조립하는 방법에는 어떤 것이 있는가? 나사, 볼트 등으로 결합하거나 용접한다.

4 창의·인성 학교에서 내가 사용하고 있는 의자의 기능은 무엇인지 이야기해 보자.

편안하고 바른 자세로 앉을 수 있게 해 준다.

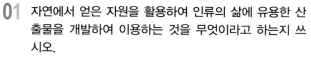

01 자연에서 얻은 자원을 활용하여 인류의 삶에 유용한 산출물을 개발하여 이용하는 것을 무엇이라고 하는지 쓰시오.

(   )

02 생산 기술의 목적은 산출물을 '더 좋게', '더 저렴하게' '제 때에' 생산하는 것이다.

(○ , ×)

03 생산 기술의 하위 요소로는 재료, 설계, 공정 등이 있으며, 이러한 생산 요소가 일정한 과정을 거치면서 우리 생활에 유용한 제품이 완성된다.

(○ , ×)

04 (   )(이)란 유용한 산출물을 만들 때 바탕으로 사용하는 것으로, 목재, 금속, 플라스틱, 시멘트 등이 있다.

05 다음과 같은 과정을 통해 얻는 재료는?

> • 광산에서 채취한다.
> • 금속을 분리하고 불순물을 제거한다.
> • 일정한 형태로 만든다.

① 목재   ② 금속
③ 유리   ④ 시멘트
⑤ 플라스틱

06 플라스틱은 원유에서 얻은 아스팔트를 이용하여 만든다.

(○ , ×)

07 생산 기술의 설계 요소 중, 기능은 제작 비용이 적당한가를 고려하는 것이다.

(○ , ×)

08 설계 과정의 첫 단계는 아이디어를 평가하는 것이다.

(○ , ×)

09 다음은 생산 기술의 하위 요소 중 무엇을 설명하는 것인가?

> 제품이나 생산 구조물을 설계에 따라 가공, 조립 등의 방법을 거쳐서 완성하는 것을 말한다.

(   )

10 (   )(이)란 생산 기술을 통해 얻어진 결과물로, 제품이나 생산 구조물의 형태를 갖는다.

01 생산 기술의 목적으로 적당하지 <u>않은</u> 것은?

① 산출물의 품질이 향상된다.
② 다양한 산출물을 생산한다.
③ 새로운 기술을 적용한다.
④ 산출물의 가격을 낮춘다.
⑤ 생산 기간이 늘어난다.

02 〈보기〉에서 생산 기술의 하위 요소를 모두 고르시오.

┤ 보기 ├
ㄱ. 재료   ㄴ. 설계
ㄷ. 공정   ㄹ. 이용

① ㄱ, ㄴ   ② ㄴ, ㄷ
③ ㄷ, ㄹ   ④ ㄱ, ㄴ, ㄷ
⑤ ㄱ, ㄴ, ㄹ

03 목재를 얻기 위해 산이나 숲에서 나무를 자르는 것은?

① 채취   ② 채굴
③ 분류   ④ 벌목
⑤ 제제

04 〈보기〉가 설명하는 것은 생산 기술의 설계 요소는?

┤ 보기 ├
기존에 사용하지 않던 새로운 제품인가?

① 기능   ② 재료
③ 구조   ④ 창의성
⑤ 아름다움

05 생산 기술의 설계 요소에 대한 설명으로 맞지 않은 것은?

① 기능 – 목적에 알맞은가?
② 재료 – 적당한 재료인가?
③ 구조 – 용도에 맞는가?
④ 경제성 – 적당한 크기인가?
⑤ 아름다움 – 외형은 아름다운가?

06 〈보기〉의 밑줄 친 부분이 설명하는 제품 설계 과정은?

┤ 보기 ├
제품에 대한 필요성을 인식하고, 그에 알맞은 아이디어를 구상한 후, <u>도면으로 표현한다.</u>

① 문제 인식하기
② 아이디어 구상하기
③ 아이디어 평가하기
④ 아이디어 선정하기기
⑤ 구상도 및 제작도 그리기

07 〈보기〉는 어떤 재료를 가공하기 위한 방법인가?

┤ 보기 ├
ㄱ. 열과 공기를 불어넣어 만든다.
ㄴ. 형틀에 넣어 만든다.
ㄷ. 롤러 사이를 통과시켜 만든다.

① 목재   ② 금속
③ 도자기   ④ 시멘트
⑤ 플라스틱

08 콘크리트의 성분을 바르게 나타낸 것은?

① 시멘트+물
② 시멘트+모래
③ 시멘트+모래+물
④ 시멘트+모래+자갈
⑤ 시멘트+모래+자갈+물

기 술 활 동 의자에서 생산 기술의 요소를 찾아보자.

이 섹션에서 할 수 있어야 하는 것!

1 의자에 쓰인 재료를 찾아보고, 자원이 어떤 과정을 거쳐 재료가 되었는지 적어 보자.

재료

플라스틱

원유를 채굴하여 증류, 분리의 과정을 거쳐 얻은 나프타를 이용하여 플라스틱을 만든다.

나무

산이나 숲에서 나무를 벌목하여 건조, 제재의 과정을 거쳐 목재를 만든다.

금속

광산에서 광석을 채취하여 제선 및 제강, 압연의 과정을 거쳐 금속을 만든다.

산출

2 의자에 나타난 설계 요소를 찾아보자.

설계

기능	편안하게 쉴 수 있는 의자를 만들 거야!
아름다움	밝은 색으로 포인트를 주어 눈에 띄게 만들 거야!
창의성	튼튼하게 의자를 지탱할 수 있도록 금속을 교차하여 만들 거야!
경제성	의자의 구성 요소를 최소화하여 제작 비용을 줄일 거야!
재료	의자의 구성 요소마다 그에 맞는 적합한 재료를 사용할 거야!
구조	편안하게 앉을 수 있도록 직선이 아닌 곡선 형태로 만들 거야!

3 의자가 만들어지기까지의 공정을 적어 보자.

공정

플라스틱	나무	금속
가공하기 열과 공기를 불어넣거나 형틀에 넣거나 롤러 사이를 통과시켜 모양을 낸다.	**가공하기** 형태에 맞게 자르거나 구멍을 뚫는다.	**가공하기** 형태에 맞게 자르거나 구멍을 뚫는다.
	조립하기 끼워 맞추거나, 못, 나사 등으로 조립한다.	**조립하기** 나사, 볼트 등으로 결합하거나 용접한다.

선생님 생각 엿보기

· 이 활동의 목적

생산 기술의 하위 요소인 재료, 설계, 공정의 의미를 정확히 이해하고, 구분할 수 있기를 바랍니다.

· 선생님은 이 활동을 이렇게 평가합니다.

상	생산 기술의 뜻과 하위 요소의 의미를 정확히 이해하고, 의자에 쓰인 각각의 요소를 정확하게 구분할 수 있다.
중	생산 기술의 의미와 하위 요소를 이해하고, 의자에 쓰인 각각의 요소를 이해할 수 있다.
하	생산 기술의 하위 요소의 의미를 이해할 수 있다.

이와 관련된 활동은?

[관련 활동] 생활 속의 다양한 제품의 설계 요소 구분하기 | 우리가 사용하고 있는 제품에 대한 설계 요소를 구분하여 찾아봄으로써 생산 기술의 설계 요소를 이해할 수 있는 활동이다.

[02. 제조 기술 시스템]

제조 기술 시스템의 의미와 단계별 세부 요소를 이해하고, 제품의 생산 과정을 설명한다.

이 섹션에서 '알아야 할 것' (이해)	제조 기술 시스템의 의미와 단계별 세부 요소를 이해할 수 있다. 1 제조 기술 시스템의 이해 2. 제조 기술 시스템의 단계별 세부 요소의 이해

이 섹션에서 '할 수 있어야 하는 것' (능력)	제품의 생산 과정을 설명할 수 있다. [활동] · 우리 생활 주변에서 제조 기술을 통해 만들어진 제품을 골라 어떠한 제조 기술 시스템이 적용되었는지 이해한다.

02 제조 기술 시스템

1. 제조 기술 시스템의 이해

① 제조 기술

여러 가지 재료를 다양한 방법으로 가공하여 우리 생활에 필요한 제품을 만드는 기술이다.

② 제조 기술 시스템

㉠ **의미**: 제조 기술이 실현되는 데 이용되는 모든 활동을 체계화한 것으로, 투입, 과정, 산출 및 되먹임 등의 단계로 이루어진다.

㉡ 제조 기술 시스템의 단계

투입	과정	산출	되먹임
제품을 만드는 데 필요한 재료, 자본, 인력, 에너지, 설비, 시간 등의 요소를 투입한다.	가공, 조립, 검사 및 시험의 절차에 따라 투입 요소를 활용하여 제품을 만든다.	제조 과정의 결과로 제품이 완성된다.	문제가 발생하면 이를 해결하기 위해 문제가 되는 단계로 되돌아간다.

㉢ 제조 기술 시스템의 단계별 세부 요소

투입	과정	산출
• 재료: 제품을 만드는 원료 • 자본: 제품을 완성하는 데 필요한 비용 • 인력: 제품을 만드는 데 필요한 사람 • 에너지: 제품을 만드는 데 필요한 에너지 • 설비: 제품을 만들기 위한 수단 • 시간: 제품을 만드는 데 걸리는 기간	• 가공: 자연에서 얻은 재료에 힘을 가하거나 절단하거나 녹여서 원하는 형태로 만드는 일 • 조립: 가공한 부품들을 하나의 제품으로 결합하는 일 • 검사 및 시험: 가공과 조립 과정을 거친 제품이 문제가 없는지, 작동은 잘 하는지를 확인하는 일	제품 완성

〈재료별 가공 방법〉

금속 가공법	플라스틱 가공법
• 절삭: 각종 재료를 절삭 공구로 깎는 것이다. • 주조: 금속을 가열하여 녹인 후, 모래나 금속으로 만든 틀에 넣어 그 속에서 냉각시켜 제품(주물)을 얻는 것이다. • 단조: 금속 재료를 적당한 온도로 가열하여 해머 등으로 두드려서 필요한 모양으로 만드는 것이다. • 압연: 상온 또는 고온에서 롤러 사이에 긴 소재를 통과시켜 제품을 만든다.	• 압축 성형: 열경화성 플라스틱 재료를 예열하여 형틀에 넣고 압력을 가하여 형태를 만드는 가공법이다. • 압출 성형: 열을 통해 녹은 플라스틱을 원하는 형태의 단면을 가지고 있는 압출 성형기를 통과시켜 가공하는 가공법이다. • 공기 취입 성형: 중간 과정의 제품에 뜨거운 공기를 불어넣어 형 안에서 부풀어 오르게 하여 형태를 만드는 방법이다. • 발포 성형: 폴리스티렌 입자에 가스를 주입한 후, 뜨거운 증기로 부풀려 형의 모습대로 형태를 만드는 가공법이다. • 열 성형: 플라스틱판에 열을 가한 후 형 위에 밀착이 되도록 판과 형 사이에 진공 상태를 만들어 형태를 만드는 가공법이다.

동기 유발 [교과서 200쪽]

붕어빵은 어떻게 만들까

예시 답안

붕어빵은 밀가루와 팥을 붕어빵 모양의 형틀에 넣어 구워서 만든다.

보조 노트

제조 기술 시스템

제조 기술 시스템은 다른 기술 분야의 경우와 마찬가지로 투입, 과정, 산출의 과정을 거친다. 여러 가지 자원을 투입하고, 가공, 처리, 조립 등의 작업을 통해 완성되면 시험 및 검사를 통해 제품을 완성하며 완성된 제품을 평가하여 다음 생산 작업에 반영한다.

작은 활동 [교과서 200쪽]

투입, 과정, 산출, 되먹임 등에 해당하는 장면을 찾아 빈칸에 적어 보자.

예시 답안

• 투입: 교복을 만들기 위해 학생의 치수를 잰다.
• 과정: 숙련된 근로자가 재봉틀을 이용하여 교복을 재단하고, 박음질을 한다.
• 산출: 교복이 완성된다.
• 되먹임: 교복이 완성되었는데 치수를 잘못 재서 크기가 크거나 재봉질이 잘못되었다면 투입이나 과정에서 문제가 발생한 것이다. 이를 해결하기 위해 문제가 되는 단계로 되돌아간다.

2. 제품 생산 과정의 이해

① 자전거 만드는 생산 과정

자전거 생산 과정은 부품 가공, 프레임(차체) 용접, 도장 공정, 조립 공정의 단계로 나뉜다.

용접

적정 온도의 열을 가하여 2개 이상의 금속 재료를 접합시키는 것이다.

도장

재료 표면의 녹 방지, 방충, 방습 및 미관을 위하여 적당한 도료를 칠하는 것이다.

금속의 표면 처리 방법

• 도금: 금속 또는 비금속의 표면에 다른 금속을 사용하여 피막을 만드는 처리 방법이다.
• 연마: 금속면 자체의 평활과 광택을 높여 주기 위한 표면 처리의 마지막 단계이다.

펄프

종이 등을 만들기 위해 나무와 같은 섬유 식물에서 뽑아낸 재료로서 여러 가지 목재 중 침엽수를 가장 많이 사용한다.

투입	과정	산출
• 재료: 금속, 플라스틱 등 • 자본: 재료비 및 생산비 • 인력: 자전거를 설계하는 사람, 자전거를 만드는 사람 등 • 에너지: 자전거를 만드는 데 필요한 전기 에너지 • 설비: 자전거 제작에 필요한 기계, 공구 • 시간: 자전거를 만드는 데 걸리는 기간	• 부품 가공 • 프레임 차체 용접 • 도장 공정 • 조립 공정	자전거 완성
되먹임		
문제가 발생하면 이를 해결하기 위해 문제가 되는 단계로 되돌아간다.		

② 물티슈 만드는 생산 과정

나무에서 펄프를 만들고, 펄프에 정화된 물을 투입한 후, 알맞은 크기로 가공하여 완성한다.

투입	과정	산출
• 재료: 나무, 물 등 • 자본: 재료비 및 생산비 • 인력: 천연 펄프를 만드는 사람, 물티슈를 만드는 사람 등 • 에너지: 물티슈를 만드는 데 필요한 전기 에너지 • 설비: 물티슈 제작에 필요한 기계, 공구 • 시간: 물티슈를 만드는 데 걸리는 기간	• 목재 부수기 • 섬유질 채취 • 천연 펄프 완성 • 물 첨가 • 자르기 • 포장	물티슈 완성
되먹임		
문제가 발생하면 이를 해결하기 위해 문제가 되는 단계로 되돌아간다.		

이 섹션의 핵심 키워드 | 제조 기술, 제조 기술 시스템, 투입, 과정, 산출, 되먹임

스스로 정리하기

1 여러 가지 재료를 다양한 방법으로 가공하여 우리 생활에 필요한 제품을 만드는 기술을 무엇이라고 하는가? 제조 기술

2 문제가 발생하면 이를 해결하기 위해 문제가 되는 단계로 되돌아가는 것을 무엇이라고 하는가? 되먹임

3 제조 기술 시스템의 과정 단계에서 가공한 부품들을 하나의 제품으로 결합하는 일을 무엇이라고 하는가? 조립

4 창의·인성 자전거에서 프레임(차체)을 삼각형으로 만드는 이유를 이야기해 보자.
누르는 힘에 잘 견디기 때문이다.

01 여러 가지 재료를 다양한 방법으로 가공하여 우리 생활에 필요한 제품을 만드는 기술은?
(   )

02 제조 기술 시스템은 제조 기술이 실현되는 데 이용되는 모든 활동을 체계화한 것으로 투입, 과정, 산출 및 되먹임 등의 단계로 이루어진다.
(○ , ×)

03 제조 기술 시스템의 과정 요소로 적당한 것은?
① 인력
② 자본
③ 설비
④ 가공
⑤ 에너지

04 다음의 설명에 해당하는 제조 기술 시스템의 단계는?

> 가공과 처리 및 조립 등의 여러 가지 방법으로 제품을 만든다.

① 투입
② 과정
③ 산출
④ 입력
⑤ 되먹임

05 제조 기술 시스템의 과정 단계에서는 가공, 조립, (   )의 절차에 따라 투입 요소를 활용하여 제품을 만든다.

06 제조 기술 시스템에서 문제가 발생하면 이를 해결하기 위해 문제가 되는 단계로 되돌아가는 것을 무엇이라고 하는지 쓰시오.
(   )

07 제조 기술은 산출물이 제품의 형태로 나온다.
(○ , ×)

08 자연에서 얻은 재료에 힘을 가하거나 절단하거나 녹여서 원하는 형태로 만드는 것은?
① 가공
② 조립
③ 검사
④ 용융
⑤ 시험

09 다음이 설명하는 제조 기술 시스템의 투입 과정은 무엇인지 쓰시오.

> 제품을 만드는 데 필요한 비용이다.

10 제조 기술 시스템에서 제품이 완성된 것을 (   ) (이)라 한다.

11 제조 기술의 발전은 다른 산업의 발전에 영향을 끼친다.
(○ , ×)

12 자전거를 생산하는 과정도 투입, 과정, 산출, 되먹임의 생산 과정을 통해 완성하는 것이다.
(○ , ×)

13 자전거를 만들기 위해 필요한 재료비, 생산비와 관계가 있는 사항은?
① 시간 ② 재료
③ 자본 ④ 인력
⑤ 설비

14 자전거를 만드는 과정 중 가공된 부품을 녹여 붙여 차체를 만드는데 이를 (   )(이)라 한다.

15 (   )은/는 재료의 표면의 녹 방지, 방습 및 미관을 위하여 적당한 도료를 칠하는 것을 말한다.

16 완성된 프레임(차체)에 바퀴, 브레이크, 페달, 변속기, 안장, 페달 크랭크 연결부, 변속기 등을 (   )하여 자전거를 완성한다.

17 종이 등을 만들기 위해 나무와 같은 섬유 식물에서 뽑아낸 재료를 (   )(이)라고 하는데, 여러 가지 목재 중 침엽수를 가장 많이 사용한다.

18 물티슈를 만들기 위해 사용되는 나무나 물과 관계가 있는 사항은?
① 시간 ② 재료
③ 자본 ④ 인력
⑤ 설비

19 물티슈를 만들 때 원료가 되는 것으로 나무를 작게 부순 후 채취하는 것은 무엇인가?
(   )

20 물티슈 만드는 과정 중 (   ) 안에 알맞은 것을 쓰시오.

목재 부수기 ➡ 섬유질 채취 ➡ 천연 펄프 완성 ➡ (   ) ➡ 자르기 ➡ 포장

01 〈보기〉에서 제조 기술 시스템의 과정 단계에서 실행되는 것끼리만 짝지어진 것은?

> 보기
>
> ㄱ. 생산 재료를 준비한다.
> ㄴ. 필요한 자본을 투입한다.
> ㄷ. 재료를 이용하여 부품을 만든다.
> ㄹ. 부품을 하나의 제품으로 조립한다.

① ㄱ, ㄴ   ② ㄱ, ㄹ   ③ ㄴ, ㄷ
④ ㄴ, ㄹ   ⑤ ㄷ, ㄹ

02 제조 기술 시스템에 대한 설명으로 옳지 않은 것은?

① 투입, 과정, 산출, 되먹임의 과정을 말한다.
② 투입 요소에는 재료, 자본, 인력, 설비 등이 있다.
③ 산출 단계에서는 제품을 구체적으로 설계하는 것이다.
④ 과정 단계에서는 가공, 조립, 검사 및 시험 등이 이루어진다.
⑤ 과정 단계에는 자연에서 얻은 재료를 절단하거나 녹여서 원하는 형태로 부품을 만드는 것도 있다.

03 다음 설명에 해당하는 제조 기술 시스템의 단계는?

> 교복을 재단하여 만들어 입었는데, 바지의 길이가 너무 길어서 바지의 길이를 문제 발생 단계로 되돌아가 바지의 길이를 줄였다.

① 투입   ② 과정
③ 산출   ④ 이용
⑤ 되먹임

04 다음이 설명하는 제조 기술 시스템의 단계는?

> 가공, 조립, 검사 및 시험의 절차에 따라 투입 요소를 활용하여 제품을 만든다.

① 투입   ② 과정
③ 산출   ④ 이용
⑤ 되먹임

05 제조 기술 시스템의 투입 요소에 해당하지 않는 것은?

① 제조품의 완성
② 제조에 필요한 재료
③ 제조에 필요한 비용
④ 제조에 필요한 설비
⑤ 제조에 필요한 인력

06 〈보기〉에서 제조 기술 시스템 중 과정에 대한 설명으로만 이루어진 것은?

> 보기
>
> ㄱ. 가공한 부품들을 하나의 제품으로 결합하는 일
> ㄴ. 제품을 만드는 데 필요한 에너지
> ㄷ. 자연에서 얻은 재료에 힘을 가하거나 절단하거나 녹여서 원하는 형태로 만드는 일
> ㄹ. 가공과 조립 과정을 거친 제품이 문제가 없는지, 작동은 잘 하는지를 확인하는 일

① ㄴ   ② ㄷ   ③ ㄹ
④ ㄱ, ㄴ   ⑤ ㄱ, ㄷ, ㄹ

07 〈보기〉의 대화와 관련된 제조 기술 시스템의 단계는?

> 보기
>
> A : 책꽂이를 만들려고 하는데 어떤 재료가 좋을까?
> B : 난 목재로 만들고 싶어.
> C : 난 플라스틱을 책꽂이가 좋을 거 같아.
> D : 그러면, 목재, 플라스틱을 이용하여 모두 만들어보자.

① 투입 단계
② 가공 단계
③ 조립 단계
④ 시험 단계
⑤ 산출 단계

08 〈보기〉에서 자전거 생산 과정에 해당하는 것끼리만 짝 지어진 것은?

┤보기├
ㄱ. 물을 섞는다.
ㄴ. 펄프를 채취한다.
ㄷ. 부품을 가공한다.
ㄹ. 프레임 용접을 한다.

① ㄱ, ㄴ 　② ㄱ, ㄷ 　③ ㄴ, ㄷ
④ ㄴ, ㄹ 　⑤ ㄷ, ㄹ

09 다음 내용과 관계 깊은 공사의 종류는?

재료 표면의 녹 방지, 방습 및 미관을 위하여 적당한 도료를 칠하는 것이다.

① 용접　　　② 가공
③ 조립　　　④ 압축
⑤ 도장

10 다음 보기가 설명하는 것은?

┤보기├
자전거를 만드는 데 드는 재료비 및 생산비

① 재료　　　② 자본
③ 인력　　　④ 설비
⑤ 에너지

11 다음에서 (   )에 알맞은 것은?

부품 가공 ➡ 프레임(차체) 가공 ➡ 도장 공정 ➡
(   ) 공정 ➡ 완성

① 용접　　　② 가공
③ 조립　　　④ 압축
⑤ 도장

12 다음은 시공하기의 과정을 나타낸 것이다. ㉠㉡㉢에 들어갈 공사의 종류가 순서대로 나열된 것은?

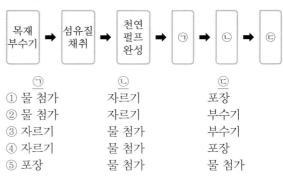

	㉠	㉡	㉢
①	물 첨가	자르기	포장
②	물 첨가	자르기	부수기
③	자르기	물 첨가	부수기
④	자르기	물 첨가	포장
⑤	포장	물 첨가	물 첨가

[13-14] 〈보기〉는 경구와 민희의 대화이다. 문제를 읽고 〈보기〉를 참고하여 물음에 답하시오.

┤보기├
경구: 민희야, 나는 철보다 가벼운 재질로 자전거를 만들고 싶어.
민희: ㉠그래? 그러면 자전거의 색깔은 무슨 색이었으면 좋을까?
경구: 노란색의 자전거를 타면 봄에 너무 예쁠 거야.
민희: ㉡색칠하기 전에 부품을 만들어야지.

13 〈보기〉의 대화에서 ㉠과 관련된 자전거 생산 공정은?

① 부품 가공　　　② 차체 용접
③ 도장　　　　　④ 조립
⑤ 산출하기

14 〈보기〉의 대화에서 ㉡과 관련된 자전거의 생산 공정은?

① 부품 가공　　　② 차체 용접
③ 도장　　　　　④ 조립
⑤ 산출하기

기 술 활 동

교실에서 제조 기술을 통해 만들어진 제품 중에서 한 가지를 골라 제조 기술 시스템이 어떻게 적용되었는지 알아보자.

제품명: 축구공

| 투입 | 가죽, 고무, 실 | 과정 | 자르기, 꿰매기, 공기 넣기 | 산출 | 축구공 |

선생님 생각 엿보기

• **이 활동의 목적**

교실에서 만들어진 제품을 골라 제조 기술 시스템의 투입, 과정, 산출 등을 적용할 수 있기를 바랍니다.

• **선생님은 이 활동을 이렇게 평가합니다.**

상	제조 기술 시스템을 이해할 수 있고, 제조 기술로 만들어진 제품을 고르고 각 단계별 구체적으로 적용할 수 있다.
중	제조 기술 시스템을 이해할 수 있고, 제조 기술로 만들어진 제품을 고를 수 있다.
하	제조 기술 시스템을 이해할 수 있다.

이와 관련된 활동은?

[관련 활동] 제조 기술 시스템 적용하기 | 등·하교할 때 이용하는 여러 가지 제품을 생각해 보고 몇 가지를 골라, 그 제품을 만들 때 적용되는 제조 기술 시스템의 요소를 알아보는 활동이다.

[01. 제조 기술의 특징과 발달 / 04. 제조 기술의 창의적 문제 해결]

> • 제조 기술의 특징과 발달 과정, 재료의 특성과 이용을 설명하고, 제조 기술의 발달 전망을 예측한다.
> • 제조 기술과 관련된 문제를 이해하고, 해결책을 창의적으로 탐색하고, 실현하며 평가한다.

이 섹션에서 '알아야 할 것' (이해)	제조 기술의 특징과 발달 과정, 재료의 특성과 이용을 설명하고, 제조 기술의 발달 전망을 예측할 수 있다. 1. 제조 기술의 특징 2. 제조 기술의 발달 과정 3. 재료의 특성과 이용 4. 제조 기술이 발달 전망
이 섹션에서 '할 수 있어야 하는 것' (능력)	재료의 특성과 이용을 설명할 수 있다. [활동 1] • 제조 기술의 발달과 관련된 활동을 해 보자. [활동 2] • 자료와 관련된 퍼즐 놀이를 해 보자.

> **생산 기술의 창의적 문제 해결 실습**
>
> '독서대 겸용 책꽂이 만들기'를 통해 사용 목적에 따라 형태가 변하는 제품을 만들 수는 있는 문제를 해결하고, 탐색하며 실현, 평가한다.

03 제조 기술의 특징과 발달

이 섹션에서
알아야 할 것!

1. 제조 기술의 특징

① 자연에서 필요한 재료를 얻는다.

② 재료를 유용한 제품으로 변화시켜 경제적 가치를 높인다.

③ 같은 원료라도 가공 및 처리 방법에 따라 다양한 형태로 나타난다.

④ 산출물이 제품의 형태로 나타난다.

⑤ 다른 산업 발전에 큰 영향을 끼친다.

2. 제조 기술의 발달 과정

[소량 생산 시대]

ⓐ **고대**

- 고대에는 손과 도구를 사용하여 필요한 물건을 스스로 만들어 사용하였다.
- 돌이나 금속을 이용하여 농업 생산을 이루었다.
- 가정에서 필요한 물품을 손과 도구를 사용하여 생산하였다.(가내 수공업)

ⓑ **중세**

- 초기에는 가내 수공업 형태였으나, 물품 수요의 증가로 생산성이 높은 공장제 수공업의 형태로 발전하였다.
- 공장에 나와 여러 사람들이 모여 작업을 하는 방식이다.(공장제 수공업)

> **산업 혁명** | 18세기 중반부터 19세기 초반까지 영국에서 시작된 기술의 혁신과 이로 인해 일어난 사회, 경제 등의 큰 변화를 말한다.

[대량 생산 시대]

ⓒ **근대**

- 생산 기계를 이용하여 제품을 대량으로 생산하였다.(공장제 기계 공업)
- 컨베이어 벨트 방식을 통한 일관 생산 방식이 도입되어 생산성은 더욱 증가하였다.

[다품종 생산 시대]

ⓓ **현대**

- 공장 자동화를 통하여 유연 생산 방식이 도입되어 다양한 제품을 생산하게 되었다.
- 컴퓨터와 산업용 로봇을 이용한 공장 자동화가 이루어지면서 더욱 간편하게 제품을 생산할 수 있게 되었다.

> **생산 방식의 변화** | 가내 수공업 ▶ 공장제 수공업 ▶ 공장제 기계 공업 ▶ 공장 자동화 생산

동기 유발 [교과서 204쪽]

두 자전거의 차이점과 더 좋아진 점을 이야기해 보자.

예시 답안

페달이 생겼고, 타이어가 있어 승차감이 좋다.

보조 노트

제임스 와트(1736~1819)

스코틀랜드의 발명가이자 기계 공학자로 영국과 세계의 산업 혁명에 중대한 역할을 한 증기 기관을 개량하는 데 공헌하였다.

일관 생산 방식

생산 과정을 몇 개의 작업으로 나누어 순서대로 조립하는 방식으로, 생산성이 더욱 향상되었다.

유연 생산 방식

다품종 소량 생산에 알맞은 생산 방식으로, 효율성과 유연성을 모두 갖춘 시스템이다.

작은 활동 [교과서 204쪽]

일상생활 속에서 제조 기술을 통해 만들어진 제품을 한 가지 골라 각각의 특징을 비교해 보자.

예시 답안

(책상)

- 생활을 편리하게 해 주는 제품이 된다.
- 제조 관련 산업뿐만 아니라 교육 산업 등에도 영향을 끼친다.
- 책상을 만드는 데 필요한 목재, 금속 등은 자연에서 재료를 얻는다.
- 목재와 금속 등으로 책상을 만듦으로써, 가치가 올라간다.
- 목재와 금속 등을 재료로 책상뿐만 아니라 서랍장, 기계 부품 등을 제작할 수 있다.

작은
활동 ▷ [교과서 206쪽]

책상을 만들 때 쓰이는 데 들어간,
목재, 금속, 플라스틱의 종류를 이
야기해 보자.

예시 답안

목재는 합판, 금속은 탄소강, 플라
스틱은 폴리염화비닐 수지로 만들
었다.

보조 노트

목재의 특성

목재는 가볍고, 가공하기 쉬우며, 부드
럽고 따뜻한 느낌을 준다. 또한, 무늬가
아름답고, 열과 전기가 잘 통하지 않는
다. 반면, 타기 쉬우며, 썩기 쉽고, 재질
이 고르지 못하며, 건조하면서 수축되
어 변형이 생긴다.

비철 금속

철 이외의 금속 원소를 주성분으로 하
는 금속이다.

전성

펴지는 성질이다.

연성

늘어나는 성질이다.

산화 피막

금속의 표면을 덮어 싸는 산화물의 얇
은 막이다.

작은
활동 ▷ [교과서 210쪽]

미래에는 어떤 재료를 이용하여
3D 프린팅을 할 수 있을지 예측해
보자.

예시 답안

음식 잉크가 개발되어 3D 프린팅
으로 음식을 마음껏 만들 수 있을
것 같다.

3. 재료의 특성과 이용

① 목재

㉠ 합판

- 원목을 넓고 얇은 판으로 만든 후 나뭇결 방향이 서로 직각이 되도록 홀수 겹으로 만든다.
- 책상, 의자, 가구, 건축, 재료 등에 이용된다.

㉡ 집성재

- 목재를 나뭇결 방향으로 나란히 모아 접착제로 붙여서 만든다.
- 실내 장식용, 건축 자재, 가구 등에 이용된다.

㉢ 중밀도 섬유판(MDF)

- 원목을 갈아 얻은 섬유질을 압축시켜 만든다.
- 실내 장식재, 문짝, 액자 등에 이용된다.

㉣ 파티클 보드

- 사용하고 남은 목재를 잘게 부순 후 접착제와 섞어 압축시켜 만든다.
- 가구, 칸막이, 실내 장식재 등에 이용된다.

② 플라스틱

㉠ 열가소성 플라스틱

- 열을 가할 때마다 녹아 움직여서 부드럽고 유연해지는 플라스틱이다.
- 폴리프로필렌 수지(PP), 폴리스티렌 수지(PS), 폴리에틸렌, 테레프탈레이트 수지(PET) 등이 있다.

㉡ 열경화성 플라스틱

- 열을 가해 한번 굳어지면 다시 열을 가해도 녹아 움직이지 않는 플라스틱이다.
- 폴리에스테르 수지, 멜라민 수지, 페놀 수지, 실리콘 수지 등이 있다.

④ 금속

㉠ 철 금속

- 순철: 탄소가 거의 없는 철로, 재질이 연한 순수한 철로서 전기가 잘 통한다.
- 탄소강: 탄소가 조금 들어 있는 철로, 열처리를 하면 성질이 바뀐다.
- 주철: 탄소가 많이 들어 있는 철로, 녹이 잘 슬지 않으며, 기계 몸체, 맨홀 뚜껑 등에 이용된다.

㉡ 비철 금속

- 구리와 구리 합금: 전기와 열이 잘 통하고, 녹이 잘 슬지 않는다.(청동, 황동)
- 알루미늄과 알루미늄 합금: 가볍고 공기 중에서 산화 피막이 형성되어 녹이 슬지 않는다.

4. 제조 기술의 발달 전망

① **3D 프린팅**: 재료를 녹여 층층이 쌓아 올리면서 3차원 물체를 찍어내는 것을 말한다.

㉠ 부품이나 제품 생산, 의수, 인공 뼈, 건설 구조물 등 다양한 분야에서 활용될 것이다.

ⓒ 플라스틱이 일반적으로 사용되고 있지만, 앞으로는 점점 다양한 재료가 사용될 것이다.

② **스마트 공장:** 공장 내 설비와 기계에 설치된 센서가 데이터를 실시간으로 수집하고 분석하여 스스로 제어하는 공장이다.

  ㉠ **증강 현실:** 스마트폰, 스마트 안경 등을 이용하여 작업 정보 및 진행 상황 등을 실시간으로 파악한다.

  ㉡ **사물 인터넷(IoT):** 사물 인터넷을 이용하여 제품, 설비, 관리 등에 대한 정보를 실시간으로 교환한다.

  ㉢ **자동 설비:** 로봇과 기계로 자동화된다.

  ㉣ **빅 데이터:** 공장의 정보를 수집하고 분석한다.

이 섹션의 핵심 키워드 | 제조 기술의 특징, 소량 생산 시대, 대량 생산 시대, 다품종 생산 시대, 목재, 플라스틱, 금속, 3D 프린팅, 스마트 공장

작은 활동 [교과서 210쪽]

공장에서 일했던 사람들은 미래에 어떻게 될지 이야기해 보자.

예시 답안

로봇 분야, IT 분야, 증강 현실 분야 등의 산업이 발달하여 그와 관련된 일을 할 것 같다.

창의적인 실습 [교과서 211쪽]

나만의 '스마트폰 받침대' 만들기

활동 TIP

다양한 재료를 이용하되, 받침대가 안정적으로 균형을 이룰 수 있도록 한다.

스스로 정리하기

1 여러 가지 재료를 다양한 방법으로 가공하여 우리 생활에 필요한 제품을 만드는 기술을 무엇이라고 하는가? 대량 생산

2 문제가 발생하면 이를 해결하기 위해 문제가 되는 단계로 되돌아가는 것을 무엇이라고 하는가?
합판

3 제조 기술 시스템의 과정 단계에서 가공한 부품들을 하나의 제품으로 결합하는 일을 무엇이라고 하는가?
전성과 연성이 좋기 때문이다.

4 창의·인성 자전거에서 프레임(차체)을 삼각형으로 만드는 이유를 이야기해 보자.
로봇, 집, 자동차 등

04 제조 기술의 창의적 문제 해결

[문제 확인하기]

① 사용 목적에 따라 형태가 변하는 제품을 만들 수는 없을까 하는 문제를 확인한다.

② 독서대 겸용 책꽂이를 만드는 것으로 문제 해결을 시작한다.

③ 제한 사항

　㉠ 목 재, 사포, 나사못, 경첩, 드라이버, 망치, 접착제, 톱, 자 등을 사용할 수 있고, 목재 이외의 재료도 사용 가능하다.

　㉡ 자체의 모양이 변하면서 두 가지 용도가 가능해야 한다.

[아이디어 창출하기]

독서대 겸용 책꽂이를 만들기 위해 관련 정보를 수집하고, 창의적인 아이디어를 구상해 본다.

① 정보 수집

　㉠ 좁은 주거 공간을 효율적으로 사용하기 위한 일명 '트랜스포머' 가구가 많이 만들어지고 있다.

　㉡ 두 개 이상의 기능을 갖추고 있어 공간 활용에 유리할 뿐만 아니라 경제적이며, 주거 생활도 혁신적으로 바꿀 수 있다.

> **<다양한 트랜스포머 가구>**
> • 소파가 2층 침대로 변하는 가구
> • 사다리, 선반, 테이블 등으로 바뀌는 제품

② 창의적 아이디어 구상

A: 두 개의 물건을 하나로 합치면 어때? → B: 좋은 생각이야! 우리가 자주 사용하는 독서대와 책꽂이를 하나로 합쳐보는 건 어때? → A: 그래! 어떤 방법이 좋을까? 옆으로 붙일까? B: 옆으로 붙이는 건 효율적이지 않아. → A: 위로 붙이는 건 어때? B: 좋은 방법이긴 하지만 위로 붙이면 위험하지 않을까?

↓

A: 그럼 필요할 때마다 변신하는 건 어때? → B: 꼭 변신하는 로봇 같아! 효율적이고 공간을 많이 차지하지 않아서 실용적이야. → A: 맞아. 내가 원하던 거야! 우리 같이 독서대 겸용 책꽂이를 만들어 보자.

[아이디어 구체화하기]

구체화는 아이디어를 다른 사람이 알아볼 수 있도록 표현하는 단계로, 선정된 아이디어를 프리핸드로 스케치하여 구체화한다.

[실행하기]

① 필요한 재료와 공구를 준비하여 독서대 겸용 책꽂이를 만든다.

② **준비물:** 접착제, 자, 톱, 망치, 경첩, 나사못, 드라이버, 사포

③ **만들기**

　㉠ 설계한 대로 선을 긋는다.

　　• 책꽂이의 높이와 폭은 교과서의 크기로 제작할 수 있도록 한다.

　㉡ 톱을 사용하여 자른다.

　　• 톱을 사용하여 목재를 자를 때 안전에 주의하도록 한다.

　㉢ 자른 부품을 사포를 사용하여 다듬는다.

　　• 사포질은 결 방향으로 하여 거스름이 생기지 않도록 한다.

　㉣ 설계한 대로 못과 망치를 사용하여 조립한다.

　㉤ 드라이버를 사용하여 두 개의 판을 못과 경첩으로 연결한다.

　　• 나사를 이용하여 경첩을 고정할 때는 오른쪽으로 돌려 고정할 수 있도록 한다.

　㉥ 접착제를 사용하여 나무 막대를 붙인다.

　㉦ 완성

〈독서대로 사용할 때〉

〈책꽂이로 사용할 때〉

[평가하기]

완성품을 스스로 또는 친구와 함께 평가한다.

구분	평가 기준
자기 평가	• 트랜스포머 제품의 원리를 잘 이해하였는가? • 트랜스포머 제품의 이용 분야를 이해하였는가? • 작업할 때 안전 및 유의 사항을 잘 지켰는가?
동료 평가	• 창의적인 디자인 아이디어를 낸 동료는 누구인가? • 가장 적극적으로 실습에 참여한 동료는 누구인가?
제품 평가	• 제품의 디자인은 창의적인가? • 제품은 사용하기 편리하고 견고한가? • 모양이 변하면서 두 가지 용도로 사용이 가능한가?

보조 노트

안전 사항

• 톱을 사용할 때에는 손을 베지 않도록 주의한다.
• 망치를 사용하여 못질을 할 때 안전에 주의한다.

뭔가
아쉬워!

창의로
UP

[교과서 216쪽]

다른 기능을 할 수 있는 트랜스포머 제품을 구상하여 아이디어를 적어 보거나 스케치해 보자.

예시 답안

가방과 탁자를 결합하여 나들이를 가서 편안하게 밥을 먹을 수 있도록 한다.

세상을 이어 주는 **기술 이야기**

[교과서 241쪽]

나만의 트랜스포머 가구를 구상하여 친구들에게 이야기해 보자.

예시 답안

책상과 독서대를 결합하고, IT기술을 이용하여 책상에 공부한 시간, 공부한 과목 등이 표시하여 이를 확인할 수 있게 한다.

스스로 정리하기	**1** 좁은 공간을 최대한 활용할 수 있는 공간 절약형 가구를 무엇이라고 하는가? 트랜스포머 가구
	2 창의·인성 독서대 겸용 책꽂이를 만들 때 지켜야 할 안전 사항을 이야기해 보자. 　　톱과 망치를 사용할 때 안전에 주의한다.

01 제조 기술 제품 중 하나인 자전거는 발명된 이후에는 기술 발달이 거의 이루어지지 않았다.

(○ , ×)

02 제조 기술의 발달은 다른 산업 발전에 영향을 미치지 않는다.

(○ , ×)

03 제조 기술을 통한 생산품에 해당하지 <u>않는</u> 것은?
① 공장　　　　② 의자
③ 시계　　　　④ 연필
⑤ 자동차

04 제조 기술은 같은 원료라도 가공 및 처리 방법에 따라 다양한 (　　　　　)(으)로 나타난다.

05 제조 기술은 재료를 유용한 제품으로 변화시키지만 경제적 가치를 높이지는 않는다.

(○ , ×)

06 인류는 제조 기술을 통해 보다 편리하고 안전한 제품을 만들어 왔다.

(○ , ×)

07 제조 기술은 손과 도구를 사용하여 인간에게 필요한 물건을 만드는 (　　　　　)(으)로부터 시작되었다

08 (　　　　　) 이후 기계 공업이 도입되면서 급속도로 발달되기 시작하였다.

09 빈칸의 알맞은 말을 쓰시오.

> 현대에는 (　　　　)와/과 자동화 기기를 이용하여 손쉽게 다양한 제조 기술 제품을 생산하고 있다.

10 빈칸에 알맞은 말을 쓰시오.

> 〈생산 방식의 변화〉
> 가내 수공업 → 공장제 수공업 → (　　　　) → 자동화 생산

11 고대에는 자동화된 기계를 사용하여 필요한 물건을 스스로 만들어 사용하였다

(○ , ×)

15 공장제 기계 공업에서는 생산 기계를 이용하여 제품을
( )(으)로 생산하였다.

16 다음에서 설명하는 제품 생산 방식은?

> 다품종 소량 생산에 알맞은 생산 방식으로, 효율성과 유연성을 모두 갖춘 시스템이다.

12 가내 수공업은 작은 규모의 일터에서 단순한 기술과 도구로 물건을 만들어 내는 공업 형태이다.

(○ , ×)

17 다음은 공장 자동화에 대한 설명이다. ( )에 공통으로 들어갈 내용은?

> 제품의 계획 · 설계 · 생산 준비에서부터 생산의 모든 과정을 ( )하는 시스템을 말한다. 컴퓨터와 산업용 로봇을 이용하여 제품 생산의 ( )이/가 이루어졌다.

13 다음이 설명하는 것이 무엇인지 쓰시오.

> 공장에 나와 여러 사람들이 모여 작업을 하였기 때문에 가내 수공업에 비해 생산량이 증가하였다.

18 미래에 등장하게 될 생산 방식으로 적당한 것은?

① 가내 수공업
② 일관 생산 방식
③ 주문 생산 방식
④ 대량 생산 방식
⑤ 개인 생산 방식

14 ( )은/는 18세기 중반부터 19세기 초반까지 영국에서 시작된 기술의 혁신과 이로 인해 일어난 사회, 경제 등의 큰 변화를 말한다.

19 ( )은/는 산업 혁명에 중대한 역할을 한 증기 기관을 발명하였다.

20 우리 생활에 사용되는 제품의 재료는 그 종류가 많다. 그중에서도 목재, 금속, (   )은/는 우리 주변에서 쉽게 구할 수 있어 널리 이용되고 있다.

21 사용하고 남은 목재를 잘게 부순 후 접착제와 섞어 압축시켜 만드는 목재 가공재를 쓰시오.

(   )

22 합판의 용도로 적당하지 <u>않은</u> 것은?
① 책상   ② 의자
③ 가구   ④ 액자
⑤ 건축 재료

23 플라스틱 중 열을 가하면 녹아서 부드러워지는 플라스틱을 무엇이라고 하는지 쓰시오.

24 열을 가해 한번 굳어지면 다시 열을 가해도 녹아 움직이지 않는 것은 열경화성 플라스틱이다.

(○ , ×)

25 철 금속 철을 주성분으로 하는 금속으로, 철 금속의 성질에 가장 큰 영향을 끼치는 것은 (   )이다.

26 순철은 탄소가 조금 들어 있는 철로, 전기가 잘 통한다.

(○ , ×)

27 3D 프린팅은 재료를 녹여 층층이 쌓아 올리면서 (   )차원 물체를 찍어내는 것을 말한다.

28 좁은 공간을 최대한 활용할 수 있는 공간 절약형 가구로, 두 개 이상의 기능을 갖추고 있어 공간 활용에 유리할 뿐만 아니라 경제적이며, 주거 생활도 혁신적으로 바꿀 수 있는 가구를 무엇이라고 하는지 쓰시오.

(   )

01 〈보기〉의 제조 기술 특징 중 옳은 것을 <u>모두</u> 고른 것은?

┤ 보기 ├

ㄱ. 자연에서 재료를 얻는다.
ㄴ. 산출물이 제품의 형태이다.
ㄷ. 다른 산업의 발전에 영향을 끼친다.
ㄹ. 같은 연료로 항상 같은 제품만 만든다.

① ㄱ, ㄷ　　　② ㄱ, ㄹ　　　③ ㄴ, ㄷ
④ ㄱ, ㄴ, ㄷ　　⑤ ㄴ, ㄷ, ㄹ

02 제조 기술 제품으로 적절하지 <u>않은</u> 것은?

① 자동차
② 돋구장
③ 자전거
④ 종이컵
⑤ 스마트폰

03 다음은 〈보기〉가 설명하는 것은?

┤ 보기 ├

(　　　　　)은/는 손과 도구를 사용하여 인간에게
필요한 물건을 만드는 수공업으로부터 시작되었다.

① 건설 기술　　　　② 수송 기술
③ 생명 기술　　　　④ 제조 기술
⑤ 정보통신 기술

04 다음 〈보기〉에서 생산 방식의 변화를 발달 순서대로 바르게 나열한 것은?

┤ 보기 ├

㉠ 가내 수공업　　　㉡ 공장제 기계공업
㉢ 공장제 수공업　　㉣ 자동화 생산

① ㉠ → ㉡ → ㉢ → ㉣
② ㉠ → ㉢ → ㉡ → ㉣
③ ㉢ → ㉠ → ㉡ → ㉣
④ ㉢ → ㉡ → ㉠ → ㉣
⑤ ㉡ → ㉠ → ㉢ → ㉣

05 고대에는 무엇을 이용하여 제품을 생산하였는가?

① 손과 도구
② 도구와 기계
③ 기계와 컴퓨터
④ 기계와 로봇
⑤ 컴퓨터와 로봇

06 다음은 (　　　)에 알맞은 설명하는 것은?

제임스 와트는 스코틀랜드의 발명가이자 기계 공
학자로 영국과 세계의 (　　　　)에 중대한 역할을
한 증기 기관을 개량하는 데 공헌하였다.
　(　　　　)은/는 18세기 중반부터 19세기 초반
까지 영국에서 시작된 기술의 혁신과 이로 인해 일어
난 사회, 경제 등의 큰 변화를 말한다.

① 산업 생산　　　　② 산업 기술
③ 산업 발전　　　　④ 산업 역량
⑤ 산업 혁명

07 다품종 소량 생산 시대에 대한 설명으로 알맞지 <u>않은</u> 것은?

① 컴퓨터와 산업용 로봇을 이용하였다.
② 공장 자동화를 통해 생산하게 되었다.
③ 유연 생산 방식을 통해 생산하게 되었다.
④ 생산 기계를 통해 제품을 대량으로 생산하였다.
⑤ 개성을 강조하는 현대 사회에 적합한 생산 방식이다.

08 다음 설명에서 (   )에 알맞은 것은?

> 대량 생산 시대의 포드 시스템은 미국의 헨리 포드는 부품의 표준화, 제품의 단순화, 작업의 전문화 등 '3S 운동'을 전개하고 (   )에 의한 이동 조립 방법을 채택하여 생산 능률을 향상시켰다.

① 로봇 시스템   ② 컴퓨터 시스템
③ 유연 생산 시스템   ④ 수공업 시스템
⑤ 컨베이어 시스템

09 〈보기〉의 특징을 가진 목재 가공재는?

> ┤ 보기 ├
> • 목재를 나뭇결 방향으로 나란히 모아 접착제로 붙여서 만든다.
> • 뒤틀림, 갈라짐이 적고, 외관이 아름답다.
> • 실내 장식용, 건축 자재, 가구 등에 이용된다.

① 합판   ② 원목
③ 집성재   ④ 파티클 보드
⑤ 중밀도 섬유판

10 중밀도 섬유판에 대한 설명으로 알맞지 <u>않은</u> 것은?

① 가공하기 쉽다.
② 재질이 균일하다.
③ 문짝, 액자 등에 이용된다.
④ 소리를 흡수하는 성질이 있다.
⑤ 원목을 갈아 얻은 섬유질을 압축시켜 만든다.

11 목재의 특성에 대한 설명으로 바르지 <u>못한</u> 것은?

① 가볍다.
② 재질이 고르지 못하다.
③ 부드럽고 따뜻한 느낌을 준다.
④ 열과 전기가 잘 통하지 않는다.
⑤ 건조해도 수축되지 않아 변형이 없다.

12 〈보기〉에서 설명하는 열가소성 플라스틱은?

> ┤ 보기 ├
> • 열이 잘 차단되고, 가공하기 쉽다.
> • 일회용 용기, 발포 플라스틱 등에 이용된다.

① 폴리스티렌 수지   ② 폴리에틸렌 수지
③ 폴리염화비닐 수지   ④ 폴리프로필렌 수지
⑤ 폴리에스테르 수지

13 〈보기〉에 열경화성 수지로만 짝지어진 것은?

> ┤ 보기 ├
> ㄱ. 페놀 수지   ㄴ. 폴리에틸렌 수지
> ㄷ. 폴리스티렌 수지   ㄹ. 폴리에스테르 수지

① ㄱ, ㄴ   ② ㄱ, ㄹ   ③ ㄴ, ㄷ
④ ㄴ, ㄹ   ⑤ ㄷ, ㄹ

14 〈보기〉가 설명하는 열경화성 플라스틱은?

┤ 보기 ├
- 전기 절연성이 뛰어나고, 열에 강하다.
- 전기 플러그, 회로 기판 등에 이용된다.

① 페놀 수지　　　② 실리콘 수지
③ 멜라민 수지　　④ 폴리스티렌 수지
⑤ 폴리에틸렌 수지

15 금속의 특징에 대한 설명으로 알맞지 <u>않은</u> 것은?

① 광택이 있다.
② 녹는점이 일정하다.
③ 재질이 균일하지 못하다.
④ 열과 전기를 잘 전달한다.
⑤ 일반적으로 상온에서 고체이다.

16 〈보기〉가 설명하는 금속은?

┤ 보기 ├
- 탄소가 많이 들어 있는 철로, 녹이 잘 슬지 않는다.
- 압축에 강하고 충격에 약하며, 잘 휘거나 늘어나지 않는다.
- 기계 몸체, 맨홀 뚜껑 등에 이용된다.

① 순철　　　② 주철
③ 황동　　　④ 청동
⑤ 탄소강

17 〈보기〉가 설명하는 금속은?

┤ 보기 ├
- 알루미늄에 구리, 마그네슘을 넣어 만든다.
- 가볍고 강하다.
- 비행기나 자동차 몸체 등에 이용된다.

① 순철　　　② 주철
③ 황동　　　④ 청동
⑤ 두랄루민

18 표면에 산화 피막이 형성되어 공기 중에서 녹이 슬지 <u>않</u>는 금속은?

① 순철　　　② 구리
③ 주철　　　④ 황동
⑤ 알루미늄

19 스마트 공장에 대한 설명으로 바르지 <u>못한</u> 것은?

① 로봇과 기계로 자동화된 설비로 생산한다.
② 공장제 수공업의 형태로 제품을 소량 생산한다.
③ 빅데이터로 공장의 모든 정보를 수집하고, 분석한다.
④ 사물 인터넷(IoT)을 이용하여 제품, 설비, 관리 등에 대한 정보를 실시간으로 교환한다.
⑤ 스마트폰, 스마트 안경 등을 이용하여 작업 정보 및 진행 상황 등을 실시간으로 파악한다.

20 재료를 녹여 층층이 쌓아 올리면서 3차원 물체를 찍어 내는 것은?

① 증강 현실　　② 빅 데이터
③ 사물 인터넷　　④ 3D 프린터
⑤ 스마트 공장

기 술 활 동

제조 기술의 발달과 관련된 활동을 해 보자.

교과서 208쪽

① 다음 글을 읽고, 빨대와 가위를 이용하여 여치 집을 만들면서 가내 수공업을 체험해 보자.

> 가내 수공업은 가정에서 작은 규모로 물건을 만드는 작업 형태를 말한다. 가정에서 단순한 기술과 도구로 물건을 만들어 내는 방식으로 주로 집안에서 가족을 중심으로 이루어졌다.

1 네 개의 빨대 중에서 한 개의 빨대에는 다른 빨대 두 개를 연결하고, 나머지 세 개는 한 개씩 연결한다.

2 폭을 좁혀가며 한 방향으로 빨대를 꺾는다.

3 2와 같은 방법으로 계속해서 층을 쌓는다.

4 마지막 부분은 빨대의 틈에 끼워 매듭을 짓는다.

> **Tip** 여치 집 만들기는 밀짚이나 보릿짚을 이용하여 여치가 살 수 있는 집을 만들어 여치를 길러 보는 민속놀이이다.

완성 튼튼한지 확인한다.

② 다음 글을 읽고, 간단한 재료와 공구를 준비하여 로봇 손을 만들고, 친구들과 가위바위보 게임을 해 보자.

> 현대의 산업 현장에서 로봇은 제조 및 생산 작업에 적용되어 제품의 용접 및 조립, 생산, 운반 등의 업무를 수행하고 있다. 로봇을 이용하면서 이전보다 정확하고, 정교하며, 효율적인 생산이 가능해지고 있다.

1 골판지 위에 자신의 손 모양을 그리고 자른다.

데임 주의!

2 글루건을 사용하여 빨대를 붙인다(손가락 마디가 구부러질 수 있도록 빨대를 잘라서 붙인다).

3 빨대에 끈을 연결한다(손가락 끝부분의 실은 셀로판테이프로 고정한다).

가위! 바위! 보!

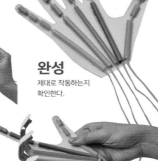

완성 제대로 작동하는지 확인한다.

선생님 생각 엿보기

· 이 활동의 목적

여치 집(과거의 제조 기술)과 로봇 손(현대 제조 기술)을 만들어 보고, 기술의 발달 과정을 이해할 수 있기를 바랍니다.

· 선생님은 이 활동을 이렇게 평가합니다.

상	제조 기술의 발달 과정을 이해하고, 여치 집과 로봇 손을 제작하였다.
중	제조 기술의 발달 과정을 이해하였지만, 여치 집과 로봇 손을 제작하지 못하였다.
하	제조 기술의 발달 과정을 이해하지 못하고, 여치 집과 로봇 손을 제작하지 못하였다.

이와 관련된 활동은?

[관련 활동] 과거와 현재의 제품 비교하기 | 우리 일상생활에서 사용하는 제품 중 과거에 제품을 탐색해 보고 조사, 발표를 하는 활동이다.(예: 과거의 맷돌, 현재의 믹서기 등)

기 술 활 동   재료와 관련된 퍼즐 놀이를 해 보자.

놀이 방법

■ 각각의 퍼즐에서 재료의 이름을 찾는 게임이다.
■ 재료의 이름은 선을 따라 반드시 연결된다.
　⟮예⟯ 목재의 종류 중에서 합판이면, ㅎ칸 → ㅏ칸 → ㅂ칸 → ㅍ칸 → ㅏ칸 → ㄴ칸으로 이동하면 된다.
■ 지나갔던 선을 다시 지나갈 수 있다.

1 목재의 종류 3개를 찾으시오.
　　* 합판의 예(빨간 선)

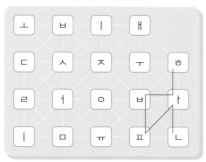

2 금속의 종류 4개를 찾으시오.

3 플라스틱의 종류 5개를 찾으시오. 단, 퍼즐에서 '수지'라는 단어는 제외하고 풀어 보자.

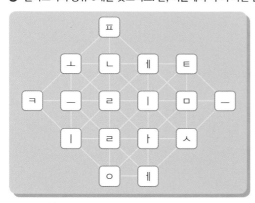

선생님 생각 엿보기

● **이 활동의 목적**

재료와 관련된 퍼즐 놀이를 해보고, 제조 기술에 사용되는 재료의 특징과 이용을 이해할 수 있기를 바랍니다.

● **선생님은 이 활동을 이렇게 평가합니다.**

상	목재, 금속, 플라스틱의 종류를 구분하여 8개 이상 재료를 찾았다.
중	목재, 금속, 플라스틱의 종류를 구분하여 5개 이상 재료를 찾았다.
하	목재, 금속, 플라스틱의 종류를 잘 구분하지 못하고, 4개 이하 재료를 찾거나, 모두 찾지 못하였다.

이와 관련된 활동은?

[관련 활동] 다양한 재료를 이용하여 스마트폰 만들어보기 | 스마트폰 받침대를 금속, 종이, 플라스틱 등의 재료 중에서 한 가지를 선택하여 만들어 본다.

[05. 건설 기술 시스템]

건설 기술 시스템의 의미와 단계별 세부 요소를 이해하고, 건설 구조물의 생산 과정을 구체적으로 설명한다.

이 섹션에서 '알아야 할 것' (이해)	건설 기술 시스템의 의미와 단계별 세부 요소를 이해할 수 있다. 1. 건설 기술 시스템의 이해 2. 건설 구조물의 생산 과정
이 섹션에서 '할 수 있어야 하는 것' (능력)	건설 구조물의 생산 과정을 구체적으로 설명할 수 있다. [활동] · 만화를 읽고, (가)~(다)에는 생산 과정을, ㉠~㉃에는 시공 과정을 써 보자.

1. 건설 기술 시스템의 이해

① 건설 기술

주변의 여러 가지 재료를 가공하고 조립하여 인간이 생활하는 데 필요한 구조물을 만드는 기술이다.

② 건설 기술 시스템

㉠ **의미**: 건설 기술이 실현되는 데 이용되는 모든 활동을 체계화한 것으로, 투입, 과정, 산출 및 되먹임 등의 단계로 이루어진다.

㉡ **건설 기술 시스템의 단계**

투입	과정	산출	되먹임
건설 구조물을 만드는 데 필요한 토지, 자본, 건설 재료, 인력, 건설 장비 등의 요소를 투입한다.	기획, 설계, 시공의 절차에 따라 투입 요소를 활용하여 건설 구조물을 만든다.	건설 과정의 결과로 건설 구조물이 완성된다.	문제가 발생하면 이를 해결하기 위해 문제가 되는 단계로 되돌아간다.

㉢ **건설 기술 시스템의 단계별 세부 요소**

투입	과정	산출
• 토지: 건설 구조물이 만들어질 땅 • 자본: 건설 구조물을 완성하는 데 필요한 비용 • 건설 재료: 건설 구조물을 만드는 데 사용하는 재료 • 인력: 건설 구조물을 완성하는 과정에 관계된 사람 • 건설 장비: 건설 구조물을 만들 때 사용하는 기계	• 기획: 어떤 건설 구조물을 만들지 구상하는 단계 • 설계: 기획 단계에서 구상한 건설 구조물을 도면으로 표현하는 단계 • 시공: 설계도에 따라 건설 구조물을 만드는 단계	건설 구조물 완성

2. 건설 구조물의 생산 과정

건설 구조물의 생산 과정은 기획, 설계, 시공 등의 단계로 이루어진다.

① 기획하기

어떤 구조물을 만들지 구상하는 단계로서, 건설 구조물의 사용 목적, 규모와 예산, 대지 조건, 공사 기간 등을 고려하여 기획한다.

② 설계하기

정해진 구상안에 따라 다양한 형태의 도면을 작성하는 단계로서, 계획 설계, 기본 설계, 실시 설계 순으로 이루어진다.

㉠ **계획 설계**: 설계를 의뢰한 사람이 추상적인 요구로부터 하나의 형태를 만들어 내는 과정이다. 예 스케치, 기초적인 도면, 모형, 보고서 등

[교과서 222쪽]

251쪽의 활동지로 종이 집을 만들어 붙여 보자.

활동 TIP

간단한 종이 집을 만들어 붙이는 활동을 통해 건설 과정의 흥미를 갖는다. 교과서가 펴질 때 종이 집이 접혔다가 입체감이 생겨나도록 만든다.

세상을 이어 주는 **기술 이야기**

[교과서 225쪽]

만약 내가 남극에 기지를 짓는다면 어떻게 지을지 이야기해 보자.

예시 답안

낮은 기온에 견딜 수 있도록 보온과 단열에 적합하게 설계하고, 눈이 쌓일 때의 피해를 최소화할 수 있는 구조(건물의 높이 조절)로 짓는다.

ⓒ **기본 설계:** 설계자의 구상을 구체적으로 표현하기 위하여 도면으로 작성하는 과정이다. **예** 배치도, 평면도, 입면도, 단면도, 투시도 등의 기본 설계 도면

ⓒ **실시 설계:** 기본 설계를 바탕으로 실제로 집을 지을 수 있는 상세한 설계도를 만드는 과정이다. **예** 일반도, 구조도, 설비도 등

③ **시공하기**

정해진 장소에서 일정한 기간 동안 도면에 따라서 생활이나 산업에 필요한 건설 구조물을 완성하는 단계이다.

㉠ **착공 준비:** 공사 시작에 앞서 주변 환경 및 현장 상황, 공사 대지 등을 조사한다.

㉡ **가설 공사:** 본 공사를 시행하기 위해 필요한 임시 시설이나 설비를 설치하는 공사이다.

㉢ **토공사:** 흙을 파서 쌓거나 운반하는 공사이다.

㉣ **기초 공사:** 땅 위의 구조물을 안전하게 지탱할 수 있도록 땅 속에 구조물을 만드는 공사이다.

㉤ **골조 공사:** 건설 구조물의 뼈대를 만드는 공사이다. 뼈대를 구성하는 재료에 따라 목공사, 조적 공사, 철근 콘크리트 공사 등이 있다.

- 목공사: 목재를 조립하여 만든다.
- 조적 공사: 벽돌, 블록 등을 쌓아서 만든다.
- 철근 콘크리트 공사: 철근 구조에 콘크리트를 부어 만든다.
- 철골 공사: 건설물의 뼈대를 철강재로 구성하는 것으로, 공장, 체육관, 교량과 같이 기둥 간격이 큰 구조물이나 초고층 건물에 많이 사용된다.

㉥ **마감 공사:** 필요한 설비를 하고 마무리하는 공사이다.

- 타일 공사: 구조물 표면에 타일을 붙이는 공사이다.
- 미장 공사: 벽이나 천장, 바닥 따위에 회반죽, 모르타르 등을 바르는 공사이다.
- 도장 공사: 시설물에 도료 등을 칠하는 공사이다.
- 창호 공사: 창과 문을 제작하거나 설치하는 공사이다.
- 방수 공사: 방수 재료를 사용하여 지하실이나 옥상 등에 물이 새는 것을 막는 공사이다.

이 섹션의 핵심 키워드 | 건설 기술, 건설 기술 시스템, 건설 구조물의 생산 과정, 기획하기, 설계하기, 시공하기

스스로 정리하기	
	1 건설 기술이 실현되는 데 이용되는 모든 활동을 체계화한 것으로, 투입, 과정, 산출 및 되먹임 등의 단계로 이루어지는 것을 무엇이라고 하는가? 건설 기술 시스템
	2 본 공사를 시행하기 위해 필요한 임시 시설이나 설비를 설치하는 공사를 무엇이라고 하는가? 가설 공사
	3 창의·인성 우리 학교는 어떤 구조로 지어졌는지 이야기해 보자.

우리 학교는 콘크리트로 기초 지반을 만든 후, 벽돌과 블록 등을 쌓아 만들었다.

01 인간이 생활하는 데 필요한 구조물을 만드는 기술을 무엇이라고 하는지 쓰시오.

( )

02 건설 기술 시스템은 건설 기술이 실현되는 데 이용되는 모든 활동을 체계화한 것으로 투입, 과정, 산출 및 되먹임 등의 단계로 이루어진다.

(○ , ×)

03 건설 기술 시스템의 투입 요소에 해당하지 <u>않는</u> 것은?

① 토지
② 자본
③ 건설 재료
④ 건설 시공
⑤ 건설 장비

04 건설 과정의 결과로 건설 구조물이 완성되는 것을 ( )(이)라 한다.

05 건설 기술 시스템에서 문제가 발생하면 이를 해결하기 위해 문제가 되는 단계로 되돌아가는 것을 무엇이라고 하는지 쓰시오.

06 건설 기술 시스템의 과정 단계에서는 기획, 설계, ( )의 절차에 따라 투입 요소를 활용하여 건설 구조물을 만든다.

07 건설 기술 시스템의 과정 단계 중에서 구상한 건설 구조물을 도면으로 표현하는 단계를 무엇이라고 하는지 쓰시오.

( )

08 실시 설계는 설계자의 구상을 구체적으로 표현하기 위하여 도면으로 작성하는 과정이다.

(○ , ×)

09 계획 설계의 결과물에 해당하는 것은?

① 스케치   ② 배치도
③ 입면도   ④ 평면도
⑤ 단면도

10 다음이 설명하는 개념은 무엇인지 쓰시오.

> 설계 도면에 있는 구조물의 공간과 외관을 입체적으로 표현하여 앞으로 건설될 구조물을 미리 볼 수 있게 만든 것이다.

11 건설 구조물의 생산 과정 중에서 어떤 구조물을 만들지 구상하는 단계는 무엇인지 쓰시오.

(   )

12 건설 구조물의 생산 과정 중에서 시공하기는 도면에 따라서 생활이나 산업에 필요한 건설 구조물을 완성하는 것이다.

(○ , ×)

13 기획하기 단계에서 고려할 사항이 <u>아닌</u> 것은?

① 누구를 위하여 지을 것인가?
② 언제까지 완공되어야 하는가?
③ 건설 구조물의 용도는 무엇인가?
④ 건설 구조물의 크기와 공사비는 얼마인가?
⑤ 시공자가 원하는 건설 구조물의 외관은 어떠한가?

14 설계하기는 계획 설계, (   ), 실시 설계 순으로 이루어진다.

15 토공사 과정에서 이루어지는 일을 2가지만 쓰시오.

16 본 공사를 시행하기 위해 필요한 임시 시설이나 설비를 설치하는 공사를 착공 준비라고 한다.

(○ , ×)

17 건설 구조물의 뼈대를 만드는 공사에 해당하지 <u>않는</u> 것은?

① 목공사
② 철골 공사
③ 조적 공사
④ 가설 공사
⑤ 철근 콘크리트 공사

18 다음이 설명하는 개념은 무엇인지 쓰시오.

> 땅 위의 구조물을 안전하게 지탱할 수 있도록 땅속에 구조물을 만드는 공사이다.

19 필요한 설비를 하고 마무리하는 공사를 무엇이라고 하는지 쓰시오.

(   )

20 벽돌이나 돌, 블록 등을 쌓아서 만드는 공사를 (   )(이)라고 한다.

01 〈보기〉에서 건설 기술 시스템의 과정 단계에서 실행되는 것끼리만 짝지어진 것은?

보기
ㄱ. 건설 재료를 준비한다.
ㄴ. 필요한 자본을 투입한다.
ㄷ. 구상한 것을 도면으로 표현한다.
ㄹ. 도면대로 실제 건설 구조물을 만든다.

① ㄱ, ㄴ ② ㄱ, ㄹ ③ ㄴ, ㄷ
④ ㄴ, ㄹ ⑤ ㄷ, ㄹ

02 다음 설명에 해당하는 건설 기술 시스템의 단계는?

강아지 집을 지었는데 강아지가 들어가기에는 입구가 너무 작아서 문제 발생 단계로 되돌아가는 단계이다.

① 투입 ② 과정
③ 산출 ④ 이용
⑤ 되먹임

03 건설 기술 시스템에 대한 설명으로 옳지 않은 것은?

① 투입, 과정, 산출, 되먹임의 과정을 말한다.
② 투입 요소에는 토지, 자본, 인력, 건설 장비 등이 있다.
③ 인간이 생활하는 데 필요한 구조물을 만드는 것에서 부터 시작한다.
④ 과정 단계에서는 기획하기, 설계하기, 시공하기 등이 이루어진다.
⑤ 산출 단계에서는 정해진 구상안에 따라 다양한 형태의 도면을 작성한다.

04 다음이 설명하는 건설 기술 시스템의 단계는?

기획, 설계, 시공의 절차에 따라 투입 요소를 활용하여 건설 구조물을 만든다.

① 투입 ② 과정
③ 산출 ④ 이용
⑤ 되먹임

05 건설 기술 시스템의 투입 요소에 해당하지 않는 것은?

① 건설 구조물의 완성
② 건설 구조물이 만들어질 땅
③ 건설 구조물을 완성하는 필요한 비용
④ 건설 구조물을 만들 때 사용하는 기계
⑤ 건설 구조물을 만드는 데 사용하는 재료

06 〈보기〉에서 기본 설계에 대한 설명으로만 이루어진 것은?

보기
ㄱ. 스케치, 모형, 보고서 등의 방법으로 표현한다.
ㄴ. 실제로 집을 지을 수 있는 상세한 설계도를 만드는 과정이다.
ㄷ. 설계자의 구상을 구체적으로 표현하기 위하여 도면으로 작성하는 과정이다.
ㄹ. 설계를 의뢰한 사람의 추상적인 요구로부터 하나의 형태를 만들어 내는 과정이다.

① ㄴ ② ㄷ ③ ㄹ
④ ㄱ, ㄴ ⑤ ㄱ, ㄷ

07 〈보기〉의 대화와 관련된 건설 구조물의 생산 과정은?

보기
A: 행복한 집을 짓기 위한 회의를 시작하겠습니다.
B: 건설 구조물의 용도는 무엇인가요?
C: 공사 기간에 날씨, 공사 주변의 조건은 어떠한가요?
D: 건설 구조물이 세워지는 곳의 환경, 교통 문제는 없습니까?

① 투입하기
② 기획하기
③ 설계하기
④ 시공하기
⑤ 산출하기

08 〈보기〉에서 골조 공사에 해당하는 것끼리만 짝지어진 것은?

| 보기 |
ㄱ. 목재를 조립하여 만든다.
ㄴ. 흙을 파서 쌓거나 운반한다.
ㄷ. 벽돌, 블록 등을 쌓아서 만든다.
ㄹ. 임시 시설이나 설비를 설치한다.

① ㄱ, ㄴ   ② ㄱ, ㄷ   ③ ㄴ, ㄷ
④ ㄴ, ㄹ   ⑤ ㄷ, ㄹ

09 다음 내용과 관계 깊은 공사의 종류는?

공사 장소에 울타리와 임시 시설을 설치한다.

① 토공사   ② 기초 공사
③ 가설 공사   ④ 마감 공사
⑤ 골조 공사

10 공사 시작에 앞서 주변 환경 및 현장 상황, 공사 대지 등을 조사하는 것은?

① 토공사   ② 목공사
③ 가설 공사   ④ 착공 준비
⑤ 조적 공사

11 다음에서 설명하고 있는 공사의 종류는?

땅 위의 구조물을 안전하게 지탱할 수 있도록 땅속에 구조물을 만드는 공사이다.

① 토공사   ② 기초 공사
③ 가설 공사   ④ 마감 공사
⑤ 골조 공사

12 다음은 시공하기의 과정을 나타낸 것이다. ㉠, ㉡, ㉢에 들어갈 공사의 종류가 순서대로 나열된 것은?

	㉠	㉡	㉢
①	토공사	기초 공사	골조 공사
②	토공사	골조 공사	기초 공사
③	기초 공사	토공사	골조 공사
④	기초 공사	골조 공사	토공사
⑤	골조 공사	기초 공사	토공사

[13-14] 〈보기〉는 첫째 돼지와 둘째 돼지의 대화이다. 문제를 읽고, 물음에 답하시오.

| 보기 |
첫째 돼지: 둘째야, 우리 어떤 집을 지을까?
둘째 돼지: ㉠마당이 있는 튼튼한 벽돌집이면 좋을 것 같아! 위치는 막내네 집과 가까운 곳이면 좋겠지?
첫째 돼지: ㉡자, 이런 식으로 우리가 원하는 집을 도면에 나타내야 돼.
둘째 돼지: 우와, 이렇게 구체적으로 나타내니 벌써 집이 완성된 기분이야!

13 〈보기〉의 대화에서 ㉠과 관련된 건설 구조물의 생산 과정은?

① 투입하기   ② 기획하기
③ 설계하기   ④ 시공하기
⑤ 산출하기

14 〈보기〉의 대화에서 ㉡과 관련된 건설 구조물의 생산 과정은?

① 투입하기   ② 기획하기
③ 설계하기   ④ 시공하기
⑤ 산출하기

/ 재 / 미 / 있 / 는 /

기 술 활 동

만화를 읽고, (가)~(다)에는 생산 과정을, ㉠~㉰
에는 시공 과정을 써 보자.

**선생님 생각
엿보기**

・ **이 활동의 목적**

아기 돼지 삼 형제의 만화 속에서 건설 구조물의 생산 과정 및 시공 과정을 연결 지어 보면서, 건설 구조물의 생산 과정을 명
확히 이해할 수 있기를 바랍니다.

・ **선생님은 이 활동을 이렇게 평가합니다.**

상	건설 구조물의 생산 과정을 잘 이해하고, 구체적인 과정을 모두 올바르게 작성하였다.
중	건설 구조물의 생산 과정을 이해하였으나, 구체적인 과정을 일부 잘못 작성하였다.
하	건설 구조물의 생산 과정을 이해하지 못하고, 구체적인 과정을 올바르게 작성하지 못하였다.

**이와 관련된
활동은?**

[관련 활동] 생활 속 주변의 공사 현장에서 시공 과정 파악하기 | 우리 주변의 공사 현장에서 건설 시공이 이루어지는 과
정을 탐색하면서 시공의 각 단계를 실제 사례로 이해할 수 있는 활동이다.

[06. 건설 기술의 특징과 발달 / 07. 건설 기술의 창의적 문제 해결]

> · 건설 기술의 특징과 발달 과정을 이해하고, 최신 건설 기술을 탐색하여 건설 기술의 발달 전망을
> 예측한다.
> · 건설 기술과 관련된 문제를 이해하고 해결책을 창의적으로 탐색하고 실현하며 평가한다.

이 섹션에서 '알아야 할 것' (이해)	**건설 기술의 특징과 발달 과정을 이해할 수 있다.** 1. 건설 기술의 특징 2. 건설 기술의 이용 분야 3. 건설 기술의 발달 과정 4. 건설 기술의 발달 전망
이 섹션에서 '할 수 있어야 하는 것' (능력)	**최신 건설 기술을 탐색하여 건설 기술의 발달 전망을 예측할 수 있다.** [활동] · 30년 후의 내가 살고 싶은 집을 구상해 보자.

> **건설 기술의 창의적 문제 해결 실습**
>
> '넓고 튼튼한 돔 구조 모형 만들기'를 통해 기둥 때문에 넓은 공간을 사용할 수 없는 문제를 해결하고,
> 탐색하며 실현, 평가한다.

06 건설 기술의 특징과 발달

1. 건설 기술의 특징

① **장기성**
  ㉠ 건설 공사는 오랜 기간에 걸쳐 이루어지고, 완성된 구조물은 오랜 시간 사용할 수 있어야 한다.
  ㉡ 명동 성당 건물은 1898년에 완공되어 지금까지도 사용되고 있다.

② **지역성**
  ㉠ 건설 구조물이 위치하는 지역의 자연적·사회적 조건에 따라 규모, 용도, 형태가 달라지므로 지역적 전통이나 특성을 고려해야 한다.
  ㉡ 제주도의 초가는 돌을 이용하여 집을 짓거나 담을 쌓았다.

③ **종합성**
  ㉠ 다양한 학문과 기술이 조화를 이룰 수 있도록 해야 한다.
  ㉡ 동대문디자인플라자 건물에는 과학성, 예술성 등이 깃들어 있다.

④ **일회성**
  ㉠ 한 번 시공하면 변경이나 해체가 어려우므로 확실한 계획 및 정확한 설계와 시공이 이루어져야 한다.
  ㉡ 규모가 큰 건물이나 교량은 다시 짓기가 어렵고, 보수할 경우에도 많은 불편을 감수해야 하므로 처음부터 정확하게 계획하여 만들어야 한다.

⑤ **공공성**
  ㉠ 공공성과 공익성을 가져야 한다.
  ㉡ 종합 운동장은 공공시설이므로 많은 사람들이 이용하는 데 편리성과 안전성을 고려해야 한다.

2. 건설 기술의 이용 분야

① **주거 분야:** 개인이나 가족이 휴식과 안정을 취하는 단독 주택, 아파트 등의 시설을 제공한다.

② **산업 분야:** 각종 생산 및 서비스 산업 활동에 필요한 공장 등의 시설을 제공한다.

③ **복지 분야:** 여러 사람들이 복지를 누릴 수 있는 학교, 병원, 공원 등의 시설을 제공한다.

④ **교통 분야:** 사람과 물자가 이동할 수 있는 도로, 항만, 터널, 교량 등의 시설을 제공한다.

⑤ **에너지 분야:** 전기를 생산하고 이동시킬 수 있는 발전소, 송전탑 등의 시설을 제공한다.

⑥ **환경 분야:** 주변 환경을 개선하거나 훼손된 환경을 복구하고 정화하는 상하수도 처리장 등의 시설을 제공한다.

동기 유발 [교과서 226쪽]

내가 본 적이 있는 동물의 집을 이야기해 보자.

예시 답안

벌집, 개미집, 새집

보조 노트

단독 주택

단일 가구를 위해서 단독 택지 위에 건축하는 형식의 주택이다. 단독 주택의 개인의 취향에 알맞게 주거 계획을 세울 수 있으며, 주거 환경의 독립성을 유지할 수 있다.

공동 주택

대지, 벽, 복도, 계단 및 설비 등의 전부 또는 일부를 공동으로 사용하고, 각 세대가 하나의 건축물 안에서 각각 독립된 주거 생활을 영위할 수 있는 구조로 만들어진 주택이다.

작은 활동 [교과서 227쪽]

내가 사는 지역의 특색 있는 건설 구조물을 이야기해 보자.

예시 답안

건물 옥상의 절반을 몇 개의 구역으로 나눠 꽃밭, 나무 정원, 잔디밭, 텃밭 등으로 조성하였다.

친환경 건설

친환경 건설은 자연 환경 보전과 삶의 질 향상에 필요한 환경과 조화된 건설. 인간의 쾌적성 확보, 에너지 절약, 폐기물 발생 억제, 재활용 확대 등을 극대화하기 위한 건설을 말한다.

그림으로 보는

[교과서 232쪽]
아래 조건을 만족하는 교각을 만들어 보고, 완성이 되면 튼튼한 정도를 시험해 보자.

활동 TIP

주어진 조건에 만족하면서 가장 단단하게 견딜 수 있는 구조를 창의적으로 만들어본다.

작은 활동 ▶ [교과서 233쪽]

사장교와 현수교의 차이는 무엇인지 이야기해 보자.

예시 답안

사장교는 주탑 꼭대기에서 와이어가 분산하여 교량 상판을 잡아 주는 형식이고, 현수교는 주탑과 앵커 블록을 연결한 와이어에서 간격별로 내려와 교량 상판을 잡아 주는 형식이다.

창의적인 실습 [교과서 234쪽]

트러스 모형 만들기!

활동 TIP

다양한 트러스 구조를 이해하고, 실습에 필요한 제도를 그리고 제작한 후 재하 실험을 할 수 있다. 튼튼한 교량 모형이 되기 위해서는 각 부품의 자르기와 결합을 정확하고 견고하게 해야 한다.

3. 건설 기술의 발달 과정

① 산업화 이전의 건설 기술

㉠ **고대:** 거대한 건물, 수로, 도로, 성곽 등을 건설하였다.
- 그리스에서는 신전 건축이 발달하였다.
- 이집트에서는 피라미드를 건설하였다.
- 로마에서는 실용적인 기술이 발달하여 상하수도, 도로 등을 갖춘 도시가 발달하였다.

㉡ **중세:** 종교 건축이 활발하여 원형의 돔 구조와 높은 첨탑 구조가 주를 이루었다.

② 산업화 이후의 건설 기술

㉠ **근대**
- 철, 유리, 시멘트 등 새로운 건설 재료가 개발하였다.
- 철골 구조와 철근 콘크리트 구조가 발달하였다.
- 대형 구조물, 고층 건설 구조물, 대형 철제 교량 등이 건설되었다.

㉡ **현대**
- 건설 공법이 발달하여 초고층화, 설계 및 시공의 자동화, 건설 자재의 규격화 및 대량 생산화가 이루어졌다.
- 정보 통신 기술과의 융합으로 정보화·지능화된 구조물이 생겨났다.

4. 건설 기술의 발달 전망

① 친환경 건설 기술

친환경 자재를 사용하여 주변 자연환경과 조화를 이루는 친환경적인 건설 구조물이 등장하였다.

② 새로운 건설 공법과 재료의 개발

새로운 건설 공법이 개발되어 다양한 구조와 형태를 가진 구조물이 건설되었다.

③ 다양한 건설 공간의 확대

기존의 생활공간을 벗어난 다양한 공간이 개발되면서 새로운 생활공간을 조성하였다.
예 지하 도시, 해양 도시, 우주 도시 등

④ 정보화된 건설 기술

컴퓨터와 정보 기술을 활용함으로써 건설 기계의 자동화가 이루어졌다.

> **이 섹션의 핵심 키워드** | 장기성, 지역성, 종합성, 일회성, 공공성, 산업화 이전의 건설 기술, 산업화 이후의 건설 기술, 건설 기술의 발달 전망

스스로 정리하기

1 건설 구조물을 처음부터 정확하게 계획하여 만들어야 하는 이유는 무엇인가? 한 번 시공하고 나면 변경이나 해체가 어렵기 때문이다.

2 산업 혁명 이후 건설 구조물은 대형화, 고층화 되었다. 이를 가능하게 한 건설 재료는 무엇인가? 철, 시멘트 등

3 창의·인성 지열, 풍력, 태양광 등 자연 에너지를 활용하고 단열성을 높여 에너지 소비를 최소화한 주택이 우리에게 주는 이점을 이야기해 보자. 환경 오염을 줄일 수 있다.

[문제 확인하기]

① 기둥은 없지만 튼튼하고 넓은 공간을 만들어야 하는 문제를 확인한다.

② 넓고 튼튼한 돔 구조 모형을 만드는 것으로 문제 해결을 시작한다.

③ 제한 사항

  ㉠ 나무 막대, 자, 칼, 글루건 등을 사용할 수 있고, 나무 막대의 길이는 15cm 이하, 개수는 40개 이하로만 사용할 수 있다.

  ㉡ 돔 내부의 공간이 가장 넓어야 한다.

  ㉢ 하중을 최대한 지탱할 수 있어야 한다.

[아이디어 창출하기]

넓고 튼튼한 돔 구조 모형을 만들기 위해 관련 정보를 수집하고, 창의적인 아이디어를 구상해 본다.

① 정보 수집

  ㉠ 아치 구조: 벽돌이나 석재를 쌓을 때 곡선 모양으로 쌓아 지탱하는 구조로, 힘을 한 곳에 집중시키지 않고, 양쪽으로 분산시키기 때문에 다른 구조에 비해 더 안전하고 튼튼하다.

  ㉡ 돔 구조: 아치 구조에서 발전된 반구 형태의 구조물로, 다각형 평면 위에 만들어진 둥근 곡면의 천장이나 지붕을 말한다.

② 창의적 아이디어 구상

A: 넓고 튼튼한 돔 구조 모형을 만들기 위한 방법에는 무엇이 있을까? → B: 넓은 판을 올려놓는 건 어때? / A: 기둥 없이 넓은 판을 지붕으로 사용한다면 가운데가 움푹 내려앉을 거야. → B: 작은 판들을 연결시키는 건 어때? / A: 결합된 부분이 무게를 견디지 못하고 무너지지 않을까? → B: 그렇다면 저번에 관람했던 석굴암의 천장 같은 구조는 어떨까?

↓

A: 그거 좋은 생각이다! 판들이 서로를 지탱하면서 연결되어야 하니깐 둥근 모양의 지붕이 되겠다! ← B: 그게 바로 돔 구조인 거지? 기둥이 없는 것은 해결되었는데 과연 튼튼할까? ← A: 둥근 모양은 힘을 여러 곳으로 분산시키기 때문에 매우 단단할 거야!

[아이디어 구체화하기]

구체화는 아이디어를 다른 사람이 알아볼 수 있도록 표현하는 단계로, 선정된 아이디어를 프리핸드로 스케치하여 구체화한다.

[실행하기]

① 필요한 재료와 공구를 준비하여 '넓고 튼튼한 돔 구조 모형'을 만든다.

② **준비물:** 자, 칼, 글루건, 나무 막대

동기 유발 [교과서 236쪽]

기둥 없는 건물 모형을 만드는 방법을 생각해 보자.

예시 답안

돔 구조 모형은 기둥이 없지만, 튼튼하고 넓은 공간을 만들 수 있다.

보조 노트

돔

반구형으로 된 지붕이나 천장으로, 원시 시대의 수목 텐트의 주거 형태에서 그 기원을 찾을 수 있다. 곡면 형식이나 평면 형식이 아주 자유스러워져서 가벼운 구조체로 넓은 공간을 덮을 수 있다.

안전 사항

· 칼을 사용할 때에는 손을 베지 않도록 주의한다.

· 글루건 사용 시 장난을 하지 않고, 화상에 주의한다.

③ 만들기

㉠ 노란색 막대 7cm, 파란색 막대 6.2cm가 되도록 자른다.

㉡ 노란색 막대를 연결하여 십각형을 만든다.

㉢ 십각형에 노란색 시옷 모양의 막대를 연결한다.

㉣ 노란색 시옷 모양 사이사이에 파란색 별 모양을 연결한다.

㉤ 노란색 막대를 연결한다.

㉥ 다시 노란색 막대를 연결하여 오각형을 만든다.

㉦ 파란색 별 모양의 막대를 연결하여 완성한다.

* 재하 시험: 재하 시험은 구조물에 무게를 늘리면서 얼마나 튼튼한지를 알아보는 시험이다. 3~4개의 돔 구조 모형을 가까이 붙여 놓고, 그 위에 판을 올린다. 판 위에 교과서를 한 권씩 올리면서 어느 정도의 무게를 견딜 수 있는지 확인한다.

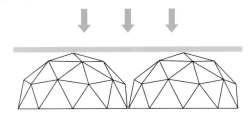

$$재하\ 능력 = \frac{교과서의\ 무게}{구조물의\ 무게} \times \frac{1}{3}\left(또는\ \frac{1}{4}\right)$$

[교과서 240쪽]
완성된 돔 구조 모형의 외부를 꾸며 보자. 돔 구조 모형을 더 보완할 수 있는 방법을 구상하여 글로 쓰거나 스케치해 보자.

예시 답안
돔 외부의 일부를 투명하게 만들어 자연 채광을 이용하고, 밤에는 별을 볼 수 있게 한다.

세상을 이어 주는 **기술 이야기**

[교과서 241쪽]
내가 돔 구조를 짓고 싶은 장소와 그 이유를 이야기해 보자.

예시 답안
해저에 돔 구조를 짓고 싶다. 이유는 아름다운 바닷속을 돔 구조물 안에서 얼마든지 볼 수 있고, 지상에서는 보기 어려운 바닷속 생물들도 볼 수 있기 때문이다.

[평가하기]

스스로 평가를 하거나 친구와 완성품에 대한 평가를 한다. 평가를 거치면서 더 넓고 튼튼한 돔 구조 모형을 만드는 방법을 생각해 본다.

구분	평가 기준
자기 평가	• 돔 구조물에 대한 원리를 이해하였는가? • 건설 구조물에 대한 관심이 늘었나? • 작업할 때 안전 및 유의 사항을 잘 지켰는가?
동료 평가	• 창의적인 디자인 아이디어를 낸 동료는 누구인가? • 가장 적극적으로 실습에 참여한 동료는 누구인가?
제품 평가	• 구조물의 디자인은 창의적인가? • 구조물의 크기는 어느 정도인가? • 돔 구조 모형에 책을 올렸을 때, 무너지지 않고 잘 견뎌내는가?

스스로 정리하기

1 벽돌이나 석재를 쌓을 때 곡선 모양으로 쌓아 지탱하는 구조는 무엇인가? 아치 구조

2 창의·인성 넓고 튼튼한 돔 구조 모형 만들기에서 나무 막대를 별 모양으로 해야 하는 이유를 이야기해 보자. 힘을 분산시키고, 복잡한 돔 구조 모형을 쉽고 간단하게 만들 수 있다.

01 건설 기술의 특징에는 장기성, 종합성, (   ), 지역성, 일회성이 있다.

02 다양한 학문과 기술이 조화를 이룰 수 있도록 해야 한다는 건설 기술의 특징은 일회성이다.
(○ , ×)

03 건설 기술이 산업 분야에 이용된 사례에 해당하는 것은?
① 공장　　　　② 교량
③ 병원　　　　④ 항만
⑤ 주택

04 건설 기술은 주거, 산업, 복지, (   ), 에너지, 환경 등 다양한 분야에서 이용되고 있다.

05 전기를 생산하고 이동시킬 수 있는 발전소, 송전탑 등의 시설을 제공하는 건설 기술의 이용 분야를 쓰시오.

06 도로는 강이나 계곡 사이를 연결해 주는 구조물이다.
(○ , ×)

07 고대의 건설 구조물에 해당하는 것은?
① 에펠탑　　　　② 수정궁
③ 후버 댐　　　　④ 피라미드
⑤ 쾰른 대성당

08 중세에는 (   )이/가 활발하여 원형의 돔 구조와 높은 첨탑 구조가 주를 이루었다.

09 다음이 설명하는 건설 구조물은 무엇인지 쓰시오.

> 대표적인 근대의 건설 구조물로 1936년에 완공된 높이 221m의 거대한 미국의 콘크리트 댐이다.

10 1248년부터 630여 년에 걸쳐 완성된 쾰른 대성당은 뾰족하게 솟은 두 개의 (   )(으)로 유명하다.

11 실용적인 기술이 발달한 그리스에서는 상하수도 도로 등을 갖춘 도시가 발달하였다.

(○ , ×)

12 산업화 이후에는 철, 유리, 시멘트 등 새로운 건설 재료가 개발되었다.

(○ , ×)

13 현대 건설 기술의 특징에 해당하지 <u>않는</u> 것은?
① 초고층화
② 대량 생산화
③ 건설 자재의 규격화
④ 설계 및 시공의 수동화
⑤ 정보 통신 기술과의 융합

14 현대의 건설 기술은 (   )와/과 융합되어 정보화 · 지능화된 구조물을 만들어 내고 있다.

15 다음이 설명하는 개념은 무엇인지 쓰시오.

> 지열, 풍력, 태양광 등 자연 에너지를 활용하는 친환경 건설 구조물이다.

16 대형 3D 프린터가 건설 구조물을 만들어 건설 비용과 시간이 줄어들어 다량의 건물을 빠른 시간 안에 지을 수 있는 건설 공법을 쓰시오.

(   )

17 다음에서 (   )에 공통으로 들어갈 내용이 무엇인지 쓰시오.

> 강도가 뛰어나며 가벼운 (   )이/가 활용되고, 새로운 기능이 더해진 (   )의 개발로 건설 구조물의 안전성은 향상될 것이다.

18 기존의 생활 공간을 벗어나 다양한 공간의 확대된 예에 해당하는 것을 2가지만 쓰시오.

19 정보화된 건설 기술의 특징에 해당하지 <u>않는</u> 것은?
① 공사 기간의 단축
② 친환경 자재의 사용
③ 건설 기계의 자동화
④ 사람을 대신해 집을 짓는 로봇
⑤ 효율적인 건설 구조물의 유지 관리

20 (   )을/를 갖춘 건설 로봇이 사람을 대신하는 것이 보편화될 것이다.

21 '넓고 튼튼한 돔 구조 모형'을 만들기 위해 관련 정보를 수집하고, 창의적인 아이디어를 구상하는 문제 해결 단계를 쓰시오.

(   )

22 '넓고 튼튼한 돔 구조 모형'을 만들 때 돔 내부의 공간이 가장 넓고 하중을 최대한 지탱할 수 있어야 한다.

(○ , ×)

23 선정한 아이디어를 프리핸드로 스케치하여 구체화하는 단계는?

① 실행하기
② 평가하기
③ 문제 확인하기
④ 아이디어 창출하기
⑤ 아이디어 구체화하기

24 아치 구조는 힘을 한곳에 집중시키지 않고, 양쪽으로 (   )시키기 때문에 다른 구조에 비해 더 안전하고 튼튼하다.

25 아치 구조에서 발전된 반구 형태의 구조물로써, 다각형 평면 위에 만들어진 둥근 곡면의 천장이나 지붕을 무엇이라고 하는지 쓰시오.

26 돔 구조는 벽돌이나 석재를 쌓을 때 곡선 모양으로 쌓아 지탱하는 구조를 말한다.

(○ , ×)

27 재하 시험은 구조물에 (   )을/를 늘리면서 얼마나 튼튼한지를 알아보는 시험이다.

28 '넓고 튼튼한 돔 구조 모형'을 만들기에서 모든 과정은 양면테이프를 이용하여 막대를 붙인다.

(○ , ×)

29 건설 기술의 창의적 문제 해결 과정은 문제 확인하기, 아이디어 창출하기, 아이디어 구체화하기, 실행하기, (   )의 단계로 이루어진다.

30 다음 기준에 따른 평가를 무엇이라 하는지 쓰시오.

- 구조물의 디자인은 창의적인가?
- 구조물의 크기는 어느 정도인가?
- 돔 구조 모형에 책을 올렸을 때, 무너지지 않고 잘 견뎌내는가?

01 〈보기〉의 내용과 관련된 건설 기술의 특징은?

| 보기 |

규모가 큰 건물이나 교량은 다시 짓기가 어렵고, 보수할 경우에도 많은 불편을 감수해야 하므로 처음부터 정확하게 계획하여 만들어야 한다.

① 종합성　　　　② 공공성
③ 일회성　　　　④ 장기성
⑤ 지역성

02 〈보기〉의 구조물로 알 수 있는 건설 기술의 특징은?

| 보기 |

ㄱ. 제주도의 초가는 돌을 이용하여 집을 짓거나 담을 쌓았다.
ㄴ. 이글루는 얼음과 눈덩이를 벽돌 모양으로 만들어 쌓아 올려 만든공장에 나와 여러 사람들이 모여 작업을 하였기 때문에 가내 수공업에 비해 생산량이 증가하였다.

① 종합성　　　　② 공공성
③ 일회성　　　　④ 장기성
⑤ 지역성

03 건설 기술의 특징으로 옳지 않은 것은?

① 건설 구조물은 지역적 전통이나 특성을 고려해야 한다.
② 다양한 학문과 기술이 조화를 이룰 수 있도록 해야 한다.
③ 많은 사람들이 이용하는 데 편리성과 안전성을 고려해야 한다.
④ 건설 공사는 가능하면 빠른 시간에 완성되어 경제성을 높이는 것이 중요하다.
⑤ 한 번 시공하면 변경이나 해체가 어려우므로 확실한 계획 및 정확한 설계와 시공이 이루어져야 한다.

04 건설 기술의 이용 분야에 대한 설명으로 적절하지 <u>않은</u> 것은?

① 건설 기술은 주거, 산업, 복지, 교통, 에너지, 환경 등 다양한 분야에 이용되고 있다.
② 각종 생산 및 서비스 산업 활동에 필요한 공장 등의 시설을 제공하는 것은 건설 기술이 환경 분야에 이용된 사례이다.
③ 전기를 생산하고 이동시킬 수 있는 발전소, 송전탑 등의 시설을 제공하는 것은 건설 기술이 에너지 분야에 이용된 사례이다.
④ 개인이나 가족이 휴식과 안정을 취하는 단독 주택, 아파트 등의 시설을 제공하는 것은 건설 기술이 주거 분야에 이용된 사례이다.
⑤ 사람과 물자가 이동할 수 있는 도로, 항만, 터널, 교량 등의 시설을 제공하는 것은 건설 기술이 교통 분야에 이용된 사례이다.

05 〈보기〉에서 건설 기술이 복지 분야에 이용된 사례끼리 짝지어진 것은?

| 보기 |

ㄱ. 학교　　　　　ㄴ. 병원
ㄷ. 교량　　　　　ㄹ. 주택

① ㄱ, ㄴ　　② ㄱ, ㄹ　　③ ㄴ, ㄷ
④ ㄴ, ㄹ　　⑤ ㄷ, ㄹ

06 고대의 대표적인 건설 구조물에 해당하는 것은?

① 수정궁　　　　② 후버 댐
③ 만리장성　　　④ 두오모 성당
⑤ 부르즈 할리파

07 중세의 대표적인 건설 구조물로만 바르게 짝지어진 것은?

① 수정궁, 후버 댐
② 후버 댐, 만리장성
③ 두오모 성당, 피라미드
④ 피라미드, 쾰른 대성당
⑤ 쾰른 대성당, 두오모 대성당

08 〈보기〉에서 설명하고 있는 건설 구조물은?

| 보기 |

1296년부터 140여 년에 걸쳐 완성된 대성당으로 오늘날에도 세계에서 가장 큰 돌로 만든 돔이다.

① 퀼른 대성당
② 피사의 대성당
③ 두오모 대성당
④ 부르즈 할리파
⑤ 이집트의 피라미드

09 〈보기〉에서 현대의 건설 기술의 특징에 해당하는 내용으로만 짝지어진 것은?

| 보기 |

ㄱ. 설계 및 시공의 자동화가 이루어졌다.
ㄴ. 정보화·지능화된 구조물이 생겨나고 있다.
ㄷ. 철, 유리, 시멘트 등의 건설 재료가 사용되었다.
ㄹ. 철골 구조와 철근 콘크리트 구조가 발달하기 시작하였다.

① ㄱ, ㄴ
② ㄱ, ㄹ
③ ㄴ, ㄷ
④ ㄴ, ㄹ
⑤ ㄷ, ㄹ

10 산업화 이전 건설 기술의 특징으로 옳지 않은 것은?

① 고대에는 거대한 건물, 수로, 도로, 성곽 등을 건설하였다.
② 대형 건설 구조물, 고층 건설 구조물, 대형 철제 교량 등이 건설되었다.
③ 그리스에서는 신전 건축이 발달하고 이집트에서는 피라미드를 건설하였다.
④ 중세에는 종교 건축이 활발하여 원형의 돔 구조와 높은 첨탑 구조가 주를 이루었다.
⑤ 실용적인 기술이 발달한 로마에서는 상하수도, 도로 등을 갖춘 도시가 발달하였다.

11 〈보기〉의 건설 구조물을 지어진 순서대로 바르게 나열한 것은?

| 보기 |

ㄱ. 프랑스의 에펠탑
ㄴ. 이집트의 피라미드
ㄷ. 독일의 퀼른 대성당
ㄹ. 아랍에미리트의 부르즈 할리파

① ㄱ - ㄴ - ㄷ - ㄹ
② ㄱ - ㄷ - ㄹ - ㄴ
③ ㄴ - ㄱ - ㄹ - ㄷ
④ ㄴ - ㄷ - ㄱ - ㄹ
⑤ ㄷ - ㄴ - ㄱ - ㄹ

12 〈보기〉에서 설명하고 있는 건설 구조물은?

| 보기 |

2009년에 지어진 828m의 초고층 건물로서, 한국의 기업이 공사에 참여하였다.

① 퀼른 대성당
② 영국의 수정궁
③ 두오모 대성당
④ 부르즈 할리파
⑤ 미국의 후버 댐

13 건설 기술의 발달 전망으로 보기 어려운 것은?

① 인공 지능을 갖춘 건설 로봇의 보편화
② 철, 유리, 시멘트 등의 건설 재료 개발
③ 친환경 자재를 사용한 건설 구조물의 발전
④ 지하 도시, 해양 도시 등 다양한 건설 공간의 확대
⑤ 3D 프린팅 건설 기술과 같은 새로운 건설 공법의 개발

14 〈보기〉에서 친환경 건설 기술과 관련된 내용으로만 묶인 것은?

─┤ 보기 ├─

ㄱ. 지열, 풍력, 태양광 등 자연 에너지를 활용할 것이다.
ㄴ. 강도가 뛰어나며 가벼운 건설 재료가 활용될 것이다.
ㄷ. 단열성을 높여 에너지 소비를 최소화한 주택이 점차 발전하고 개발될 것이다.
ㄹ. 컴퓨터와 정보 기술을 활용함으로써 건설 기계의 자동화가 이루어질 것이다.

① ㄱ, ㄴ   ② ㄱ, ㄷ   ③ ㄴ, ㄷ
④ ㄴ, ㄹ   ⑤ ㄷ, ㄹ

15 〈보기〉에서 설명하는 주거 형태는?

─┤ 보기 ├─

수동적인 집이라는 뜻으로, 지열, 풍력, 태양광 등 자연 에너지를 활용하는 건설 구조물인 '액티브 하우스'에 대응하는 개념이다. 단열성을 높여 집안의 열이 밖으로 새어 나가지 않도록 최대한 차단하여 에너지 소비를 최소화한 건물 구조물이다.

① 땅콩 주택   ② 가변형 주택
③ 디지털 주택   ④ 캡슐 하우스
⑤ 패시브 하우스

16 〈보기〉에서 설명하고 있는 건설 기술의 발달 전망은?

─┤ 보기 ├─

자연환경 보전과 삶의 질 향상에 필요한 환경과 조화된 건설, 인간의 쾌적성 확보, 에너지 절약, 폐기물 발생 억제, 재활용 확대 등을 극대화하기 위한 건설을 말한다.

① 친환경 건설 기술   ② 정보화된 건설 기술
③ 새로운 건설 공법   ④ 새로운 재료의 개발
⑤ 다양한 건설 공간의 확대

17 〈보기〉의 설명과 관계 깊은 건설 기술의 발달 전망은?

─┤ 보기 ├─

지상에 건물을 짓는 것과 반대로 지하 300m 깊이에 건물을 짓도록 설계하였다. 유리로 만들어 햇빛이 깊은 곳까지 들어갈 수 있도록 하였다.

① 친환경 건설 기술   ② 정보화된 건설 기술
③ 새로운 건설 공법   ④ 새로운 재료의 개발
⑤ 다양한 건설 공간의 확대

18 다음은 돔 구조를 보면서 나누는 대화이다. (　　　)에 공통으로 들어갈 말은?

아빠: 신기하지 않니? 이 넓은 공간에 (　　　　)이/가 보이지 않지! (　　　　)이/가 없이도 튼튼하고 넓은 건물을 지을 수 있단다.
서우: 그런 건물을 저도 만들어보고 싶어요!
아빠: 이런 형태의 건물을 돔 구조라고 한단다.

① 기둥   ② 지붕
③ 바닥   ④ 벽면
⑤ 창문

19 〈보기〉의 ㉠과 ㉡에 들어갈 건축 구조 양식이 바르게 짝지어진 것은?

─┤ 보기 ├─

(㉠)은/는 벽돌이나 석재를 쌓을 때 곡선 모양으로 쌓아 지탱하는 구조를 말한다. 힘을 한곳에 집중시키지 않고, 양쪽으로 분산시키기 때문에 다른 구조에 비해 더 안전하고 튼튼하다.
(㉡)은/는 (㉠)에서 발전된 반구 형태의 구조물로, 다각형 평면 위에 만들어진 둥근 곡면의 천장이나 지붕을 말한다.

	㉠	㉡
①	돔 구조	아치 구조
②	돔 구조	첨탑 구조
③	아치 구조	돔 구조
④	아치 구조	트러스 구조
⑤	트러스 구조	아치 구

20 〈보기〉에서 '넓고 튼튼한 돔 구조 모형 만들기'의 제한 사항으로 옳은 것을 모두 고른 것은?

┌ 보기 ┐
ㄱ. 돔 내부의 공간이 가장 좁아야 한다.
ㄴ. 하중을 최대한 지탱할 수 있어야 한다.
ㄷ. 나무 막대, 자, 칼, 글루건 등을 사용할 수 있다.
ㄹ. 나무 막대의 길이는 15cm 이하, 개수는 40개 이하로만 사용할 수 있다.
└

① ㄱ, ㄷ   ② ㄱ, ㄹ   ③ ㄴ, ㄷ
④ ㄱ, ㄴ, ㄹ   ⑤ ㄴ, ㄷ, ㄹ

21 프리핸드 스케치에 대한 설명으로 적절하지 <u>않은</u> 것은?
① 아이디어를 보관·저장할 수 있다.
② 아이디어를 기록하고 구체화할 수 있다.
③ 아이디어를 다른 사람에게 쉽게 전달할 수 있다.
④ 연필을 이용하여 자유롭게 아이디어를 표현하는 것이다.
⑤ 정해진 규칙에 따라 물체의 모양과 크기 등을 표현하는 것이다.

22 다음은 완성된 3~4개의 돔 구조 모형을 가까이 붙여 놓고 재하 시험을 할 때 결과를 확인하기 위한 식이다. ㉠, ㉡, ㉢에 각각 들어갈 말이 바르게 짝지어진 것은?

$$㉠ = \frac{㉡의\ 무게}{㉢의\ 무게} \times \frac{1}{3}\ (또는\ \frac{1}{4})$$

	㉠	㉡	㉢
①	재하 능력	구조물	교과서
②	재하 능력	교과서	구조물
③	밀도	교과서	구조물
④	밀도	나무 막대	교과서
⑤	비중	구조물	나무 막대

23 '넓고 튼튼한 돔 구조 모형 만들기'에서 다음과 같은 활동이 이루어지는 단계는?

• 준비물로 자, 칼, 글루건, 나무 막대 등을 준비한다.
• 필요한 재료와 공구를 준비한 후에 '넓고 튼튼한 돔 구조 모형'을 만든다.

① 평가하기   ② 실행하기
③ 문제 확인하기   ④ 아이디어 창출하기
⑤ 아이디어 구체화하기

24 '넓고 튼튼한 돔 구조 모형 만들기'의 '아이디어 창출하기' 단계에서 이루어지는 활동으로만 짝지어진 것은?

ㄱ. 정보 수집
ㄴ. 자기 평가
ㄷ. 재하 시험
ㄹ. 돔 구조 모형 만들기
ㅁ. 창의적인 아이디어 구상

① ㄱ, ㄷ   ② ㄱ, ㅁ   ③ ㄱ, ㄴ, ㅁ
④ ㄴ, ㄷ, ㄹ   ⑤ ㄷ, ㄹ, ㄷ

25 '넓고 튼튼한 돔 구조 모형 만들기'에서 동료 평가에 해당하는 평가 항목은?
① 구조물의 디자인은 창의적인가?
② 건설 구조물에 대한 관심이 늘었나?
③ 돔 구조물에 대한 원리를 이해하였는가?
④ 작업할 때 안전 및 유의 사항을 잘 지켰는가?
⑤ 창의적인 디자인 아이디어를 낸 동료는 누구인가?

이 섹션에서 할 수 있어야 하는 것!

기 술 활 동　　30년 후의 내가 살고 싶은 집을 구상해 보자.

1 나는 이런 집에 살고 싶어요

1-1 집이 지어질 공간(도시, 자연 속, 땅속, 바다, 우주 등)을 정하고, 그 이유를 적어 보자.

　　자연 속에 집을 짓고 싶다. 이유는 자연 속에서 맑은 공기를 마시고, 청정한 자연을 느끼며 살고 싶기
　　때문이다.

1-2 집의 모양은?

　　자연 속에 집을 짓고 싶다. 이유는 자연 속에서 맑은 공기를 마시고, 청정한 자연을 느끼며 살고 싶기
　　때문이다.

1-3 거실, 주방, 화장실, 방의 개수는?

　　거실 1개, 주방 1개, 화장실 1개, 방 3개

1-4 집을 짓는 데 사용할 재료는?

　　친환경 자재를 사용하여 주변 자연환경과 조화를 이루도록 한다.

1-5 생활하는 데 필요한 에너지를 얻을 방법

　　자연 에너지(태양광, 지열, 풍력 등)를 활용하여 생활에 필요한 에너지를 얻는다.

2 구상한 아이디어를 그림으로 표현해 보고, 친구에게 이야기해 보자.

선생님 생각 엿보기

· 이 활동의 목적

이 활동을 통해 자신이 살고 싶은 집의 모습을 구상해 보면서, 30년 후의 발달된 건설 기술을 자유롭게 상상해 보기를 바랍니다.

· 선생님은 이 활동을 이렇게 평가합니다.

상	집을 구체적으로 구상하고, 구상한 아이디어를 알아보기 쉽게 그림으로 잘 표현하였다.
중	집을 구체적으로 구상하였으나, 구상한 아이디어에 대한 그림 표현이 부족하였다.
하	집을 구체적으로 구상하지 못하고, 구상한 아이디어에 대한 그림 표현이 부족하였다.

이와 관련된 활동은?

[관련 활동] 생활 속 주변의 공사 현장에서 시공 과정 파악하기 | 미래 도시의 모습을 상상해 보고, 구체적으로 표현해 보는 활동이다.

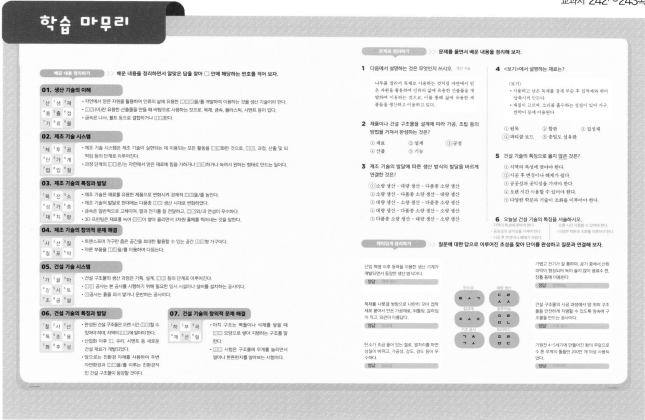

정답 및 해설

배운 내용 정리하기

01. 산출물(1, 5, 9) / 재료(3, 8) / 용접(4, 6)
02. 체계(1, 6), 투입(2, 8) / 가공(5, 3), 절단(9, 4)
03. 가치(5, 8) / 소량(3, 9) / 전성(2, 4) / 층층(6, 6)
04. 절약(4, 6) / 사포(1, 5)
05. 시공(5, 8) / 가설(1, 9) / 토(6)
06. 사용(2, 6), 특성(4, 9) / 철(1) / 조화(5, 7)
07. 곡선(3, 5) / 재해(4, 1)

문제로 정리하기

1. 생산 기술
2. ③ [해설] 생산 기술의 요소에는 재료, 설계, 공정이 있다.
3. ① [해설] 수공업 – 소량 생산, 공장제 기계 공업 – 대량 생산, 자동화 생산 – 다품종 소량 생산
4. ④ [해설] 파티클 보드는 재질 사이에 기공이 있어 소리를 잘 흡수하는 성질이 있다.

5. ② [해설] 규모가 큰 건물이나 교량은 한 번 시공하면 변경이나 해체가 어렵기 때문에 처음부터 정확하게 계획하여 만들어야 한다.
6. • 지역의 특성에 맞아야 한다.
   • 공공성과 공익성을 가져야 한다.
   • 시공 후 변경이나 해체가 어렵다.
   • 오랜 시간 사용할 수 있어야 한다.
   • 다양한 학문과 조화를 이루어야 한다.

재미있게 정리하기

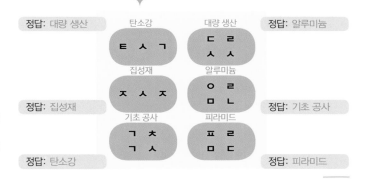

MEMO

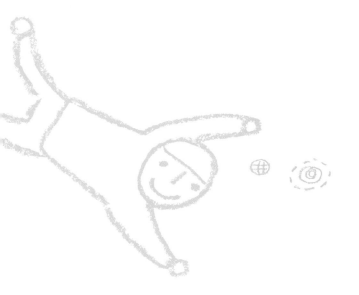

정답과 해설

V 기술을 통한 적용

01 기술과 사회

▼ 개념 익히기
9쪽

01 기술 02 ○ 03 × 04 농업, 산업, 정보 05 ○
06 ③ 07 ① 08 홀로그램 09 빅 데이터 분석 기술 10 ③

▼ 개념 활용하기
10~11쪽

01 ② 02 ① 03 ④ 04 ④ 05 ④ 06 ③
07 ③ 08 ④ 09 ③ 10 ⑤ 11 ⑤ 12 ③

01 기술의 정의와 특성을 묻는 문제이다.

02 기술의 특성 중에서 ①은 실용적, ②는 생산적, ⑤는 실천적 특성이다.

03 기술은 자원의 형태를 변화시켜 실생활에서 이용할 수 있는 유무형의 결과물을 만드는 활동이다.

04 정보를 수집, 가공, 처리하여 주고받는 기술은 정보 통신 기술에 해당한다.

05 컴퓨터와 정보 통신 기술의 발달로 정보 사회가 등장하게 되었다.

06 산업 사회에는 농촌에서 도시로 인구가 이동하였고, 여성들의 사회 진출이 증가하였으며, 가족의 규모도 농촌에 비해 축소되었다.

07 정보 사회에는 홈 네트워크, 홈서비스 등으로 편리한 가정생활이 가능해지고 정보화 기기를 이용하여 언제 어디서나 가족 간의 연결이 가능해졌다. 또한, 친구 같은 가족 관계로 변화하였다.

08 스마트 그리드 기술을 이용하여 에너지를 효율적으로 이용할 수 있을 것이다.

09 빅 데이터 분석 기술의 발달로 미래는 스마트한 사회가 될 것이다.

10 스마트 그리드란 기존의 전략망에 정보 통신 기술을 접목해 전력 공급자와 소비자가 실시간 전력 정보를 교환하여 에너지 효율을 최적화하는 차세대 지능형 전력망이다.

11 미래 사회는 웨어러블 기술을 통해 스마트한 사회가, 생체 인증 기술을 통해 안전한 사회가 될 것이다.

12 편리한 사회의 활용 기술에는 무인 항공 기술, 서비스 로봇 기술 등이 있고, 안전한 사회의 활용 기술에는 생체 인증 기술, 식량 안보 기술 등이 있다.

02 기술과 안전

▼ 개념 익히기
19쪽

01 ③ 02 안전사고 03 교통사고 04 ②
05 × 06 충격 흡수 장치 07 떨어짐 08 ○

▼ 개념 활용하기
20쪽

01 ② 02 ④ 03 ① 04 ② 05 ③ 06 ⑤
07 해설 참조

01 학교 출입문에 손가락이 끼이거나, 대중교통 이용 시, 에스컬레이터 등에 탑승할 때 주의해야 하는 사고 유형에 해당한다.

02 ④는 끼임 사고의 예방법이다.

03 높은 곳에서 작업할 때에는 반드시 안전 장비를 갖추고, 추락 위험이 있는 곳에 안전 표지판을 부착한다.

04 작업장에서는 인화 물질로 인한 화재, 학교에서는 실험 재료의 연소로 인한 화재가 발생할 수 있다.

05 그림 문자를 통해 간단하게 안전사고 예방을 위한 메시지를 전달할 수 있다.

06 베이킹파우더에 함유된 중탄산나트륨과 식초산이 반응하면 매우 빠른 속도로 탄산가스(CO_2)를 발생시킨다.

07 • 미끄럼 방지 장치를 설치한다.
• 욕실의 벽에는 손잡이 봉을 부착한다.

Ⅵ 기술적 문제 해결을 통한 혁신

01 기술적 문제 해결 과정

▼ **개념** 익히기　29쪽

01 문제 해결　02 ○　03 ②　04 표현
05 확산적 사고 기법, 수렴적 사고 기법　06 ×　07 ①
08 아이디어 창출　09 감전　10 경제성

▼ **개념** 활용하기　30쪽

01 ③　02 ④　03 ②　04 ④　05 ①　06 ⑤

01 문제 확인은 기술적 문제를 구체적으로 확인하는 단계이다.

02 ①은 문제 확인, ②는 평가, ③은 아이디어 창출, ⑤는 실행 단계이다.

03 창의적 사고 기법(확산적 · 수렴적 사고 기법)을 이용하여 다양한 아이디어를 내어 최적의 아이디어를 선정한다.

04 실행은 구체화된 아이디어를 도면에 따라 제품을 만드는 단계이다.

05 기술적 문제 해결 과정은 문제 확인 → 아이디어 창출 → 아이디어 구체화 → 실행 → 평가 순으로 이루어진다.

06 선정한 아이디어를 프리핸드 스케치로 표현하고, 이를 바탕으로 제품을 만들기 위한 도면을 작성한다.

02 발명의 이해

▼ **개념** 익히기　36쪽

01 발명　02 ○　03 ③　04 발견　05 고정 관념
06 ×　07 ③　08 전기세탁기　09 에니악
10 더하기 기법

▼ **개념** 활용하기　37쪽

01 ④　02 ④　03 ⑤　04 ⑤　05 ⑤　06 ②
07 ③

01 스스로 불편한 점을 발견하고, 발견된 문제를 해결하는 과정에서 문제 해결 능력이 향상된다.

02 발명을 잘하려면 일상생활에서 불편한 점을 해결하기 위한 창의적인 아이디어가 필요한데 창의적인 아이디어를 내가 위해서는 고정 관념을 깨는 것이 중요하다.

03 금, 자석, 불, 전기 등은 발견에 속한다.

04 엘리베이터가 발달하면서 고층 빌딩이 많아지게 되었다.

05 자석의 원리를 발견하고 이를 바탕으로 발명된 나침반은 미지의 땅을 발견하는 데 도움을 주었다.

06 발견은 자연에 이미 존재하지만 아직 알려지지 않은 사물이나 현상, 사실, 과학적 원리 등을 찾아내는 것이다.

07 페니실린은 곰팡이에서 얻은 화학 물질로 박테리아로 발생한 병을 치료하는 데 사용되는 항생제이다.

03 특허의 이해

▼ **개념** 익히기　42쪽

01 특허　02 ×　03 ①　04 지식　05 실용신안권
06 ○　07 ③　08 저작 인접권　09 디자인권
10 퍼블리시티권

▼ **개념** 활용하기　43쪽

01 ①　02 ④　03 ③　04 ①　05 ②　06 ③
07 ⑤

01 쉽게 생각해 내기 어려운, 진보된 것이어야 한다.

02 특허로 보호된 발명이어야 발명가에게 경제적 이익을 가져다줄 수 있다.

03 산업 재산권에는 특허권, 실용신안권, 디자인권, 상표권 등이 있다.

04 산업 저작권은 컴퓨터 프로그램과 인공 지능 등에 부여하는 권리이다.

05 간판과 포장지에 유명 브랜드의 상표와 유사한 마크를 사용하는 행위는 상표권 침해에 해당한다.

06 산업 재산권은 생활과 산업에 관련된 발명이나 디자인, 상표 등에 부여하는 권리이다.

07 퍼블리시티권은 신지식 재산권에 해당한다.

04 생활 속 문제의 창의적 해결

▼ 개념 익히기   47쪽

01 문제   **02** ○   **03** ②   **04** 아이디어   **05** 아이디어 구체화하기   **06** ×   **07** ⑤   **08** 조립하기   **09** 평가하기   **10** 조립

▼ 개념 활용하기   48쪽

01 ③   **02** ②   **03** ③   **04** ④   **05** ⑤   **06** ⑤   **07** ④

01 문제 확인하기는 개선하려는 대상의 특성과 불편한 점을 찾는 단계이다.

02 창의적 사고 기법이란 창의적인 사고를 하기 위해 생각의 과정이나 생각하는 방법 등을 체계한 것이다.

03 확산적 사고 기법에는 브레인스토밍, 브레인라이팅, 마인드맵, 스캠퍼 등이 있다.

04 실행하기는 준비하기, 마름질하기, 조립하기, 검사하기 순으로 이루어진다.

05 창의적 문제 해결 과정은 문제 확인하기 → 아이디어 창출하기 → 아이디어 구체화하기 → 실행하기 → 평가하기 순으로 이루어진다.

06 마름질하기는 재료 표면에 금을 긋고 자르는 과정으로 자와 칼이 사용된다.

07 검사하기는 제품이 구상하고, 도면처럼 만들어졌는지 확인 검사하는 과정이다.

06 표준화의 창의적 문제 해결

▼ 개념 익히기   52쪽

01 표준, 표준화   **02** ○   **03** ①   **04** 아이디어 창출하기   **05** 제품의 부품이 통일되어 편리하다.   **06** ×   **07** ⑤   **08** 기술 혁신을 어렵게 한다.   **09** 호환성   **10** 동료

▼ 개념 활용하기   37쪽

01 ③   **02** ④   **03** ③   **04** ②   **05** ②   **06** ⑤   **07** ③

01 표준을 정하고 활용하는 것을 표준화라 한다.

02 가, 다, 라 외에도 표준은 적당량을 정하므로 자원의 낭비를 막을 수 있다.

03 표준은 소비자의 안전과 공익을 증진시킨다.

04 표준화는 생활을 편리하게 하고, 제품의 호환성을 높여 편리하게 이용할 수 있도록 한다.

05 표준화의 부정적인 영향으로 기술 혁신이 어려워지고, 제품의 다양성 및 일자리가 줄어들며, 신기술 개발이 빨라진다.

06 그 나라의 표준에 맞추지 않으면 수출이 안 되는 부정적인 영향이 발생한다.

07 평가는 항목에 따라 자기, 동료, 제품 평가를 한다.

Ⅶ 삶을 창조하는 기술

01 생산 기술의 이해

▼ **개념** 익히기　　　　　　　　　　　　61쪽

01 생산 기술　　02 ○　　03 ○　　04 재료
05 ②　　06 ✕　　07 ✕　　08 ✕　　09 공정
10 산출

▼ **개념** 활용하기　　　　　　　　　　　62쪽

01 ⑤　　02 ④　　03 ④　　04 ④　　05 ④　　06 ⑤
07 ⑤　　08 ⑤

01 자동화 생산 방식의 도입으로 생산 기간이 단축되고 있다.

02 생산 기술의 하위 요소는 재료, 설계, 공정이며, 이러한 것들이 일정한 과정을 거치면서 생활에 유용한 제품이 완성된다.

03 벌목한 후 수분을 제거하고, 일정한 크기로 만들어 목재를 얻는다.

04 새로운 아이디어를 통해 기존에 없었던 제품을 만드는 것은 창의성이라 한다.

05 경제성은 제품의 제작 비용이 적당한가에 대한 설계 요소이다.

06 다양한 설계 요소를 고려하여 제품을 설계한다. 설계를 할 때는 한국산업 규격(KS) 제도 통칙에 의해 정해진 규칙에 의해 그린다.

07 페트병은 열과 공기를 플라스틱 관에 불어넣어 만든다.

08 ① 시멘트 페이스트 ③ 시멘트 모르타르

02 제조 기술 시스템

▼ **개념** 익히기　　　　　　　　　　　67~68쪽

01 제조 기술　　02 ○　　03 ④　　04 ②
05 검사 및 시험　　06 되먹임 07 ○　　08 ①
09 자본　　10 산출　　11 ○　　12 ○　　13 ③
14 용접　　15 도장　　16 조립　　17 펄프　　18 ②
19 섬유질 20 물 첨가

▼ **개념** 활용하기　　　　　　　　　　69~70쪽

01 ⑤　　02 ③　　03 ⑤　　04 ②　　05 ①　　06 ⑤
07 ①　　08 ⑤　　09 ⑤　　10 ②　　11 ③　　12 ①
13 ③　　14 ①

01 ㄱ, ㄴ은 건설 기술 시스템의 투입 단계에서 이루어진다.

02 산출은 생산 과정의 결과로 제품이 완성되는 것이다.

03 되먹임은 문제가 발생하면 이를 해결하기 위해 문제가 되는 단계로 되돌아가는 것이다.

04 제조 기술 시스템의 과정 단계에서는 가공, 조립, 검사 및 시험의 절차에 따라 투입 요소를 활용하여 생산 구조물을 만든다.

05 제조 구조물의 완성은 산출에 해당한다.

06 제조 기술 시스템 중 제품을 만드는 데 필요한 에너지는 투입에 해당된다.

07 투입 단계는 제품을 만드는데 필요한 재료, 자본, 인력, 에너지, 설비, 시간 등을 투입하는 것이다.

08 ㄱ, ㄴ 물티슈를 만드는 과정이다.

09 용접은 금속을 녹여 재료를 접합하는 것이고, 가공은 기계를 이용하여 부품을 만든 것이다.

10 자본은 자전거를 생산하는 데 필요한 비용을 말한다.

11 자전거 생산 과정은 부품 가공, 프레임(차체) 용접, 도장 공정, 조립 공정의 단계로 나눌 수 있다.

12 ㄱ은 물 첨가, ㄴ은 자르기, ㄷ은 포장 과정이다.

13 ⊙은 도장으로 자전거에 페인트를 칠하는 것이다.

14 ⓛ은 부품을 깎거나, 휘거나, 녹여서 부품을 만드는 공정이다.

03 제조 기술의 특징과 발달 / 04 제조 기술의 창의적 문제 해결

▼ 개념 익히기   78~80쪽

01 ×	02 ×	03 ①	04 형태	05 ×
06 ○	07 수공업	08 산업 혁명		09 컴퓨터
10 공장제 기계 공업	11 ×	12 ○		13 공장제 수공업
14 산업 혁명		15 대량	16 유연 생산 방식	
17 자동화	18 ⑤	19 제임스 와트		20 플라스틱
21 파티클 보드	22 ④	23 열가소성 플라스틱		
24 ○	25 탄소	26 ×	27 3	28 트랜스포머 가구

▼ 개념 활용하기   81~83쪽

01 ④	02 ②	03 ④	04 ②	05 ①	06 ⑤
07 ④	08 ⑤	09 ③	10 ④	11 ⑤	12 ①
13 ②	14 ①	15 ③	16 ②	17 ⑤	18 ⑤
19 ②	20 ④				

01 같은 원료라도 가공 및 처리 방법에 따라 다양한 형태로 나타난다.

02 제조 기술은 산출물이 제품의 형태로 나타난다.

03 제조 기술은 도구를 사용하면서 시작하였고, 수공업, 기계공업의 형태로 발전되어 왔다.

04 제조 기술의 생산 방식은 가내 수공업 → 공장제 수공업 → 공장제 기계 공업 → 자동화 생산 방식으로 변화하였다.

05 고대에는 가내 수공업의 형태로 주로 손과 도구를 이용하여 제품을 생산하였다.

06 산업 혁명이 이후 공장제 기계 공업을 통하여 제품을 대량으로 생산하는 대량 생산 시대가 시작되었다.

07 ④는 대량 생산 시대이다.

08 컨베이어 시스템은 컨베이어 벨트를 이용하여 생산 과정을 몇 개의 작업으로 나누어 순서대로 조립하는 방식으로 생산하였다.

09 집성재는 갈라짐이 적어 건축 자재, 가구 등에 널리 쓰인다.

10 ④는 파티클 보드의 특징이다. 파티클 보드 소리를 흡수하는 성질이 있어, 가구나 칸막이에 많이 이용된다.

11 목재는 수분이 많아 건조하면 수축되어 변형이 생기기 쉽다.

12 폴리스티렌 수지에 가스를 주입하여 발포 성형시킨 것이 스티로폼이다.

13 열경화성 수지는 한번 굳어지면 다시 열을 가해도 녹아 움직이지 않은 특징이 있으며, 페놀 수지, 멜라민 수지, 실리콘 수지, 폴리에스테르 수지 등이 있다.

14 ②는 접착제 등에 이용되고, ③은 식기 등에 이용되며, ④, ⑤는 열가소성 플라스틱이다.

15 금속은 일반적으로 상온에서 고체이며(수은은 액체), 광택이 있고, 녹는점이 일정하다. 또한, 열과 전기를 잘 전달하고, 비교적 단단하며, 전성(펴지는 성질)과 연성(늘어나는 성질)이 우수하여 가공하기가 쉽다.

16 철에는 탄소의 성분에 따라 순철, 탄소강, 주철로 나누는데, 주철은 탄소량이 많고 단단하므로 기계 가공이 어려워 철을 녹여서 제품을 만든다. 매우 단단하고 굳어 기계 몸체, 맨홀 뚜껑 등에 이용된다.

17 ③은 구리와 아연의 합금이고, ④는 구리와 주석의 합금이다.

18 알루미늄은 가볍고 전기가 잘 통한다. 또한, 공기 중에서 산화 피막이 형성되어 녹이 슬지 않는다. 음료수 캔, 창틀 등에 이용된다.

19 스마트 공장은 공장 내 설비와 기계에 설치된 센서가 데이터를 실시간으로 수집하고 분석하여 스스로 제어하는 공장이다.

20 재료를 녹여 층층이 쌓아 올리면서 3차원 물체를 찍어내는 것을 말한다. 플라스틱이 일반적으로 사용되고 있지만, 앞으로는 점점 다양한 재료가 사용될 것이다.

05 건설 기술 시스템

▼ 개념 익히기
89~90쪽

01 건설 기술	**02** ○	**03** ④	**04** 산출
05 되먹임	**06** 시공	**07** 설계	**08** ×	**09** ①
10 모형	**11** 기획하기		**12** ○	**13** ⑤
14 기본 설계		**15** 흙을 파서 쌓는다, 흙을 운반한다.
16 ×	**17** ④	**18** 기초 공사	**19** 마감 공사
20 조적 공사		

▼ 개념 활용하기
91~92쪽

01 ⑤	**02** ⑤	**03** ⑤	**04** ②	**05** ①	**06** ②
07 ②	**08** ②	**09** ③	**10** ④	**11** ②	**12** ①
13 ②	**14** ③				

01 ㄱ, ㄴ은 건설 기술 시스템의 투입 단계에서 이루어진다.

02 되먹임은 문제가 발생하면 이를 해결하기 위해 문제가 되는 단계로 되돌아가는 것이다.

03 산출은 건설 과정의 결과로 건설 구조물이 완성되는 것이다.

04 건설 기술 시스템의 과정 단계에서는 기획, 설계, 시공의 절차에 따라 투입 요소를 활용하여 건설 구조물을 만든다.

05 건설 구조물의 완성은 산출에 해당한다.

06 기본 설계는 설계자의 구상을 구체적으로 표현하기 위하여 도면으로 작성하는 과정으로, 이 단계에서는 구조물의 개략적인 형태를 스케치, 모형, 보고서 등의 방법으로 표현한다. ㄴ은 실시 설계, ㄱ, ㄹ은 계획 설계에 대한 설명이다.

07 기획하기와 관련된 대화 내용이다. 기획하기는 어떤 건설 구조물을 만들지 구상하는 단계로서, 건설 구조물의 사용 목적, 규모와 예산, 대지 조건, 공사 기간 등을 고려하여 기획한다.

08 골조 공사는 건설 구조물의 뼈대를 만드는 공사이다. ㄱ은 목공사, ㄷ은 조적 공사를 설명한 것으로 모두 골조 공사의 종류이다. ㄴ은 토공사, ㄹ은 가설 공사를 설명한 것이다.

09 가설 공사는 본 공사를 시행하기 위해 필요한 임시 시설이나 설비를 설치하는 공사로, 공사 장소에 울타리와 가설 건물을 설치하는 것이 이에 해당된다.

10 착공 준비는 공사 시작에 앞서 주변 환경 및 현장 상황, 공사 대지 등을 조사하는 것이다.

11 기초 공사는 땅 위의 구조물을 안전하게 지탱할 수 있도록 땅 속에 구조물을 만드는 공사이다.

12 시공은 도면에 따라 건설 구조물을 완성하는 단계로 착공 준비 → 가설 공사 → 토공사 → 기초 공사 → 골조 공사 → 마감 공사 순으로 이루어진다.

13 ㉠은 기획하기와 관련된 대화 내용이다. 기획하기는 어떤 건설 구조물을 지을지 구상하는 단계이다.

14 ㉡은 설계하기와 관련된 대화 내용이다. 설계하기는 정해진 구상안에 따라 다양한 형태의 도면을 작성하는 과정이다.

개념 익히기　　　　　　　　　99~101쪽

01 공공성　**02** ×　**03** ①　**04** 교통　**05** 에너지 분야
06 ×　**07** ④　**08** 종교 건축　**09** 후버 댐
10 첨탑　**11** ×　**12** ○　**13** ④　**14** 정보 통신
기술　**15** 액티브 하우스　**16** 3D 프린팅 건설 기술
17 건설 재료　**18** 지하 도시, 해양 도시, 우주 도시 등
19 ②　**20** 인공 지능　**21** 아이디어 창출하기
22 ○　**23** ⑤　**24** 분산　**25** 돔 구조　**26** ×
27 무게　**28** ×　**29** 평가하기　**30** 제품 평가

개념 활용하기　　　　　　　　　102~105쪽

01 ③　**02** ⑤　**03** ④　**04** ②　**05** ①　**06** ③
07 ⑤　**08** ③　**09** ①　**10** ①　**11** ④　**12** ④
13 ②　**14** ②　**15** ⑤　**16** ①　**17** ⑤　**18** ①
19 ③　**20** ⑤　**21** ⑤　**22** ②　**23** ②　**24** ②
25 ⑤

01 한 번 시공하면 변경이나 해체가 어렵다는 것은 건설 기술의 일회성에 대한 설명이다.

02 계획할 때에는 지역의 자연환경을 고려한다. 건설 구조물의 형태와 규모, 용도는 지형, 기후, 재료에 적합하게 건설되는데 이러한 건설 기술의 특징을 지역성이라 한다.

03 건설 공사는 오랜 기간에 걸쳐 이루어지고, 완성된 구조물은 오랜 시간 사용할 수 있어야 한다.

04 각종 생산 및 서비스 산업 활동에 필요한 공장 등의 시설을 제공하는 것은 건설 기술이 산업 분야에 이용된 사례이다.

05 ㄷ은 건설 기술이 교통 분야에 이용된 사례이고, ㄹ은 건설 기술이 주거 분야에 이용된 사례이다.

06 만리장성은 고대, 두오모 대성당은 중세, 수정궁과 후버 댐은 근대, 부르즈 할리파는 현대의 대표적인 건설 구조물이다.

07 피라미드와 만리장성은 고대, 두오모 대성당과 쾰른 대성

당은 중세, 수정궁과 후버 댐은 근대의 대표적인 건설 구조물이다.

08 이탈리아 피렌체의 두오모 대성당에 대한 설명이다.

09 ㄷ, ㄹ은 근대의 건설 기술의 특징으로, 근대에는 철, 유리, 시멘트 등 새로운 건설 재료가 개발되고, 철골 구조와 철근 콘크리트 구조가 발달하면서 대형 건설 구조물, 고층 건설 구조물, 대형 철제 교량 등이 건설되었다.

10 산업화 이후에 철골 구조와 철근 콘크리트 구조가 발달하면서 대형 건설 구조물, 고층 건설 구조물, 대형 철제 교량 등이 건설되었다.

11 ㄱ은 근대, ㄴ은 고대, ㄷ은 중세, ㄹ은 현대 시대에 지어진 건설 구조물이다.

12 아랍에미리트의 부르즈 할리파에 대한 설명이다.

13 철, 유리, 시멘트 등의 건설 재료는 근대 시대부터 이미 사용되어 오고 있다.

14 ㄱ과 ㄷ은 친환경 건설 기술에 대한 내용이며, ㄴ은 새로운 건설 재료의 개발, ㄹ은 정보화된 건설 기술에 대한 내용이다.

15 친환경 건설 기술이 적용된 패시브 하우스에 대한 설명이다.

16 친환경 건설은 친환경 자재를 사용하여 주변 환경과 조화를 이루는 건설이다.

17 기존의 생활 공간을 벗어난 다양한 공간이 개발되면서 새로운 공간을 조성하게 되는 것으로, 다양한 건설 공간의 확대에 대한 내용이다.

18 돔 구조는 아치 구조에서 발전된 반구 형태의 구조물로써, 다각형 평면 위에 만들어진 둥근 곡면의 천장이나 지붕을 말한다. 돔 구조는 기둥 없이 넓은 지붕을 만들 때 활용되어 오고 있다.

19 아치 구조는 벽돌이나 석재를 쌓을 때 곡선 모양으로 쌓아 지탱하는 구조이고, 돔 구조는 다각형 평면 위에 만들어진 둥근 곡면의 천장이나 지붕을 말한다.

20 제한 사항으로 돔 내부의 공간이 가장 넓어야 한다.

21 ⑤는 도면에 대한 설명이다. 도면은 여러 사람들이 쉽게 이해할 수 있도록 정해진 규칙에 따라 물체의 모양과 크기 등을 표현한 것이다.

22 재하 능력을 알아보는 식이다. 재하 능력은 교과서의 무게를 구조물의 무게로 나누어 보면 알 수 있다.

23 실행하기 단계에서는 필요한 재료와 공구를 준비한 후에 '넓고 튼튼한 돔 구조 모형'을 제작한다

24 아이디어 창출하기 단계에서는 문제를 해결하기 위해 관련 정보를 수집하고, 창의적인 아이디어를 구상한다.

25 동료 평가에 해당하는 평가 항목은 ⑤이다. ②,③,④는 자기 평가 항목, ①는 제품 평가 항목에 해당한다.

MEMO

MEMO

2015 개정 교육과정
금성 평가문제집

ㄱ 펑앙 놀자!

새로운 금성 평가문제집

중학교 **기술·가정①**
평가문제집 기술편

민창기 · 윤병구 · 박세열 · 류보람
이고은 · 임윤희 · 신예나

금평이가 지닌 특별한 매력 3가지

단계 학습 이해, 적용, 실전 문제의 단계별 학습
창의융합 창의융합형 문제를 통해 사고력, 표현력 향상
개념 완결 핵심 정리와 기초 문제를 통한 완벽 마무리

금성출판사

기술 잡는
금평씨를 소개합니다.

[핵심 정리]와 [기초 문제]를 통해 핵심적인
내용을 한번에 정리하고 확인할 수 있으며,
[이해] → [적용] → [실전]의 단계별 문항을 통해
학습 내용을 탄탄하게 다질 수 있습니다.
또한, [창의융합 코너]를 통해
사고력과 표현력을 향상시킬 수 있습니다.

QR 코드로
평가문제집 정답을
확인할 수 있어요.

편리한 정답 확인!

새로운 금성 평가문제집

금평아 놀자!

중학교 **기술·가정①** 평가문제집
기술편

민창기 · 윤병구 · 박세열 · 류보람
이고은 · 임윤희 · 신예나

금성출판사

이 책의 구성과 특징

핵심 정리

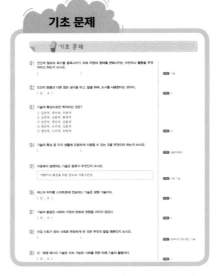

단원에서 알아야 할 핵심 내용을 정리 하였습니다.

기초 문제

기초 문제를 통해 핵심 내용을 점검해 볼 수 있게 하였습니다.

이해 문제

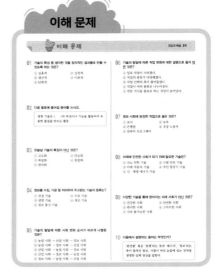

핵심 개념을 반영한 문제를 통해 학습 내용을 쉽게 이해할 수 있도록 하였습니다.

적용 문제

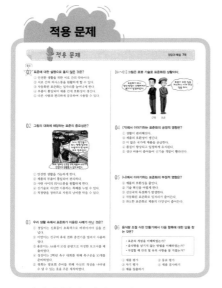

여러 유형의 심화 문제를 통해 핵심 개념을 깊이 있게 학습할 수 있도록 하였습니다.

실전 문제

자주 출제되는 문제와 서술형 문제를 제시하여 대단원 학습을 완벽하게 마무리할 수 있도록 하였습니다.

창의 융합

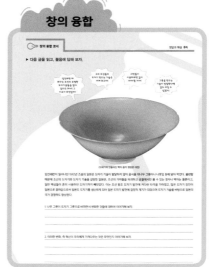

단원과 관련된 주제를 바탕으로 창의 융합적인 소재를 제시하여 사고력과 표현력이 향상되도록 하였습니다.

차례

V. 기술을 통한 적용

VI. 기술적 문제를 통한 혁신

VII. 삶을 창조하는 기술

V

기술을 통한 적응

〉이 단원의 성취 기준과 학습 요소 〉

섹션	성취 기준	학습 요소
1. 기술과 사회	기술의 발달에 따른 사회, 가정, 직업의 변화를 이해하고, 미래 기술 활용 및 사회의 변화에 대하여 예측한다.	– 기술의 뜻 – 기술의 종류 – 기술의 발달에 따른 사회, 가정, 직업의 변화 – 미래 기술의 활용과 사회의 변화
2. 기술과 안전	가정과 사회의 변화에 따른 안전 사항에 대하여 조사하고, 예방 및 대처 방안에 대하여 이해한다.	– 안전사고의 의미 – 안전사고의 유형 – 안전사고의 유형에 따른 예방 및 대처 방안

1. 기술의 의미

① **기술(technology)**: 자연에서 얻은 여러 가지 자원을 우리 생활에 필요한 여러 가지 형태로 변화시키는 수단이나 활동이다.

② **기술의 특성**

ㄱ. 실천적 특성: 실질적이고 창의적인 결과가 나오는 것으로, 인간의 필요에 의해 실생활에 직접 이용할 수 있는 결과물을 만든다.

ㄴ. 실용적 특성: 우리 생활을 편리하게 해 주는 것으로, 기술의 발달은 물질적인 풍요와 편리함을 만들어 주고, 그 혜택을 우리에게 준다.

ㄷ. 생산적 특성: 우리에게 필요한 것을 생산하는 것으로, 인간은 스스로 필요에 의해 여러 가지 자원의 형태를 변화시키는 수단이나 활동을 이용하여 결과물을 얻는다.

2. 기술의 종류

일반적으로 5가지 기술로 분류할 수 있고 통합되어 활용되고 있다.

① **제조 기술**: 공장에서 물건을 만드는 것과 같이 재료를 이용하여 생활에 필요한 물건을 생산하는 기술이다.

② **건설 기술**: 인간 생활에 필요한 구조물을 만드는 기술이다.

③ **수송 기술**: 사람이나 물건을 다른 장소로 이동시키는 기술이다.

④ **정보 통신 기술**: 정보를 생산 · 처리하여 주고받는 기술이다.

⑤ **생명 기술**: 생명체의 현상이나 기능을 이용하여 필요한 제품을 만들거나 생명체의 기능을 개선하는 기술이다.

3. 기술의 발달에 따른 사회, 가정, 직업의 변화

① 기술은 인간이 편리한 생활을 하고자 하는 욕구를 충족시키기 위해 끊임없이 발달했으며, 이에 따라 우리의 생활 방식도 지속적으로 변화하고 있다.

② 사람들은 삶을 살아가기 위해 도구를 사용하기 시작하면서 좀 더 편리한 생활을 위해 끊임없이 발달하고 생활 방식의 변화를 가져왔다.

ㄱ. 사회의 변화

- 기술이 발달함에 따라 농업 사회 → 산업 사회 → 정보 사회로 변화하였다.
- 농업 사회: 농업 기술의 발달과 도구의 이용으로 수확량이 증가하였다.
- 산업 사회: 제조 기술의 발달로 대량 생산이 가능해졌다.
- 정보 사회: 컴퓨터와 정보 통신 기술의 발달로 정보와 지식이 중요하게 되었다.

ㄴ. 가정의 변화

- 농업 사회에서는 가족 내 위계질서가 뚜렷한 수직적 관계, 가족의 규모가 컸다.
- 산업 사회로 변화되면서 수평적 가족 관계, 여성의 사회 진출에 따른 가족 규모 축소가 이루어졌다.
- 정보 사회에서는 친구 같은 가족 관계, 편리한 가정생활을 할 수 있게 되었다.

ㄷ. 직업의 변화

- 기술이 발달함에 따라 새로운 직업이 생겨나고 일부 직업은 사라진다.
- 할아버지 시대의 직업: 농부, 어부, 상인 등이 존재했지만 산업 사회로 변화하면서 생산의 분업화로 인해 다양한 직업이 등장하였다.
- 부모님 시대의 직업: 은행원, 회사원, 기술자 등의 직업이 보편화되었다.
- 현재의 직업: 급격한 변화 속도로 정보 사회가 등장하면서 프로그래머, 펀드매니저, 디자이너, 회계사, 연구원 등의 전문적인 직업이 생겨났다.

4. 미래 기술의 활용과 사회의 변화

① 미래에는 기술이 더욱 발전하여 우리 생활에서 다양하게 활용될 것이다.

② 무인 항공기, 3차원 디스플레이 기술, 서비스 로봇 기술 등으로 편리한 사회가, 사물 인터넷, 자율 주행 자동차, 빅데이터 분석 기술 등으로 스마트한 사회가, 신재생 에너지 기술, 스마트 그리드 기술 등으로 지속 가능한 사회가, 인체 인증 기술, 식량 안보 기술 등으로 안전한 사회가, 맞춤형 치료 기술, 나노 의학 기술 등으로 건강한 사회가 될 것이다.

01 인간의 필요와 욕구를 충족시키기 위해 자원의 형태를 변화시키는 수단이나 활동을 무엇이라고 하는지 쓰시오.

(   )

정답 기술

02 인간이 동물과 다른 점은 생각을 하고, 말을 하며, 도구를 사용한다는 것이다.

(O , X)

정답 O

03 기술의 특성으로만 짝지어진 것은?
① 실천적, 생산적, 모방적
② 실천적, 실용적, 환경적
③ 실천적, 생산적, 실용적
④ 생산적, 소비적, 실용적
⑤ 생산적, 소비적, 모방적

정답 ③

04 기술의 특성 중 우리 생활에 유용하게 이용할 수 있는 것을 무엇이라 하는지 쓰시오.

(   )

정답 실용적 특성

05 다음에서 설명하는 기술은 종류가 무엇인지 쓰시오.

> 사람이나 물건을 다른 장소로 이동시킨다.

정답 수송 기술

06 버스의 위치를 스마트폰에 전송하는 기술은 생명 기술이다.

(O , X)

정답 X

07 기술의 발달은 사회와 가정의 변화에 영향을 끼치지 않았다.

(O , X)

정답 X

08 산업 사회가 정보 사회로 변화하게 된 것은 무엇의 발달 때문인지 쓰시오.

(   )

정답 컴퓨터와 정보 통신 기술

09 신 · 재생 에너지 기술은 지속 가능한 사회를 위한 미래 기술의 활용이다.

(O , X)

정답 O

01 기술의 특성 중 생각한 것을 창의적인 결과물로 만들 수 있도록 하는 것은?

① 실용적
② 실천적
③ 생산적
④ 이론적
⑤ 단편적

02 다음 괄호에 들어갈 용어를 쓰시오.

생명 기술은 ( )의 특성이나 기능을 활용하여 유용한 물질을 만드는 활동

03 오늘날 기술의 특징이 아닌 것은?

① 고도화
② 단순화
③ 복잡화
④ 통합화
⑤ 편리화

04 정보를 수집, 가공 및 처리하여 주고받는 기술의 종류는?

① 건설 기술
② 수송 기술
③ 생명 기술
④ 제조 기술
⑤ 정보 통신 기술

05 기술의 발달에 따른 사회 변화 순서가 바르게 나열된 것은?

① 농업 사회 → 산업 사회 → 정보 사회
② 농업 사회 → 정보 사회 → 산업 사회
③ 산업 사회 → 농업 사회 → 정보 사회
④ 산업 사회 → 정보 사회 → 농업 사회
⑤ 정보 사회 → 농업 사회 → 산업 사회

06 기술의 발달에 따른 직업 변화에 대한 설명으로 옳지 않은 것은?

① 일부 직업이 사라졌다.
② 직업의 종류가 다양해졌다.
③ 직업 선택의 폭이 줄어들었다.
④ 직업이 여러 종류로 나누어졌다.
⑤ 전문 지식을 필요로 하는 직업이 늘어났다.

07 정보 사회에 등장한 직업으로 옳은 것은?

① 교사
② 농부
③ 은행원
④ 공장 노동자
⑤ 컴퓨터 프로그래머

08 미래에 안전한 사회가 되기 위해 필요한 기술은?

① 나노 의학 기술
② 식량 안보 기술
③ 미래 자동차 기술
④ 무인 항공기 기술
⑤ 신 · 재생 에너지 기술

09 다양한 기술을 통해 얻어지는 미래 사회가 아닌 것은?

① 건강한 사회
② 안전한 사회
③ 편리한 사회
④ 스마트한 사회
⑤ 지속 불가능한 사회

10 다음에서 설명하는 용어는 무엇인가?

'완전함' 혹은 '전체'라는 뜻과 '메시지', '정보'라는 뜻이 합쳐진 말로, 사물이 바로 눈앞에 있는 것처럼 생생한 입체 영상을 말한다.

01 다음에서 설명하는 기술의 특성은?

> 라이트 형제는 하늘을 날고 싶은 욕구가 있었다. 그래서 가솔린 기관으로 비행할 수 있는 비행체를 설계하고 만들었다.

① 실용적　　　　② 실천적
③ 생산적　　　　④ 이론적
⑤ 단편적

02 제조 기술의 사례에 해당하는 것은?

① 스마트폰을 만드는 기술
② 위성을 우주로 보내는 기술
③ 버스로 사람을 이동시키는 기술
④ 위성과 버스가 정보를 주고받는 기술
⑤ 식물에서 추출한 자동차 연료인 바이오 디젤

[03~05] 문제를 읽고 〈보기〉를 참고하여 물음에 답하시오.

> ┤ 보기 ├
> ㄱ. 건설 기술　　　　ㄴ. 수송 기술
> ㄷ. 생명 기술　　　　ㄹ. 제조 기술
> ㅁ. 정보 통신 기술

03 농업 사회에서 산업 사회로 변화를 이끈 기술을 〈보기〉에서 고르면?

① ㄱ　　　　② ㄴ　　　　③ ㄷ
④ ㄹ　　　　⑤ ㅁ

04 산업 사회에서 정보 사회로 변화를 이끈 기술을 〈보기〉에서 고르면?

① ㄱ　　　　② ㄴ　　　　③ ㄷ
④ ㄹ　　　　⑤ ㅁ

05 다음의 밑줄 친 내용에서 제시되지 않은 기술 영역을 〈보기〉에서 고른 것은?

> ┤ 보기 ├
> 철수는 아침에 깨어보니 등교 시간이 얼마 남아 헐레벌떡 교복을 입고 집에 나섰다. 버스를 타기 위해 버스 정류장으로 뛰었다. 스마트폰으로 버스 위치를 확인해 보니 버스 도착 1분 전이라 열심히 뛰었다. 간신히 바이오 디젤을 연료로 사용하는 버스를 탈 수가 있었다.

① ㄱ　　　　② ㄴ　　　　③ ㄷ
④ ㄹ　　　　⑤ ㅁ

06 다음은 가정의 변화 모습에 맞는 사회는 무엇인가?

> • 홈 네트워크, 홈서비스 등으로 편리한 가정생활을 누릴 수 있게 되었다.
> • 정보화 기기의 발달로 언제나 가족 간의 연결이 가능하게 되었다.
> • 서로에게 의지하는 친구 같은 가족 관계로 변화하였다.

① 농업 사회　　　　② 산업 사회
③ 수렵 사회　　　　④ 원시 사회
⑤ 정보 사회

07 다음에서 설명하는 기술은 무엇인가?

> 신체에 밀착시켜 착용한 상태로 사용하는 전자 기기로서, 온몸으로 정보를 주고받을 수 있게 하는 기술이다.

① 웨어러블 기술
② 생체 인증 기술
③ 맞춤형 치료 기술
④ 사이버 헬스 케어 기술
⑤ 3차원 디스플레이 기술

1. 안전과 안전사고

① **안전**: 위험이 생기거나 사고가 날 염려가 없는 편안한 것을 말한다.

② **안전사고**: 가정, 학교, 작업장 등에서 안전시설을 갖추지 않았거나 안전 사항을 지키지 않았을 때 일어나는 사고이다.

2. 안전사고의 유형

안전사고의 유형에는 넘어짐 사고, 떨어짐 사고, 전기 사고, 화재 사고, 끼임 사고, 교통사고 등이 있다.

유형	장소	내용
넘어짐 사고	가정	• 욕실이나 화장실에서 미끄러져 넘어짐 • 집 앞 빙판길에서 미끄러져 넘어짐
	학교	• 학교 계단에서 미끄러져 넘어짐
	작업장	• 작업장 설비 등에 걸려 넘어짐
떨어짐 사고	가정	• 창문이나 베란다에서 떨어짐 • 옥상에서 떨어짐
	학교	• 학교 계단에서 떨어짐
	작업장	• 건설 공사장의 높은 곳에서 떨어짐 • 높은 곳에서 물건이 떨어짐
전기 사고	가정/학교	• 가전제품에 의한 감전 • 절연 불량 등 누전으로 인한 감전
	작업장	• 기계 장비의 과열 • 기계 누전으로 인한 감전
화재 사고	가정	• 문어발식 콘센트 연결로 인한 화재 발생 • 누전으로 인하여 전기 화재 발생 • 가스 누설로 인한 화재 발생
	학교	• 실험실에서 실험 재료의 연소로 화재 발생
	작업장	• 인화 물질로 화재 발생
끼임 사고	가정/학교	• 학교 출입문에 손가락이 끼임 • 버스, 지하철 등의 출입문, 에스컬레이터에 끼임
	작업장	• 작업 기계에 손이나 옷이 끼임
교통사고	가정/학교	• 자전거로 통학할 때의 사고 • 등·하굣길에 버스 사고
	작업장	• 물품 운반 장비의 사고 • 건설 장비의 사고

3. 안전사고 유형과 예방 및 대처 방안

① 넘어짐 사고

㉠ 욕실 또는 화장실에 미끄럼 방지 장치를 설치하며, 욕실의 벽에는 손잡이 봉을 부착한다.

㉡ 학교 계단 끝부분에는 미끄럼 방지 장치를 설치한다.

㉢ 작업장 및 안전 통로는 미끄럽거나 걸려 넘어지는 것이 없도록 항상 정리한다.

② 떨어짐 사고

㉠ 창문이나 베란다에서 안전망이나 보호 장치를 설치한다.

㉡ 옥상 가장자리에 안전 펜스를 설치한다.

㉢ 높은 곳에서 작업할 때에는 반드시 안전 장비를 갖추고, 추락 위험이 있는 곳에 안전 표지판을 부착한다.

③ 전기 사고

㉠ 젖은 손으로 가전제품의 플러그나 콘센트를 만지지 않는다.

㉡ 전선 피복이 벗겨진 부분은 누전이 되지 않도록 절연 테이프 등으로 감는다.

㉢ 가전제품을 사용하지 않는 경우 전원을 차단한다.

④ 화재 사고

㉠ 하나의 콘센트에 여러 전기 기기를 동시에 사용하지 않는다.

㉡ 가스를 사용하지 않을 때에는 반드시 가스 밸브를 잠근다.

㉢ 학교에서 불을 이용하는 실험·실습을 할 때는 선생님의 지시와 안전 수칙을 따른다.

⑤ 끼임 사고

㉠ 문의 모서리 부분에 충격 흡수 장치를 부착한다.

㉡ 출입문 지날 때에는 뒤에 사람이 오는지 살펴보고 출입문을 닫는다.

㉢ 버스, 지하철이나 에스컬레이터에 무리하게 탑승하지 않는다.

⑥ 교통사고

㉠ 자전거 상태를 주기적으로 점검하고, 탈 때에는 안전 보호 장비를 착용한다.

㉡ 자동차를 타면 반드시 안전띠를 착용한다.

㉢ 등·하굣길에 교통 법규를 준수한다.

01 위험이 생기거나 사고가 날 염려가 없는 편안한 것을 무엇이라고 하는지 쓰시오.

(   )

정답 안전

02 기술과 사회가 상호 영향을 끼치며 발달하는 과정에서 안전은 더욱 중요하게 되었다.

(○ , X)

정답 ○

03 가정 학교, 작업장 등에서 안전시설을 갖추지 않았거나 안전 사항을 지키지 않았을 때 일어나는 사고를 무엇이라고 하는지 쓰시오.

(   )

정답 안전사고

04 끼임 사고는 욕실이나 화장실 또는 집 앞 빙판길에서 발생하는 안전사고 유형이다.

(○ , X)

정답 X

05 다음에서 설명하고 있는 예방법으로 막을 수 있는 안전사고 유형은?

> • 창문 모양의 안전망을 설치한다.
> • 옥상 가장자리에 안전 펜스를 설치한다.
> • 창문이나 베란다에서 장난을 치지 않는다.

정답 떨어짐 사고

06 문어발식 콘센트 연결에 의해 발생할 수 있는 안전사고 유형은?

① 교통사고   ② 끼임 사고
③ 전기 사고   ④ 화재 사고
⑤ 떨어짐 사고

정답 ③

07 사물, 시설, 행위, 개념 등을 쉽게 알아볼 수 있도록 상징적인 그림으로 나타낸 일종의 그림을 문자를 무엇이라고 하는지 쓰시오.

(   )

정답 픽토그램

01 안전에 대한 설명으로 옳은 것은?

① 작업장에서 부주의로 다치는 일
② 기술실에서 장난치다가 다치는 일
③ 문의 모서리에 충격 흡수 장치를 설치하는 것
④ 버스나 지하철 등의 출입문에 손가락이 끼이는 일
⑤ 위험이 생기거나 사고가 날 염려가 없는 편안한 것

02 안전에 대한 개념이 도입된 시기는 언제부터인가?

① 농업 사회 ② 산업 사회
③ 수렵 사회 ④ 원시 사회
⑤ 정보 사회

[03~05] 〈보기〉는 안전사고 유형이다. 문제를 읽고, 보기에 해당하는 것을 고르시오.

┌ 보기 ├
ㄱ. 끼임 사고   ㄴ. 전기 사고
ㄷ. 화재 사고   ㄹ. 떨어짐 사고
ㅁ. 넘어짐 사고

03 〈보기〉에서 아래 설명하고 있는 예방법으로 막을 수 있는 안전사고의 유형은?

• 겨울철에는 집 앞의 눈을 치운다.
• 학교 계단 끝에는 미끄럼 방지 처리를 한다.

① ㄱ   ② ㄴ   ③ ㄷ
④ ㄹ   ⑤ ㅁ

04 보기에서 제시한 단어와 가장 연관된 안전사고는 무엇인가?

누전, 가스 누설, 문어발식 콘센트 연결

① ㄱ   ② ㄴ   ③ ㄷ
④ ㄹ   ⑤ ㅁ

05 〈보기〉에서 아래 제시된 장소에서 주로 일어나는 안전사고 유형은?

• 창문, 베란다, 옥상
• 학교 계단
• 건물 공사장의 높은 곳

① ㄱ   ② ㄴ   ③ ㄷ
④ ㄹ   ⑤ ㅁ

06 끼임 사고의 예방 및 대처 방안에 대한 설명으로 옳지 않은 것은?

① 기계 작업을 할 때에는 반드시 장갑을 착용한다.
② 버스나 지하철에 무리하게 탑승하지 않는다.
③ 문의 모서리 부분에 충격 흡수 장치를 부착한다.
④ 기계 가동 중 청소, 측정, 정비 등을 하지 않는다.
⑤ 출입문을 지날 때에는 뒤에 사람이 오는지 살펴보고 출입문을 닫는다.

07 전기 사고의 예방 및 대처 방안에 대한 설명으로 옳지 않은 것은?

① 기계에 누전 차단기를 설치한다.
② 기계 장비를 연속적으로 장시간 사용한다.
③ 가전제품을 상하지 않는 경우 전원을 차단한다.
④ 젖은 손으로 가전제품의 플러그를 만지지 않는다.
⑤ 전선 피복이 벗겨진 부분은 절연 테이프로 감는다.

01 안전에 대한 설명으로 옳은 것은?

① 안전사고는 예방할 수 없다.
② 기술의 발달과 안전은 관련이 없다.
③ 안전이란 위험성이 높은 상태를 의미한다.
④ 안전은 산업 사회 시기에 도입된 개념이다.
⑤ 안전사고는 한번 발생하면 재발의 위험이 낮다.

[02~03] 〈보기〉는 안전사고 예방법이다. 보기에 해당하는 것을 고르시오.

┤ 보기 ├
ㄱ. 욕실의 벽에는 손잡이 봉을 부탁한다.
ㄴ. 옥상 가장자리에 안전 펜스를 설치한다.
ㄷ. 학교 계단 끝에는 미끄럼 방지 처리를 한다.
ㄹ. 인화 물질이 있는 곳에는 화기 취급을 금지한다.
ㅁ. 자전거를 탈 때에는 안전 보호 장비를 착용한다.

02 〈보기〉 중에서 아래 원인과 관련된 것은?

• 가스 누설로 화재 발생
• 누전으로 전기 화재 발생
• 실험실에서 실험 재료의 연소로 화재 발생

① ㄱ   ② ㄴ   ③ ㄷ
④ ㄹ   ⑤ ㅁ

03 〈보기〉에서 넘어짐 사고와 관련된 것끼리 짝지어진 것은?

① ㄱ, ㄴ   ② ㄱ, ㄷ   ③ ㄴ, ㄷ
④ ㄴ, ㄹ   ⑤ ㄹ, ㅁ

04 가정 내에서 발생할 수 없는 안전사고는 무엇인가?

① 교통사고   ② 끼임 사고
③ 전기 사고   ④ 화재 사고
⑤ 떨어짐 사고

05 기술실 안전에 대한 설명으로 옳지 않은 것은?

① 안전사고에 주의하며 실습·실험에 임한다.
② 실습·실험 후에는 뒷정리 및 정리 정돈을 한다.
③ 불이나 휘발성 연료를 다룰 때의 주의할 점을 지도한다.
④ 안전사고 발생 시 수업 끝나고 치료를 받을 수 있도록 한다.
⑤ 기계, 도구 등의 정확한 사용 방법을 사전에 숙지 후 사용한다.

06 〈보기〉는 간이 소화기 만들기 과정이다. 분사 시에 화재를 괄호 안에 들어갈 물질은 무엇인가?

┤ 보기 ├
〈간이 소화기 만들기 과정〉
• 페트병에 물과 식초를 넣는다.
• 화장지에 베이킹파우더를 넣어 둘둘 만다.
• 화장지를 페트병 상당에 고정한다.
• 페트병을 흔들어 힘껏 누르면 분사된다.
• 베이킹파우더와 식초가 만나 ( )이/가 발생하여 불을 끈다.

① 산소   ② 수소   ③ 질소
④ 이산화황   ⑤ 이산화탄소

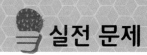
자주 출제되는 문제

01 인간의 필요와 욕구를 충족시키기 위해 자원의 형태를 변화시키는 수단이나 활동은?

① 기술　　　　② 산업
③ 자원　　　　④ 특허
⑤ 에너지

02 다음에서 설명하고 있는 기술의 특성은?

> • 생각한 것을 창의적인 결과물로 만든다.
> • 라이트 형제는 동력으로 비행할 수 있는 비행체를 설계하고 만들었다.

① 생산적　　　　② 실천적
③ 실용적　　　　④ 환경적
⑤ 모방적

03 〈보기〉는 기술의 종류를 나타낸 것이다. (가), (나), (다) 들어갈 기술이 바르게 연결된 것은?

> ┤ 보기 ├
> (가) 버스를 만드는 기술
> (나) 버스로 사람을 이동시키는 기술
> (다) 도로와 버스 정류장을 만드는 일

	(가)	(나)	(다)
①	제조 기술	건설 기술	수송 기술
②	제조 기술	수송 기술	건설 기술
③	건설 기술	제조 기술	수송 기술
④	건설 기술	수송 기술	제조 기술
⑤	수송 기술	제조 기술	건설 기술

04 산업 사회를 정보 사회로 변화시킨 가장 큰 계기는?

① 채취 기술　　　　② 쟁기 기술
③ 증기 기관 발명　　④ 정보 통신 기술
⑤ 사물 인터넷 기술

05 〈보기〉에서 설명하고 있는 사회는?

> ┤ 보기 ├
> • 홈 네트워크, 홈서비스 등으로 편리한 가정생활을 누릴 수 있게 되었다.
> • 언제나 가족 간의 연결이 가능하게 되었다.
> • 서로에게 의지하는 친구 같은 가족 관계로 변화하였다.

① 수렵 사회　　　　② 원시 사회
③ 농업 사회　　　　④ 정보 사회
⑤ 산업 사회

06 다음에서 설명하고 있는 미래 기술은?

> 유전자 분석을 통해 병의 원인을 규명하여, 알맞은 치료법을 제시하고, 줄기 세포를 통해 불치병을 고치게 될 것이다.

① 나노 의학 기술
② 맞춤형 치료 기술
③ 서비스 로봇 기술
④ 스마트 그리드 기술
⑤ 빅 데이터 분석 기술

07 3차원 디스플레이 기술에 대한 설명으로 옳은 것은?

① 에너지를 효율적으로 이용하는 기술이다.
② 모든 사물에 인터넷을 연결하는 기술이다.
③ 인체 정보를 이용하여 신원을 확인하는 기술이다.
④ 줄기 세포를 이용하여 불치병을 고치는 기술이다.
⑤ 세상을 더욱 생생하고 입체적으로 볼 수 있는 기술이다.

08 미래에 스마트한 사회를 위한 기술은?

① 무인 항공기 기술　② 서비스 로봇 기술
③ 빅 데이터 분석 기술　④ 스마트 그리드 기술
⑤ 사이버 헬스 케어 기술

틀리기 쉬운 문제

09 〈보기〉의 미래 기술로 이루어지게 될 미래 사회는?

┤ 보기 ├
• 신 • 재생 에너지의 이용으로 자원 고갈과 지구 온
난화 문제를 해결할 것이다.
• 효율적으로 전력의 생산과 소비가 가능하여 에너
지를 효율적으로 이용할 수 있게 될 것이다.

① 건강한 사회　② 안전한 사회
③ 편리한 사회　④ 스마트한 사회
⑤ 지속 가능한 사회

10 안전사고 유형 중 가정에서 일어나는 넘어짐 사고에 대한 예방 및 대처 방안으로 옳은 것은?

① 미끄럼 방지 장치를 설치한다.
② 안전망이나 보호 장치를 설치한다.
③ 문어발식 콘센트 연결을 하지 않는다.
④ 젖은 손으로 가전제품을 만지지 않는다.
⑤ 문의 모서리에 충격 흡수 장치를 설치한다.

11 안전사고 유형에 대한 예방 및 대처 방안으로 옳지 <u>않은</u> 것은?

① 욕실이나 화장실 – 미끄럼 방지 장치를 설치한다.
② 창문이나 베란다 – 안전망이나 보호 장치를 설치한다.
③ 전선 피복이 벗겨진 부분 – 문어발식 콘센트를 연결한다.
④ 학교 출입문 문의 모서리 – 충격 흡수 장치를 부착한다.
⑤ 누전으로 인한 화재 – 젖은 손으로 전선 만지지 않는다.

서술형 문제

12 가정이나 생활 주변에서 이용되고 있는 기술의 종류를 그 사례를 들어 서술하시오.

13 기술이 발달함이 직업 세계에 어떤 영향을 끼치는지 설명하시오.

14 미래의 기술이 우리 미래 사회를 어떻게 변화시킬지 서술하시오.

15 안전사고의 유형에 대하여 간단히 서술하시오.

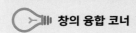
▶ 그림은 1910년 프랑스 예술가가 100년 후 미래 사회 모습을 그린 엽서이다. 현재 기술과 비교하여 대답해 보자.

(가) 하늘을 날아 배달하는 우편배달부

(나) 전기 청소기

1. (가)와 (나)의 그림에 관계가 있는 기술의 영역은 무엇인지 쓰시오.

2. (가)의 그림과 미래의 기술을 비교하여 서술해 보자.

3. (나)의 그림과 미래의 기술을 비교하여 서술해 보자.

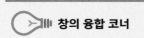

▶ 다음 글을 읽고, '초보 운전'을 표시하는 픽토그램을 만들어 보자.

초보 운전자란 처음 운전면허를 발급받은 날부터 2년이 지나지 않은 사람을 말한다. 초보운전자는 기본적인 차량 조작 이외의 기술과 경험이 부족하여 운전이 서툴고, 교통사고가 일어날 가능성이 높은 편이다. 그래서 초보운전자들은 도로 위에서 자신을 보호하고, 자신의 운전 실력을 알리고자 '초보 운전' 문구를 자동차 뒷유리 한쪽에 붙여 초보 운전자임을 알린다. 실제로는 '초보 운전' 문구 대신에 다양한 문구로 표현되어 쓰이고 있다. '어제 면허 땄어요', '저도 제가 두려워요', '당황하면 후진해요', '먼저 가, 난 이미 틀렸어' 등의 재치 있고 창의적인 문구는 웃음을 유발할 수 있지만, 초보 운전임을 다른 운전자들이 바로 파악하기가 어려울 수 있다. 그리고 '초보 운전'을 나타내는 문구가 주로 한글로 되어 있어 한글을 모르는 외국인 운전자에겐 아무런 정보를 제공할 수 없다. 따라서 '초보 운전'을 픽토그램으로 표시하면 의미를 빠르게 알 수 있고, 교통사고도 줄어들 것이다.

< 조건 >
1. 초보 운전임을 암시하는 그림으로 표현해야 한다.
2. 한눈에 알아볼 수 있도록 단순하게 표현해야 한다.
3. 한글이나 알파벳 등과 같은 문자 대신 그림으로 표현해야 한다.

아이디어 유추 과정		
1	2	3

픽토그램 그리기	픽토그램 의미

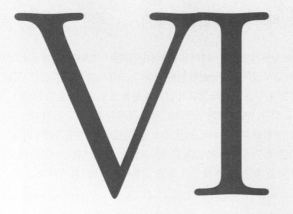

VI

기술적 문제 해결을
통한 혁신

이 단원의 성취 기준과 학습 요소

섹션	성취 기준	학습 요소
1. 기술적 문제 해결 과정	일상생활에서 사용되는 제품들이 기술적 문제 해결 과정을 통해 개발되고 발전하고 있음을 이해한다.	– 기술적 문제 해결 과정의 이해 – 기술적 문제 해결 과정의 예
2. 발명의 이해	발명의 개념과 특징을 이해하고, 발명이 사회 변화에 미친 영향을 설명한다.	– 발명의 개념과 특징 – 발명이 사회 변화에 끼친 영향
3. 특허의 이해	특허의 개념을 이해하고, 지식 재산권 침해 사례를 분석하고 발표한다.	– 특허의 개념 – 지식 재산권의 이해 – 지식 재산권의 분류 – 지식 재산권의 침해 사례
4. 생활 속 문제의 창의적 해결	생활 속 문제를 찾아 아이디어를 구상하고 확산적·수렴적 사고 기법을 활용하여 창의적으로 해결한다.	– 접이식 수납함 만들기
5. 표준의 이해	표준의 개념과 중요성을 알고 표준화의 영향을 분석하고, 평가한다.	– 표준의 개념과 중요성 – 표준화의 영향
6. 표준화의 창의적 문제 해결	표준화가 되지 않아 불편한 사례를 찾아 해결 방안을 탐색하고 실현하며 평가한다.	– 음식량을 조절하는 식판 모형 만들기

1. 기술적 문제 해결 과정의 이해

① 기술적 문제 해결 과정은 기술적 지식과 방법으로 문제를 실천적으로 해결하는 과정이다.

② 기술적 문제는 수학이나 과학 문제와는 달리 다양한 형태의 해결책이 나온다.

③ 기술적 문제 해결 과정은 창의성이 필요하며, 실천적이며 우리 실생활에 적용된다.

④ 기술적 문제 해결 과정은 문제 확인 → 아이디어 창출 → 아이디어 구체화 → 실행 → 평가 순으로 이루어진다.

ⓐ 문제 확인: 기술적 문제를 구체적으로 확인하는 단계이다.
- 개선하려는 대상의 특성인 구조, 모양, 색상, 성질, 용도 등을 나열한다.
- 사용할 때의 불편한 점이나 마음에 들지 않는 점 등을 나열한다.
- 문제 확인 기법으로 문제에 따른 원인을 찾아내는 방법과 '왜?'라는 질문을 하면서 문제의 원인을 찾아내는 방법 등이 있다.

ⓑ 아이디어 창출: 확인된 문제를 개선하기 위해 해결 방안을 찾는 단계이다.
- 문제를 확인하고 나서 문제를 해결하기 위해 정보를 수집하고 가능한 해결 방안을 찾아보는 단계이다.
- 문제 해결을 위해 확산적 사고 기법을 이용하여 여러 가지 아이디어를 내고, 수렴적 사고 기법을 통해 최적의 아이디어 한 가지를 선택한다.

ⓒ 아이디어 구체화: 선정한 아이디어를 다른 사람이 알아볼 수 있도록 표현하는 단계이다.
- 스케치하기: 스케치를 할 때는 입체적으로 높이, 너비, 길이 등을 표현하면 더욱 좋고, 이러한 스케치를 바탕으로 제품의 제작도를 그린다.
- 도면그리기: 물체를 나타내는 방법은 등각 투상도, 사투상도, 정투상도 등이 있다. 정투상법은 제품의 조립도, 부품도 등을 그릴 때 가장 많이 이용되며 제3각법으로 그리는 것을 원칙으로 한다.

ⓓ 실행: 구체화된 아이디어를 도면에 따라 제작 계획을 세워 시제품으로 만드는 단계이다.

- 시제품이란 제품을 제작하기 전에 시범적으로 만드는 제품으로, 시제품을 만들면 제품을 입체적으로 볼 수 있어 구상한 아이디어의 문제점이나 새로운 개선 방법을 발견할 수 있고, 이를 보완할 수 있다.
- 시제품을 만들 때에는 사용하는 재료의 특성과 공구의 사용법을 잘 이해하여 활용하도록 하고 안전에 유의해야 한다.

ⓔ 평가: 완성된 제품을 일정한 기준에 따라 평가하는 단계이다.
- 완성된 제품을 평가하고, 개선해야 할 문제점이 발견되면 다시 문제 해결 과정을 거쳐 수정하고 보완한다.
- 평가 결과에 따라 어떤 수정·보완이 필요한지 종합적으로 판단하여 후속 조치를 할 수 있어야 한다.

평가 항목	평가 내용
창의성	• 아이디어가 창의적인가? • 문제 해결 과정이 창의적인가?
실용성	• 일상생활에서 실제 사용이 가능한가? • 일상생활에서 사용할 때 기대되는 효과가 있는가?
경제성	• 저렴한 비용으로 만들 수 있는가? • 높은 가치를 낼 수 있는가?

2. 기술적 문제 해결 과정의 예

① 일상생활 속에서 많은 제품들이 기술적 문제 해결 과정을 통해 개발되고 발전하고 있다.

② 기술적 문제 해결 과정의 예

일반 제품	문제 확인	아이디어 창출	아이디어 구체화	실행	평가	아이디어 제품
콘센트	욕실 콘센트 감전 위험	콘센트 덮개	스케치 및 도면화	재료와 공구 준비, 제작	실용성, 경제성, 제작 가능성 등	욕실용 콘센트
자전거	여행지까지 자전거 이동	접이식 자전거				접이식 자전거

01 우리가 살아가서 부딪치는 다양한 문제들을 기술적 지식과 방법으로 실천적 해결을 하는 과정을 무엇이라고 하는지 쓰시오.

(   )

정답 기술적 문제 해결 과정

02 문제 확인 단계는 다양한 정보를 수집하고, 다양한 아이디어를 찾는 단계이다.

(O , X)

정답 X

03 확인된 문제를 개선하기 위한 해결 방안을 찾는 단계는?

① 평가하기   ② 실행하기
③ 문제 확인하기   ④ 아이디어 창출하기
⑤ 아이디어 구체화하기

정답 ④

04 아이디어 구체화에 대한 설명으로 옳은 것은?

① 문제를 확인하는 것이다.
② 아이디어를 표현하는 것이다.
③ 제품을 실제로 만드는 것이다.
④ 결과물의 품질을 높이는 것이다.
⑤ 다양한 정보를 수집하는 것이다.

정답 ②

05 도면은 선, 문자, 기호 등을 사용하여 정해진 규칙에 따라 자세하고 정확하게 표현하는 것이다.

(O , X)

정답 ○

06 다음에서 설명하는 기술적 문제 해결 과정 단계를 쓰시오.

> • 문제점이 발견되면 다시 문제 해결 과정을 거쳐 수정, 보안한다.
> • 최종 결과물의 품질을 높인다.

정답 평가

07 욕실용 콘센트는 욕실에서 가전제품을 사용할 때 물이 튀어 (   )이/가 일어나는 것을 막기 위해 덮개를 결합한 콘센트이다.

정답 감전

08 기술적 문제 해결 방법의 예에서 접이식 자전거를 실제로 만드는 단계를 쓰시오.

(   )

정답 실행 단계

01 〈보기〉에서 설명하는 기술적 문제 해결 과정은?

┌ 보기 ┐
- 문제 해결을 위한 다양한 정보를 수집한다.
- 창의적 사고 기법을 이용하여 다양한 아이디어를 낸다.
- 실용성, 경제성, 제작 가능성 등을 고려하여 최적의 아이디어를 선정한다.

① 문제 확인　　　　② 아이디어 창출
③ 아이디어 구체화　④ 실행
⑤ 평가

02 기술적 문제 해결 과정에서 문제 확인에 대한 설명으로 옳은 것은?

① 시제품을 만들어 문제점을 확인한다.
② 제품의 새로운 개선 방향을 찾아낸다.
③ 제품을 만들기 위한 도면을 작성한다.
④ 문제 해결을 위한 다양한 정보를 수집한다.
⑤ 개선하려는 대상의 특성과 불편한 점을 찾는다.

03 다음과 같은 과정을 거치는 기술적 문제 해결 과정은?

- 선정된 아이디어를 프리핸드로 스케치한다.
- 제품을 만들기 위한 도면을 작성한다.

① 문제 확인　　　　② 아이디어 창출
③ 아이디어 구체화　④ 실행
⑤ 평가

04 기술적 문제 해결 과정에서 실행에 대한 설명으로 옳은 것은?

① 기술적 문제를 구체적으로 확인하는 단계이다.
② 완성된 제품을 일정한 기준에 따라 평가하는 단계이다.
③ 확인된 문제를 개선하기 위해 해결 방안을 찾는 단계이다.
④ 선정한 아이디어를 다른 사람이 알아볼 수 있도록 표현하는 단계이다.
⑤ 구체화된 아이디어를 도면에 따라 제작 계획을 세워 제품을 실제로 만드는 단계이다.

05 다음에서 설명하는 것은?

선, 문자, 기호 등을 사용하여 정해진 규칙에 따라 자세하고 정확하게 표현하는 것이다.

① 도면　　　　② 스케치
③ 아이디어　　④ 수렴적 기법
⑤ 프리핸드

06 제품 평가 시 고려해야 할 사항으로만 짝지어진 것은?

① 실용성, 경제성　② 모방성, 경제성
③ 실용성, 모방성　④ 심미성, 모방성
⑤ 소비성, 환경성

07 일반 콘센트에 비해 욕실용 콘센트가 좋은점은?

① 플러그를 쉽게 끼울 수 있다.
② 모양이 아름답고 수명이 길다.
③ 물이 들어가는 것을 방지해 준다.
④ 먼지가 들어가는 것을 방지해 준다.
⑤ 쉽게 운반하거나 보관하기가 편리하다.

01 〈보기〉는 기술적 문제 해결 과정에 대한 설명이다. (가), (나)에 들어갈 단어가 바르게 연결된 것은?

┌─ 보기 ─
(가): 문제를 해결하기 위한 다양한 정보를 수집한다.
(나): 선정한 아이디어를 프리핸드로 스케치하고, 이를 바탕으로 제품을 만들기 위한 도면을 작성한다.
└─

	(가)	(나)
①	문제 확인	아이디어 창출
②	문제 확인	아이디어 구체화
③	아이디어 창출	아이디어 구체화
④	아이디어 구체화	아이디어 창출
⑤	실행	평가

02 아이디어 구체화에 대한 설명으로 옳은 것은?

① 도면에 따라 제작 계획을 세우고, 제품을 실제로 만든다.
② 사용할 때 불편한 점이나 개선하고자 하는 점 등을 나열한다.
③ 실용성, 경제성, 제작 가능성 등을 고려하여 최적의 아이디어를 선정한다.
④ 선정된 아이디어를 프리핸드로 스케치하고, 이를 바탕으로 제품을 만들기 위한 도면을 작성한다.
⑤ 완성된 제품을 평가하고, 개선해야 할 문제점이 발견되면 다시 문제 해결 과정을 거쳐 수정 보완한다.

03 아이디어 구체화 단계에서 하는 것은?

① 해결 방안 찾기
② 기술적 문제 찾기
③ 제품을 실제로 만들기
④ 결과물의 품질을 높이기
⑤ 선정한 아이디어 표현하기

중요
04 기술적 문제 해결 과정을 바르게 나열한 것은?

① 문제 확인 – 실행 – 아이디어 창출 – 아이디어 구체화
② 문제 확인 – 아이디어 창출 – 아이디어 구체화 – 실행
③ 문제 확인 – 아이디어 구체화 – 아이디어 창출 – 실행
④ 실행 – 문제 확인 – 아이디어 구체화 – 아이디어 창출
⑤ 아이디어 창출 – 문제 확인 – 아이디어 구체화 – 실행

[05~06] 〈보기〉는 기술적 문제 해결 과정에 대한 설명이다.

┌─ 보기 ─
(가) 기술적 지식과 방법으로 문제를 (㉠)(으)로 해결하는 과정이다.
(나) 다양한 아이디어를 생성한다.
(다) 최적의 아이디어를 선정한다.
(라) (㉡), 경제성, 제작 가능성을 고려한다.
└─

05 ㉠, ㉡에 들어갈 용어로 옳은 것은?

	㉠	㉡
①	실용성	실천적
②	실천적	실용성
③	생산성	실용성
④	창의성	실용성
⑤	경제성	실천적

06 (나), (다)에 해당하는 창의적 사고 기법은?

	(나)	(다)
①	확산적 사고	수렴적 사고
②	수렴적 사고	확산적 사고
③	마인드 맵	브레인스토밍
④	PMI 기법	확산적 사고
⑤	브레인라이팅	스캠퍼 기법

1. 발명의 개념과 특징

① **발명의 개념**: 지금까지 없었던 물건을 새로 만들거나 이미 있는 물건을 좀 더 편리하게 만드는 활동이다.

② **발명의 특징**

㉠ 기술을 발달시킨다. → 발명은 새로운 제품이나 기술을 만들어 내는 것이므로 해당 부분의 기술을 발달시킨다.(새로운 바퀴 – 수송기술 발달)

㉡ 경제적 이익을 주고, 국가 경쟁력도 길러준다. → 발명은 기업 생산 활동에 도움을 주며, 이로 인해 기업에 이익을 주며, 국가 경쟁력도 증가한다. (타이어 발명 – 산업 발달 국가 경쟁력 증가)

㉢ 문제 해결 능력을 길러준다. → 스스로 불편한 점들을 발견하고 발견된 문제를 해결하는 과정에서 문제 해결 능력이 향상된다.(나무 바퀴 – 타이어 바퀴)

㉣ 생활을 편리하게 해 준다. → 생활에서 겪는 문제를 해결해 주는 새로운 물건이 만들어져 이전보다 더욱 편리한 생활을 하게 해 준다.(바퀴의 발명 – 먼 곳 빠르고 편안하게 이동)

㉤ 창의력을 길러준다. → 발명은 단순한 모방이 아닌 새로운 것을 생각해 내는 것이므로 창의력이 향상된다.(새로운 형태의 바퀴)

③ **발견**

자연에 이미 존재하지만 아직 알려지지 않은 사물이나 현상, 사실, 과학적 원리 등을 찾아내는 것이다.

④ **발명과 발견의 관계**

발견과 발명의 관계는 서로 밀접한데 발견은 발명으로 이어지고, 다시 새로운 발견이 되는 과정 속에서 인류 문명은 발전하였다.(자석 원리 발견 → 나침반 발명 → 신대륙 발견 기여)

2. 발명이 사회 변화에 미친 영향

발명품	발명 시기	영향
엘리베이터	1852년, 미국의 오티스	고층 빌딩 건설이 가능해졌다.
비행기	1903년, 미국의 라이트 형제	전 세계를 빠르고 안전하게 이동할 수 있게 되었다.
텔레비전	1924년, 스코틀랜드 존 로지 베어드	지구촌 구석구석까지 전파보낼 수 있게 되었다.
전기세탁기	1908년, 미국 알바 피셔	가사 부담을 획기적으로 덜어주어 여성이 사회 진출에 영향을 주었다.
나일론	1938년, 화학자 캐러더스	섬유, 패션, 의료, 공업 분야 등에 널리 활용되었다.
페니실린	1928년, 스코틀랜드의 알렉산더 플레밍	인류는 수많은 질병으로부터 해방되었다.
컴퓨터	1946년, 미국의 에커트와 모클리가 에니악 발명	모든 분야에 컴퓨터를 활용되고 있다.
인터넷	1969년, 미국 국방부	전 인류가 하나로 연결되어 다양한 정보 서로 주고받고 있다.
스마트폰	1992년에 개발된 I BM사의 '사이먼'으로 추정	일상생활의 다양한 분야에서 활용되고 있다.

3. 쉽고 재미있는 발명 기법

① **더하기 기법**: 기존의 물건에 물건이나 기능 및 내용을 더하여 새로운 물건이 되도록 하는 기법이다.

예 렌즈+렌즈 → 망원경, 신발+바퀴 → 인라인스케이트, 연필+지우개 → 지우개 달린 연필

② **빼기 기법**: 기존의 물건에서 물건을 덜어 내거나 기능 또는 내용을 빼내어 새로운 물건이 되도록 하는 기법이다.

예 유선전화기 선 → 무선 전화기, 의자 — 다리 → 좌식 의자, 일반 주스 — 설탕 → 무가당 주스, 카메라—필름 → 디지털카메라

③ **모양 바꾸기**: 물건의 일부 또는 전체의 모양을 변형시켜 새로운 물건을 만드는 발명 기법이다.

예 일자형 빨대 → 구부러진 빨대, 일자형 물파스 → 구부러진 물파스

④ **크기 바꾸기**: 물건의 크기를 바꾸어 새로운 것을 만들어 내는 발명 기법이다.

예 CRT TV → LCD, LED, OLED TV, 커다란 다리미 → 미니 다리미,

⑤ **남의 아이디어 빌리기**: 다른 사람이 해 놓은 발명품을 유심히 살펴보면 더 좋은 효과를 낼 수 있는 방법이다.

예 파리 끈끈이를 바퀴벌레 끈끈이로 제조

⑥ **반대로 생각하기**: 현재 사용하고 있는 물건의 모양, 색, 방향, 성질 등을 반대로 생각하거나 거꾸로 하여 새로운 것을 만드는 발명 기법으로 역발상 기법이라고도 한다.

예 일반 화장품 용기 → 거꾸로 세우는 화장품, 장갑 → 발가락 양말 등

01 지금까지 없었던 물건을 새로 만들거나 이미 있는 물건을 좀 더 편리하게 만드는 활동을 무엇이라고 하는지 쓰시오.

(   )

정답 발명

02 창의적인 아이디어를 내기 위해서는 기존에 생각했던 고정 관념을 깨는 것이 중요하다.

(O . X)

정답 ○

03 발명의 특징으로 옳지 <u>않은</u> 것은?

① 창의력을 길러준다.
② 생활을 편리하게 해준다.
③ 문제 해결 능력을 길러준다.
④ 단순한 모방으로도 창의력이 길러진다.
⑤ 경제적 이익을 주고, 국가 경쟁력을 길러준다.

정답 ④

04 발명에 해당하는 것은?

① DNA   ② 나침반   ③ 신대륙
④ 자석의 원리   ⑤ 작용과 반작용의 법칙

정답 ②

05 나침반의 발견은 자석의 원리를 발명하여 미지의 땅을 발견하는 데 도움을 주었다.

(O . X)

정답 X

06 다음에서 설명하는 개념은 무엇인지 쓰시오.

> • 인간의 관찰에 의해 이루어진다.
> • 아직 알려지지 않은 것을 찾는 것이다.
> • 발명과 밀접한 관계가 있다.

(   )

정답 발견

07 7세기 중국에서 화약의 발명은 중세 유럽에서의 (   )의 발명을 가져왔다.

정답 총

08 다음에서 설명하는 발명품이 무엇인지 쓰시오.

> • 낙하 장치를 발명하여 안정성을 높였다.
> • 건설 기술에서 고층 빌딩이 가능하게 하였다.

정답 엘리베이터

09 1903년 미국의 라이트 형제는 그들이 발명한 열기구 비행기로 세계 최초로 하늘을 비행하는 데 성공하였다.

(O , X)

정답 ×

10 가사 부담을 획기적으로 덜어 주어 여성이 사회 진출을 하는 데 영향을 준 발명품은?

① 나일론   ② 컴퓨터   ③ 백열전구
④ 텔레비전   ⑤ 전기세탁기

정답 ⑤

11 더하기 발명 기법에 해당하는 것은?

① 구부러지는 빨대   ② 볕가림 모자
③ 날개 없는 선풍기   ④ 지우개 달린 연필
⑤ 거꾸로 세우는 화장품 용기

정답 ④

12 인터넷을 통해 전 인류가 하나로 연결되어 다양한 정보를 서로 주고받을 수 있게 되었다.

(O , X)

정답 ○

13 다음에서 설명하는 발명 기법은 무엇인지 쓰시오.

> • 고정 관념을 깰 수 있다.
> • 역발상 기법이라고도 한다.
> • 다양한 분야에서 활용할 수 있다.
> • 누드 김밥, 발가락 양말, 거꾸로 세우는 화장품 등이 예이다.

정답 반대로 생각하기 기법

14 구부러지는 빨대는 (   ) 기법을 이용한 발명품이다.

정답 모양 바꾸기

01 〈보기〉는 발명에 대한 설명이다. 옳은 것을 <u>모두</u> 고른 것은?

┤ 보기 ├
ㄱ. 문제 해결 능력을 길러준다.
ㄴ. 고정 관념을 지키는 것이 매우 중요하다.
ㄷ. 인간의 창의적인 노력에 의해 이루어진다.
ㄹ. 지금까지 없었던 물건을 새로 만드는 것이다.
ㅁ. 아직 알려지지 않은 사물이나 현상을 찾는 것이다.

① ㄱ, ㄴ, ㄷ
② ㄱ, ㄴ, ㄹ
③ ㄱ, ㄷ, ㄹ
④ ㄴ, ㄹ, ㅁ
⑤ ㄷ, ㄹ, ㅁ

02 다음에서 설명하고 있는 발명의 특징은?

바퀴의 발명으로 인간은 먼 곳을 빠르게 이동할 수 있게 되었다.

① 창의력을 길러준다.
② 기술을 발달시킨다.
③ 생활을 편리하게 해 준다.
④ 문제 해결 능력을 길러준다.
⑤ 경제적 이익을 주고, 경쟁력도 길러준다.

03 발명과 발견에 대한 설명으로 옳은 것은?

① 발명은 발견 후에만 가능하다.
② 발견은 새롭게 물건을 만드는 활동이다.
③ 자석의 원리를 알아낸 것은 발명의 영향이다.
④ 발명은 기술보다 과학적 영역에 더 관련이 깊다.
⑤ 발명은 인간의 창의적인 노력에 의해 이루어진다.

04 발견에 해당하는 것은?

① 로켓
② 전기
③ 피뢰침
④ 나침반
⑤ 허블 우주 망원경

05 다음 중 자석의 원리가 발견되어 발명된 것은?

① 총
② 피뢰침
③ 신대륙
④ 나침반
⑤ 망원경

06 다음과 같은 발명의 특징에 해당하는 것은?

발명은 창의력을 길러준다.

① 새로운 형태의 바퀴를 구상한다.
② 바퀴의 발명으로 기술이 발달한다.
③ 타이어의 발명으로 경제적 이익을 얻는다.
④ 바퀴의 발명으로 먼 곳을 빠르게 이동한다.
⑤ 타이어의 불편한 점을 해결하는 과정을 거친다.

07 〈보기〉는 발명과 발견에 대한 설명이다. (가), (나) 들어갈 단어가 바르게 연결된 것은?

┤ 보기 ├
• 뉴턴은 (가)을/를 발견하였다.
• 프랜시스 베이컨은 (가)을/를 이용하여 (나)을/를 발명하였다.

	(가)	(나)
①	전기	피뢰침
②	화약	총
③	작용과 반작용 법칙	로켓
④	허블의 우주 망원경	은하
⑤	자석의 원리	나침반

08 발견과 발명 관계가 옳게 연결된 것은?

① 화약 – 총
② 은하 – 로켓
③ 로켓 – 전기
④ 나침반 – 피뢰침
⑤ 전기 – 허블 우주 망원경

09 엘리베이터 발명이 우리 사회에 미친 영향은?

① 고층 빌딩이 많아지게 되었다.
② 수많은 질병으로부터 해방되었다.
③ 다양한 정보를 서로 주고받게 되었다.
④ 가사 부담을 획기적으로 덜어 주었다.
⑤ 지구촌 구석구석까지 전파를 보내게 되었다.

10 〈보기〉는 발명이 사회 변화에 미친 영향을 나타낸 것이다. (가), (나) 들어갈 발명품을 바르게 연결된 것은?

┤ 보기 ├
(가): 인류는 수많은 질병으로부터 해방되었다.
(나): 인터넷 검색, 은행 업무, 소셜 네트워크 서비스, 방송, 영상 통화, 게임 등 일상생활의 다양한 분야에서 활용되고 있다.

    (가)   (나)
① 비행기   텔레비전
② 나일론   엘리베이터
③ 인터넷   전기세탁기
④ 페니실린   스마트폰
⑤ 텔레비전   인공 지능

11 나일론 발명에 대한 설명으로 옳은 것은?

① 캐러더스가 만든 최초의 합성 섬유이다.
② 인류를 수많은 질병으로부터 해방시켰다.
③ 미국의 라이트 형제가 최초로 발명하였다.
④ 전 세계를 빠르고 안전하게 이동하게 되었다.
⑤ 여성들이 사회 진출을 하는데 큰 영향을 주었다.

12 1969년 미국 국방부가 군사 통신망을 안전하게 유지하기 위해 만든 것은?

① 비행기   ② 인터넷
③ 컴퓨터   ④ 스마트폰
⑤ 엘리베이터

13 〈보기〉에서 설명하고 있는 발명 기법은?

┤ 보기 ├
• 본래의 기능이 더욱 우수해진다.
• 새로운 용도로 물건이 만들어진다.
• 인라인스케이트, 지우개 달린 연필이 그 예이다.

① 빼기 기법   ② 더하기 기법
③ 용도 바꾸기 기법 ④ 크기 바꾸기 기법
⑤ 반대로 생각하기 기법

14 물건의 일부 또는 전체의 모양을 변형시켜 새로운 물건을 만드는 발명 기법으로 만들어진 것은?

① 무선 전화기   ② 무가당 주스
③ 구부러지는 빨대 ④ 인라인스케이트
⑤ 날개 없는 선풍기

15 다음에서 설명하는 발병 기법으로 만들어진 것은?

• 물건의 크기, 두께, 길이, 무게 등을 조절하여 새로운 물건을 만드는 발명 기법이다.
• 부피를 줄여 자리를 덜 차지할 수 있다.

① 접는 우산   ② 날개 없는 선풍기
③ 구부러지는 빨대 ④ 지우개 달린 연필
⑤ 거꾸로 세우는 화장품 용기

16 필요에 따라 물건의 구성이나 기능 중 일부를 제거하여 보다 간단하고 편리하며 재료를 절약할 수 있는 발명 기법은?

① 빼기 발명 기법
② 더하기 발명 기법
③ 모양 바꾸기 발명 기법
④ 재료 바꾸기 발명 기법
⑤ 남의 아이디어 빌리기 발명 기법

중요

01 〈보기〉는 바퀴의 발명 과정을 나타낸 것이다. 바르게 연결한 것은?

> **보기**
>
> 가. 나무를 깎아 만든 바퀴
> 나. 바큇살이 있는 바퀴
> 다. 공기 튜브가 없는 타이어 바퀴
> 라. 나무판을 이어 붙여 만든 바퀴
> 마. 바큇살이 있고 공기 튜브로 만든 바퀴

① 가 – 나 – 다 – 라 – 마
② 가 – 다 – 라 – 마 – 나
③ 가 – 라 – 나 – 마 – 다
④ 가 – 마 – 나 – 다 – 라
⑤ 가 – 다 – 나 – 라 – 마

[02~03] 다음 글은 발명에 대한 설명이다.

> 발명을 잘하려면 일상생활에서 불편한 점을 해결하기 위한 창의적인 (가)이/가 필요한데, 이를 내기 위해서는 기존에 생각했던 (나)을/를 깨는 것이 중요하다.

02 (가), (나)에 들어갈 용어를 바르게 연결한 것은?

	(가)	(나)
①	노력	아이디어
②	상상력	아이디어
③	상상력	고정 관념
④	아이디어	고정 관념
⑤	아이디어	관찰 능력

03 위 글의 과정에 의해 만들어진 것은?

① 금　　　　② DNA
③ 나침반　　④ 신대륙
⑤ 만유인력

중요

04 〈보기〉는 발견에 대한 설명이다. 옳은 것을 <u>모두</u> 고르면 것은?

> **보기**
>
> 가. 인간의 관찰에 의해 이루어진다.
> 나. 인간의 창의적인 노력에 의해 이루어진다.
> 다. 자석의 원리를 알아낸 것은 발견에 속한다.
> 라. 나침반을 만든 것은 발견에 속한다.

① 가, 나　　② 가, 다　　③ 가, 라
④ 나, 다　　⑤ 나, 라

05 다음 글에서 설명하고 있는 것에 해당하는 것은?

> 자연에 이미 존재하지만 아직 알려지지 않은 사물이나 현상, 사실, 과학적 원리 등을 찾아내는 것으로, 인간의 관찰에 의해 이루어진다.

① 컴퓨터　　　　　② 자동차
③ LED 텔레비전　④ 자석의 원리
⑤ 허블의 우주 망원경

06 발명과 발견의 관계에 대한 설명을 옳은 것은?

① 뉴턴은 나침반을 발명하였다.
② 벤자민 플랭클린은 피뢰침을 발명하였다.
③ 7세기 중국은 화약을 발명하여 총을 만들었다.
④ 작용과 반작용의 법칙을 이용하여 총을 만들었다.
⑤ 허블 우주 망원경의 발견은 은하를 찾아내게 했다.

07 전기를 발견에 도움을 준 발명품은?

① 총　　　　② 로켓
③ 나침반　　④ 피뢰침
⑤ 엘리베이터

08 〈보기〉에서 설명하고 있는 발명품은?

┤ 보기 ├
- 1908년 미국의 알바 피셔가 발명하였다.
- 가사 부담을 획기적으로 덜어주었다.
- 여성이 사회 진출을 하는 데 영향을 주었다.

① 엘리베이터　　　　② 전기냉장고
③ 전기세탁기　　　　④ 텔레비전
⑤ 자율 주행 자동차

09 비행기의 발명이 사회의 변화에 미친 영향은?

① 윤택한 가정생활이 가능해졌다.
② 빠르고 안전하게 이동할 수 있게 되었다.
③ 쾌적한 공간에서 편안하게 생활하게 되었다.
④ 질병을 예방하고 수명을 더 연장하게 되었다.
⑤ 신속하고 정확하게 정보를 주고받을 수 있게 되었다.

10 다음 글에서 설명하고 있는 것의 영향에 해당하는 것은?

1969년, 미국 국방부가 구소련의 핵 공격에도 군사 통신망을 안전하게 유지하기 위해 만들었다.

① 고층 빌딩이 많아지게 되었다.
② 빠르고 안전하게 이동할 수 있게 되었다.
③ 인류는 수많은 질병으로부터 해방되었다.
④ 여성이 사회 진출을 하는 데 영향을 주었다.
⑤ 다양한 정보를 서로 주고받을 수 있게 되었다.

중요

11 미국의 에커트와 모클리가 발명한 것은?

① 컴퓨터　　　　② 나일론
③ 인터넷　　　　④ 스마트폰
⑤ 텔레비전

12 〈보기〉는 발명 기법에 대한 설명이다. (가), (나) 들어갈 발명 기법이 바르게 연결된 것은?

┤ 보기 ├
(가): 기존의 물건에 물건이나 기능 및 내용을 추가하여 새로운 물건이 되도록 하는 것으로 가장 쉽고, 많이 사용한다.
(나): 역발상 기법이라고도 하며, 고정관념을 깰 수 있어 다양한 분야에 활용할 수 있다.

　　　(가)　　　　　　　(나)
① 빼기 기법　　　　　더하기 기법
② 더하기 기법　　　　빼기 기법
③ 빼기 기법　　　　　모양 바꾸기 기법
④ 더하기 기법　　　　반대로 생각하기 기법
⑤ 모양 바꾸기 기법　　반대로 생각하기 기법

13 빼기 발명 기법에 의해 만들어진 발명품은?

① 볕가림 모자
② 구부러지는 빨대
③ 날개 없는 선풍기
④ 지우개 달린 연필
⑤ 거꾸로 세우는 화장품 용기

14 다른 사람이 발명한 것을 보고 아이디어를 얻어 새로운 물건을 만드는 기법의 예로 적합한 것은?

① 우산 → 접는 우산
② 선글라스 → 볕가림 모자
③ 빨대 → 구부러지는 빨대
④ 선풍기 → 날개 없는 선풍기
⑤ 연필과 지우개 → 지우개 달린 연필

15 기본적인 발명 기법으로 보기 어려운 것은?

① 빼기 기법　　　　② 더하기 기법
③ 곱하기 기법　　　④ 모양 바꾸기 기법
⑤ 반대로 생각하기 기법

1. 특허의 개념

① **특허**: 발명자가 정해진 기간 동안 침해를 받지 않도록 발명을 인정해 주는 것이다.

② **특허의 조건**

㉠ 자연법칙을 이용한 기술적 창작이어야 한다.

실현 가능성이 없는 것을 특허로 인정받을 수 없다

㉡ 지금까지 없었던 새로운 것이어야 한다.

이미 발명한 것을 모방한 것은 새로운 것이 아니므로, 특허로 인정받을 수 없다.

㉢ 산업적으로 이용 가능한 발명이어야 한다.

치료나 수술 방법 등은 인간의 생명 유지에 특별히 필요한 것으로, 공공의 이익을 위한 것이며 산업적으로 이용할 수 없는 발명이므로 특허의 대상이 될 수 없다.

㉣ 쉽게 생각해 내기 어려운, 진보된 것이어야 한다.

현재 발명된 것보다 기술적으로 발전된 것이어야만 특허로 인정받을 수 있다.

2. 지식 재산권의 이해

① **지식 재산권**: 인간의 창작 활동에 의한 지적 창작물에 부여하는 권리이다.

② **지식 재산권의 종류**

㉠ 산업 재산권: 생활과 산업에 관련된 발명이나 디자인, 상표 등에 부여하는 권리이다.

• 특허권: 기술적 창작인 원천·핵심 기술, 물건 및 방법에 관한 새롭고 수준 높은 발명에 부여하는 권리이다.

• 실용신안권: 이미 발명된 것을 개량해서 보다 편리하고 유용하게 하는 발명에 부여하는 권리이다.

• 디자인권: 심미감을 느낄 수 있는 물품의 모양, 색채를 아름답게 하는 것에 부여하는 권리이다.

• 상표권: 다른 상품과 구별할 수 있는 기호·문자·도형 등이 표지인 상표에 부여하는 권리이다.

㉡ 저작권: 문화 예술 분야의 창작물에 부여하는 권리이다.

• 협의의 저작권: 저작자의 재산적 이익을 보호하고자 하는 권리이다.(복제권, 공연권, 공중 송신권, 전시권, 배포권, 대여권, 2차적 저작물 작성권)

• 저작 인격권: 저작물에 구현되는 저작자의 인격적 이익을 보호하기 위한 권리이다.(공표권, 성명 표시권, 동일성 유지권)

• 저작 인접권: 실연자, 음반 제작가, 방송 사업자 등에 부여하는 권리이다.

㉢ 신지식 재산권: 산업 재산권과 저작권만으로 보호할 수 없는 영역을 보호하는 권리이다.

• 첨단 산업 재산권: 반도체 집적 회로 배치 설계, 생명 공학, 식물 신품종 등이 있다.

• 산업 저작권: 컴퓨터 프로그램과 인공 지능 등에 부여하는 권리이다.

• 정보 재산권: 데이터베이스권, 뉴미디어권 등이 있다.

• 기타: 캐릭터, 입체 상표 등에 부여하는 권리와 퍼블리시티권 등이 있다.

3. 지식 재산권의 침해 사례

① **상표권 침해**

간판과 포장지에 유명 브랜드의 상표와 유사한 마크를 사용하여 상표가 갖는 식별력이나 명성을 손상하는 행위는 상표권 침해에 해당한다.

② **저작권 침해**

영화는 영상 저작물로서 저작자의 허락 없이 불법으로 내려받아 이용하고, 불특정 다수에게 전파하는 행위는 저작권 침해에 해당한다.

③ **퍼블리시티권 침해**

유명인이 자신의 성명이나 초상을 상품의 광고에 이용하는 것을 허락하는 권리를 퍼블리시티권이라 하는데, 이는 신지식 재산권으로 보호받을 수 있다.

④ **디자인권 침해**

물품의 모양, 색채 등을 비슷하게 모방하는 경우, 산업 재산권 중에서 디자인권 침해에 해당한다.

01 발명가가 정해진 기간 동안 침해를 받지 않도록 발명가를 인정해 주는 것을 무엇이라고 하는지 쓰시오.

(   )

정답 특허

02 발명가의 노력을 통해 만들어진 발명품이 허락 없이 다른 사람에 의해 사용된다면 발명가는 큰 피해를 보게 된다.

(O , X)

정답 ○

03 특허의 조건으로 옳지 않은 것은?

① 지금까지 없었던 새로운 것이어야 한다.
② 산업적으로 이용 가능한 것이어야 한다.
③ 공공질서를 해치지 않는 것이어야 한다.
④ 누구나 쉽게 생각할 수 있는 것이어야 한다.
⑤ 자연법칙을 이용한 기술적 창작이어야 한다.

정답 ④

04 다른 상품과 구별되게 하는 표지에 해당하는 것은?

① 특허권   ② 상표권   ③ 저작권
④ 실용신안권   ⑤ 퍼블리시티권

정답 ②

05 산업 재산권은 문화예술 분야의 창작물에 부여하는 권리이다.

(O , X)

정답 X

06 다음에서 설명하는 지식 재산권을 쓰시오.

- 산업 재산권에 속한다.
- 물건 및 방법에 관한 새롭고 수준 높은 발명에 부여하는 권리이다.
- 출원일로부터 20년간 보호받는다.

정답 특허권

07 저작권의 보호 기간은 저자가 죽은 후 (   )년간 보호를 받는다..

정답 70

08 인간의 창작 활동에 의한 지적 창작물에 부여하는 권리를 무엇이라 하는지 쓰시오.

(   )

정답 지식 재산권

09 신지식 재산권은 산업 재산권과 저작권만으로 보호할 수 없는 영역을 보호하는 권리이다.

(O , X)

정답 ○

10 컴퓨터 프로그램과 인공 지능 등에 부여하는 신지식 재산권은?

① 특허권   ② 상표권   ③ 정보 재산권
④ 저작 인접권   ⑤ 산업 저작권

정답 ⑤

11 저작권에 속하는 것은?

① 특허권   ② 실용신안권   ③ 산업 저작권
④ 저작 인접권   ⑤ 첨단 산업 재산권

정답 ④

12 인간의 사상 또는 감정의 창작적 표현물이라도 무엇이든 저작물로 보호받을 수 있는 것은 아니다.

(O , X)

정답 X

13 다음 대화는 지식 재산권 중에서 어떤 권리의 침해인지 쓰시오.

> 철수: 이런, 내가 아는 빵집이 아니었네! 가게 이름이 빨리바케트였군!
> 영희: 그러게, 이름뿐만 아니라 상표 모양이나 포장지도 거의 똑같아!
> 철수: 이래도 괜찮은 걸까?

정답 상표권 침해

14 물품의 모양, 색채 등을 비슷하게 모방하는 경우, 산업 재산권 중에서 (   ) 침해에 해당한다.

정답 디자인권

01 〈보기〉는 특허의 조건에 대한 설명이다. 옳은 것을 모두 고른 것은?

| 보기 |
ㄱ. 지금까지 없었던 새로운 것이어야 한다.
ㄴ. 산업적으로 이용 가능한 발명이어야 한다.
ㄷ. 자연법칙을 이용한 기술적 창작이어야 한다.
ㄹ. 누구나 쉽게 생각할 수 있는 것이어야 한다.
ㅁ. 풍속을 해치더라도 기발한 발명이면 가능하다.

① ㄱ, ㄴ, ㄷ   ② ㄱ, ㄴ, ㄹ
③ ㄱ, ㄷ, ㄹ   ④ ㄴ, ㄹ, ㅁ
⑤ ㄷ, ㄹ, ㅁ

02 다음 대화에서 설명하고 있는 특허의 조건은?

A: UFO와 같이 중력을 따르지 않는 비행 물체를 특허 출원할 거야!
B: 그게 가능할까?

① 지금까지 없었던 새로운 것이어야 한다.
② 산업적으로 이용 가능한 발명이어야 한다.
③ 자연법칙을 이용한 기술적 창작이어야 한다.
④ 쉽게 생각해 내기 어려운, 진보된 것이어야 한다.
⑤ 공공질서를 해치거나 풍속을 해치지 않아야 한다.

03 특허에 대한 설명으로 옳은 것은?

① 발명가가 정해진 기간 동안 침해를 받지 않도록 발명을 인정해 주는 것이다.
② 인간의 필요와 욕구를 충족시키기 위해 자원의 형태를 변화시키는 수단이나 활동이다.
③ 지금까지 없었던 물건을 새로 만들거나 이미 있는 물건을 좀 더 편리하게 만드는 활동이다.
④ 기존의 물건을 좀 더 편리하고 실용적인 방법으로 아이디어를 낼 수 있도록 도와주는 방법이다.
⑤ 자연에 이미 존재하지만 아직 알려지지 않은 사물이나 현상, 사실, 과학적 원리 등을 찾아내는 것이다.

04 생활과 산업에 관련된 발명이나 디자인, 상표 등에 부여하는 권리는?

① 저작권   ② 정보 재산권
③ 산업 저작권   ④ 산업 재산권
⑤ 정보 재산권

05 실용신안권에 대한 설명으로 옳은 것은?

① 기술적 창작인 원천·핵심 기술, 물건 및 방법에 관한 새롭고 수준 높은 발명에 부여하는 권리이다.
② 이미 발명된 것을 개량해서 보다 편리하고 유용하게 하는 발명에 부여하는 권리이다.
③ 심미감을 느낄 수 있는 물품의 모양, 색채를 아름답게 하는 것에 부여하는 권리이다.
④ 다른 상품과 구별할 수 있는 기호·문자·도형 등이 표지인 상표에 부여하는 권리이다.
⑤ 실연가, 음반 제작자, 방송 사업자 등 문화 예술 분야의 창작물에 부여하는 권리이다.

06 〈보기〉는 지식 재산권에 대한 설명이다. (가), (나) 들어갈 단어가 바르게 연결된 것은?

| 보기 |
(가): 컴퓨터 프로그램과 인공 지능 등에 부여하는 권리이다.
(나): 유명인이 자신의 성명이나 초상을 상품의 광고에 이용하는 것을 허락하는 권리이다.

	(가)	(나)
①	상표권	저작권
②	실용신안권	저작 인접권
③	산업 저작권	퍼블리시티권
④	정보 재산권	데이터베이스권
⑤	협의의 저작권	첨단 산업 재산권

07 저작권에 대한 설명으로 옳은 것은?

① 문화 예술 분야의 창작물에 부여하는 권리이다.
② 컴퓨터 프로그램과 인공 지능 등에 부여하는 권리이다.
③ 물품의 모양, 색채를 아름답게 하는 것에 부여하는 권리이다.
④ 이미 발명된 것을 개량해서 보다 편리하고 유용하게 하는 발명에 부여하는 권리이다.
⑤ 반도체, 집적회로 배치 설계권, 생명 공학 기술권 등이 있다.

08 〈보기〉의 대화에 해당하는 지식 재산권 침해 사례는?

① 상표권 침해
② 저작권 침해
③ 디자인권 침해
④ 퍼블리시티권 침해
⑤ 입체 상표권 침해

09 산업 저작권에 대한 설명으로 옳은 것은?

① 데이터베이스권, 뉴 미디어권 등이 있다.
② 캐릭터와 입체 상표 등에 부여하는 권리이다.
③ 컴퓨터 프로그램과 인공 지능 등에 부여하는 권리이다.
④ 문화, 예술적 창작물 등에 부여하는 권리이다.
⑤ 집적회로 배치 설계권, 생명 공학기술권 등이 있다.

10 〈보기〉에서 설명하고 있는 지식 재산권은?

┤ 보기 ├
• 문화 예술 분야의 창작물에 부여하는 권리이다.
• 실연가, 음반 제작가, 방송 사업자 등에 부여하는 권리이다.

① 디자인권
② 실용신안권
③ 저작 인접권
④ 산업 저작권
⑤ 입체 상표권

11 신지식 재산권에 해당하는 것은?

① 특허권
② 디자인권
③ 정보 재산권
④ 실용 신안권
⑤ 저작 인접권

12 〈보기〉의 대화에 해당하는 지식 재산권 침해 사례는?

① 상표권 침해
② 저작권 침해
③ 디자인권 침해
④ 퍼블리시티권 침해
⑤ 입체 상표 침해

적용 문제

중요

01 특허에 대한 설명으로 옳지 않은 것은?
① 발명가에게나 국가에 경제적 이익을 가져올 수 있다.
② 정해진 기간 동안 권리를 특별히 인정해 주는 것이다.
③ 우리나라는 특허청에서 특허권 증서를 발급해 준다.
④ 특허는 산업적으로 이용 가능한 발명이어야 한다.
⑤ 실현 가능성이 없는 것은 특허로 인정받을 수 있다.

[02~03] 다음 글은 특허의 조건에 대한 설명이다.

> 특허를 받기 위해서는 ㉠자연법칙을 이용한 창작이
> 어야 하며, (가)(으)로 이용 가능한 발명이어야
> 한다. 또한, 지금까지 없었던 새로운 것이어야 하
> 며, 쉽게 생각해 내기 어려운 (나)된 것이어야
> 한다.

02 (가), (나)에 들어갈 용어를 바르게 연결한 것은?

	(가)	(나)
①	기술적	발전
②	일반적	창조
③	제한적	모방
④	산업적	진보
⑤	보편적	출원

03 밑줄 친 ㉠에 대한 설명으로 옳은 것은?
① 실현 가능성이 없는 것은 특허로 인정받을 수 없다.
② 이미 발명한 것을 모방한 것은 새로운 것이 아니므로 특허로 인정받을 수 없다.
③ 현재 발명된 것보다 기술적으로 발전된 것이어야 특허로 인정받을 수 있다.
④ 치료나 수술 방법 등은 인간의 생명 유지에 특별히 필요한 것이므로 특허의 대상이 될 수 없다.
⑤ 위조 지폐기처럼 공공질서를 해치거나 마약같이 풍속을 해치는 것은 발명에 해당하지 않는다.

중요

04 〈보기〉는 산업 재산권에 대한 설명이다. 옳은 것을 모두 고르면 것은?

> ┤ 보기 ├
> 가. 물건 및 방법에 관한 새롭고 수준 높은 발명에 부여하는 권리이다.
> 나. 문화, 예술적 창작물에 부여하는 권리이다.
> 다. 물품의 모양, 색채를 아름답게 하는 것에 부여하는 권리이다.
> 라. 컴퓨터 프로그램과 인공 지능 등에 부여하는 권리이다.

① 가, 나   ② 가, 다   ③ 가, 라
④ 나, 다   ⑤ 나, 라

05 다음에서 설명하고 있는 지식 재산권은?

> • 생활과 산업에 관련된 발명이나 디자인, 상표 등에 부여하는 권리이다.
> • 이미 발명된 것을 개량해서 보다 편리하고 유용하게 하는 발명에 부여하는 권리이다.

① 특허권   ② 디자인권
③ 실용신안권   ④ 저작 인접권
⑤ 산업 저작권

06 퍼블리시티권에 대한 설명으로 옳은 것은?
① 컴퓨터 프로그램과 인공 지능 등에 부여하는 권리이다.
② 물건 및 방법에 관한 새롭고 수준 높은 발명에 부여하는 권리이다.
③ 입체 모양이나 상태 또는 입체 모양에 기호 문자 등이 결합된 상표를 말한다.
④ 이미 발명된 것을 개량해서 보다 편리하고 유용하게 하는 발명에 부여하는 권리이다.
⑤ 유명인이 자신의 성명이나 초상을 상품의 광고에 이용하는 것을 허락하는 권리이다.

07 그림은 어떤 특허의 조건을 만족하지 못하는가?

① 지금까지 없었던 새로운 것이어야 한다.
② 산업적으로 이용 가능한 발명이어야 한다.
③ 자연법칙을 이용한 기술적 창작이어야 한다.
④ 쉽게 생각해 내기 어려운 진보된 것이어야 한다.
⑤ 공공질서나 풍속을 해치지 않는 발명이어야 한다.

08 저작 인접권에 대한 설명으로 옳은 것은?

① 실연가, 음반 제작자, 방송 사업자 등에 부여하는 권리이다.
② 물품의 모양, 색채를 아름답게 하는 것에 부여하는 권리이다.
③ 물건 및 방법에 관한 새롭고 수준 높은 발명에 부여하는 권리이다.
④ 반도체, 집적 회로 배치 설계권, 생명 공학 기술권 등이 이에 포함한다.
⑤ 이미 발명된 것을 개량해서 보다 편리하고 유용하게 하는 발명에 부여하는 권리이다.

09 다음 글에서 설명하고 있는 것의 영향에 해당하는 것은?

신지식 재산권으로 반도체, 집적 회로 배치 설계권, 생명 공학 기술권 등이 이에 포함한다.

① 디자인권   ② 저작 인접권
③ 산업 저작권   ④ 정보 재산권
⑤ 첨단 산업 재산권

10 〈보기〉는 저작권에 대한 설명이다. (가), (나) 들어갈 단어를 바르게 연결된 것은?

┤ 보기 ├
(가): 문화, 예술적 창작물 등에 부여하는 권리이다.
(나): 실연가, 음반 제작가, 방송 사업자 등에 부여하는 권리이다.

	(가)	(나)
①	저작권	산업 저작권
②	산업 저작권	첨단 산업 저작권
③	저작 인접권	협의의 저작권
④	협의의 저작권	저작 인접권
⑤	저작 인접권	첨단 산업 저작권

11 〈보기〉의 대화에 해당하는 지식 재산권 침해사례는?

① 상표권 침해   ② 저작권 침해
③ 디자인권 침해   ④ 퍼블리시티권 침해
⑤ 입체 상표 침해

12 지식 재산권이 바르게 연결된 것은?

① 저작권 – 상표권, 저작 인접권
② 산업 재산권 – 특허권, 협의의 저작권
③ 산업 재산권 – 디자인권, 정보 재산권
④ 신지식 재산권 – 저작 인접권, 산업 재산권
⑤ 신지식 재산권 – 정보 재산권, 산업 재산권

1. 문제 확인하기

① 문제 확인하기는 개선하려는 대상의 특성과 불편한 점을 찾는 단계이다.

② 개선하려는 대상의 특성인 구조, 모양, 색상, 성질, 용도 등을 나열한다.

③ 사용할 때의 불편한 점이나 마음에 들지 않는 점 등을 나열한다.

2. 아이디어 창출하기

① 아이디어 창출하기는 확인된 문제를 개선하기 위해 해결 방안을 찾는 단계이다.

② 확인된 문제는 창의적 사고 기법을 이용하여 해결할 수 있다.

③ 창의적 사고 기법: 창의적 사고를 하기 위해 생각의 과정이나 생각하는 방법 등을 체계화한 것이다.

 • 확산적 사고 기법 ; 다양한 아이디어를 만들어 가는 기법이다.

 • 수렴적 사고 기법: 다양한 아이디어를 최적의 아이디어로 만드는 기법이다.

3. 아이디어 구체화하기

① 아이디어 구체화하기는 창출된 아이디어를 다른 사람이 알아볼 수 있도록 표현하는 단계이다.

② 구상한 아이디어는 프리핸드 스케치나 도면으로 나타낼 수 있다.

4. 실행하기(수납함 만들기)

① **실행하기**: 구체화된 아이디어를 도면에 따라 제작 계획을 세워 제품으로 만드는 단계이다.

② **준비하기**: 만들기에 필요한 재료와 공구를 준비하는 과정이다. 준비물은 서류철, 나무 막대, 부직포, 스펀지, 빨대, 벨로크 테이프, 칼, 자, 글루건 등이 있다.

③ **마름질하기**: 재료 표면에 금을 긋거나 자르는 과정이다.

 ㉠ 서류철의 가장자리 길이에 맞추어 나무 막대를 자른다.

 ㉡ 부직포를 서류철과 의자에 감쌀 수 있는 크기로 자른다.

④ **조립하기**: 잘라낸 부품을 조립하여 제품을 만드는 과정이다.

 ㉠ 빨대에 나무 막대를 꽂는다.

 ㉡ 글루건을 사용하여 서류철의 가장자리에 빨대와 나무 막대를 붙인다.

 ㉢ 글루건을 사용하여 부직포를 서류철에 붙인다.

 ㉣ 스펀지를 넣을 위치의 가장자리와 덮개에 벨크로 테이프를 붙이고 스펀지를 넣는다.

 ㉤ 의자에 걸거나 접어서 보관하기 편리하게 끝부분에 벨크로 테이프를 붙인다.

⑤ **검사하기**: 제품이 구상한 대로 만들어졌는지 검사하는 과정이다.

5. 평가하기

① 평가하기는 완성된 제품을 일정한 기준에 따라 평가하는 단계이다.

② 완성된 제품을 평가하여 새로운 개선 방향과 활용 방안을 찾는다.

③ 평가를 통하여 더욱 뛰어난 결과물을 만들 수 있다.

평가 항목	평가 내용
자기 평가	• 확산적 · 수렴적 사고 기법을 잘 활용하였는가? • 학교에서 사용할 수 있는 수납함을 만드는 방법을 이해하였는가? • 작업할 때 안전 및 유의 사항을 잘 지켰는가?
동료 평가	• 창의적인 디자인 아이디어를 낸 동료는 누구인가? • 가장 적극적으로 실습에 참여한 동료는 누구인가?
제품 평가	• 재활용품을 이용하였는가? • 수납함은 견고하게 잘 만들어졌는가? • 탈부착 및 접이식으로 휴대가 가능한가? • 물건을 제대로 수납하고 있는가?

01 생활 속 문제의 창의적 해결에서 문제 확인은 개선하려는 대상의 (   )와/과 불편한 점을 찾는 단계이다.

정답 특성

02 개선하려는 대상의 불편한 점을 찾는 것은 사용할 때의 어려운 점이나 마음에 들지 않는 점 등을 찾는 것이다.

(O , X)

정답 ○

03 아이디어 창출하기에서 다양한 아이디어를 만들어 내는 기법은?

① 특성 찾기 기법　　　　② 확산적 사고 기법
③ 거꾸로 생각하기 기법　　④ 수렴적 사고 기법
⑤ 문제 구체화하기 기법

정답 ②

04 아이디어 창출하기에 대한 설명으로 옳은 것은?

① 개선하려는 대상의 특성을 찾는 것이다.
② 개선하려는 대상의 불편한 점을 찾는 것이다.
③ 다양한 아이디어를 최적의 아이디어로 만드는 것이다.
④ 생각을 다른 사람이 알아볼 수 있도록 표현하는 것이다.
⑤ 완성물을 적절한 기준에 따라 새로운 개선 방향을 찾는 것이다.

정답 ③

05 구상한 아이디어는 프리핸드 스케치나 도면으로 나타낼 수 있다.

(O , X)

정답 ○

06 다음에서 설명하는 생활 속 문제의 창의적 해결 과정 단계를 쓰시오.

> • 새로운 개선 방향과 활용 방안을 찾는 단계이다.
> • 더욱 뛰어난 결과물을 만들 수 있다.

정답 평가

07 표현된 아이디어를 완성품으로 만드는 단계에서 재료 표면에 금을 긋고 자르는 과정을 무엇이라 하는지 쓰시오.

(   )

정답 마름질

01 〈보기〉에서 설명하는 문제의 창의적 해결 단계는?

┤ 보기 ├
- 확산적 사고 기법을 통해 다양한 아이디어를 생성한다.
- 다양한 아이디어를 정리한다.
- 수렴적 사고 기법으로 정리한 아이디어에서 최적의 아이디어를 만든다.

① 문제 확인하기　　② 아이디어 창출하기
③ 아이디어 구체화하기　　④ 실행하기
⑤ 평가하기

02 문제의 창의적 해결 과정에서 문제 확인하기에 대한 설명으로 옳은 것은?

① 표현된 아이디어를 완성품으로 만든다.
② 새로운 개선 방향과 활용 방안을 찾는다.
③ 창의적 사고 기법을 통하여 해결을 한다.
④ 생각을 다른 사람이 알아볼 수 있도록 한다.
⑤ 개선하려는 대상의 특성과 불편한 점을 찾는다.

03 아이디어 창출하기에서 확산적 사고 기법을 이용하여 얻고자 하는 것이 무엇인지 쓰시오.

04 다음과 같은 과정을 거치는 문제의 창의적 해결 단계는?

┤ 보기 ├
- 창출된 생각을 다른 사람이 알아볼 수 있도록 표현한다.
- 구상한 아이디어는 프리핸드 스케치나 도면으로 나타낼 수 있다.

① 문제 확인하기　　② 아이디어 창출하기
③ 아이디어 구체화하기　　④ 실행하기
⑤ 평가하기

05 문제의 창의적 해결 과정에서 실행하기에 대한 설명으로 옳은 것은?

① 표현된 아이디어를 완성품으로 만든다.
② 새로운 개선 방향과 활용 방안을 찾는다.
③ 다양한 아이디어를 최적의 아이디어로 만든다.
④ 개선하려는 대상의 특성과 불편한 점을 찾는다.
⑤ 창출된 생각을 다른 사람이 알아볼 수 있도록 한다.

06 다음에서 설명하는 실행하기 단계는?

- 서류철의 가장자리 길이에 맞춰 나무 막대를 자른다.
- 부직포를 서류철과 의자에 감쌀 수 있는 크기로 자른다.

① 준비하기　　② 마름질하기
③ 가공하기　　④ 조립하기
⑤ 검사하기

07 문제의 창의적 해결 과정이 실행하기에서 검사하기에 대한 설명으로 옳은 것은?

① 재료 표면에 금을 긋고 자른다.
② 잘라낸 부품을 조립하여 제품을 만든다.
③ 재료를 자르고 다듬질하여 크기를 맞춘다.
④ 만들기에 필요한 재료와 공구를 준비한다.
⑤ 제품이 구상한 대로 만들어졌는지 확인한다.

08 문제의 창의적 해결 과정에서 평가하기를 통해 얻을 수 있는 것은?

① 최적의 아이디어　　② 다양한 아이디어
③ 더욱 뛰어난 결과물　　④ 표현할 수 있는 생각
⑤ 생각하는 과정과 방법

 중요
01 아이디어 창출하기에서 확인된 문제를 해결하기 위해 찾는 것은?

① 뛰어난 결과물   ② 최적의 아이디어
③ 새로운 개선 방향   ④ 생각을 표현하는 방법
⑤ 대상의 불편한 점

02 〈보기〉는 문제의 창의적 해결 과정에 대한 설명이다. (가), (나)에 들어갈 단어가 바르게 연결된 것은?

| 보기 |
(가): 개선하려는 대상의 특성과 불편한 점을 찾는다.
(나): 창출된 생각을 다른 사람이 알아볼 수 있도록 프리핸드 스케치나 도면으로 나타낸다.

	(가)	(나)
①	문제 확인하기	아이디어 창출하기
②	문제 확인하기	아이디어 구체화하기
③	아이디어 창출하기	아이디어 구체화하기
④	아이디어 구체화하기	아이디어 창출하기
⑤	실행하기	평가하기

03 아이디어 창출하기에 대한 설명으로 옳은 것은?

① 도면에 따라 제품을 실제로 만든다.
② 개선하려는 대상의 불편한 점을 찾는다.
③ 다양한 아이디어를 최적의 아이디어로 만든다.
④ 창출된 생각을 프리핸드 스케치나 도면으로 작성한다.
⑤ 새로운 개선 방향과 활용 방안을 찾아 결과물을 만든다.

04 아이디어 구체화하기 단계에서 하는 것은?

① 제품을 실제로 만들기
② 최적의 아이디어 찾기
③ 뛰어난 결과물의 만들기
④ 창출된 생각을 표현하기
⑤ 개선하려는 대상의 특성 찾기

 중요
05 〈보기〉는 문제의 창의적 해결 과정을 나타낸 것이다. 그 순서를 바르게 나열한 것은?

| 보기 |
가. 평가하기   나. 실행하기
다. 문제 확인하기   라. 아이디어 창출하기
마. 아이디어 구체화하기

① 가 → 나 → 다 → 라 → 마
② 가 → 다 → 라 → 나 → 마
③ 가 → 다 → 라 → 마 → 나
④ 다 → 가 → 나 → 라 → 마
⑤ 다 → 라 → 마 → 나 → 가

06 다음 글은 아이디어 창출하기의 창의적 사고 기법에 대한 설명이다. 밑줄 친 ㉠에 해당하는 것은?

아이디어 창출하기는 창의적 사고 기법을 통해 다양한 아이디어를 생성하고 이를 정리하여 ㉠<u>최적의 아이디어</u>를 만든다.

① PMI 기법   ② 스캠퍼 기법
③ 확산적 사고   ④ 수렴적 사고
⑤ 브레인스토밍

07 다음 과정을 통해 표현된 아이디어를 완성품으로 만드는 단계는?

준비하기 – 마름질하기 – 조립하기 – 평가하기

① 문제 확인하기   ② 아이디어 창출하기
③ 아이디어 구체화하기   ④ 실행하기
⑤ 평가하기

08 문제의 창의적 해결 과정이 바르게 연결된 것은?

① 문제 확인하기 – 최적의 아이디어를 찾는다.
② 아이디어 창출하기 – 대상의 특성을 찾는다.
③ 아이디어 구체화하기 – 아이디어를 생성하다.
④ 실행하기 – 창출된 생각을 도면으로 나타낸다.
⑤ 평가하기 – 더욱 뛰어난 결과물을 만들 수 있다.

05 표준의 이해 ~ 06 표준화의 창의적 문제 해결

05 표준의 이해

1. 표준의 개념과 중요성
① **표준**: 사람들 간의 편의, 효율, 그리고 안전을 위한 서로 간의 약속이다.
② **표준화**: 표준을 정하고 이를 활용하는 것이다.
③ **표준의 중요성**
 ㉠ 사람과 사람 사이의 의사소통을 원활하게 한다.
 ㉡ 제품의 부품이 통일되어 편리하다.
 ㉢ 안전한 생활을 가능하게 한다.
 ㉣ 적정량을 정하므로 자원의 낭비를 막을 수 있다.

2. 표준화의 영향
① **긍정적 영향**
 ㉠ 생산 비용이 줄어들어 신기술 개발이 빨라진다.
 ㉡ 더 많은 국가에 제품을 공급한다.
 ㉢ 품질이 향상되고 일정하게 유지된다.
 ㉣ 생활이 편리해진다.
 ㉤ 제품의 호환성이 생긴다.
② **부정적인 영향**
 ㉠ 자동화된 표준화로 일자리가 줄어든다.
 ㉡ 선진국의 독점화가 발생한다.
 ㉢ 과도한 표준화로 제품의 다양성이 줄어든다.
 ㉣ 기술 혁신을 어렵게 한다.

06 표준화의 창의적 문제 해결

1. 문제 확인하기
학교 급식에서 음식물이 남는 문제를 확인한다.
① **음식량을 조절하는 식판 모형 만들기**
② **제한 사항**: 우드락, 자, 핀, 칼, 등을 사용, 밥의 양을 조절할 수 있어야 한다.

2. 아이디어 창출하기
정보 수집 및 창의적 아이디어를 구상한다.

3. 아이디어 구체화하기
선정된 아이디어 프리핸드로 스케치하여 구체화한다.

4. 실행하기
필요한 재료와 공구를 준비하여 음식량을 조절하는 식판 모형을 만든다.
① **준비물**: 우드락, 자, 칼, 핀
② **만들기**: 설계한 대로 우드락에 선을 긋는다. → 우드락을 자른다. → 핀을 사용하여 밥을 담을 부분의 레일을 만든다.(핀은 사선으로 꽂는다.) → 레일을 부착하여 밥을 담는 부분을 만든다. → 레일 위의 조절판을 끼워 움직여 본다. → 나머지 음식을 담는 부분을 만든다. → 식판 크기의 우드락에 선을 긋고 자른다. → 핀을 이용하여 음식을 담는 부분을 연결한다. → 밥을 식판에 넣고, 조절판을 이동하여 밥의 양을 측정하고 표시한다.

5. 평가하기
스스로 평가를 하거나 친구와 완성품에 대한 평가를 한다.
① **자기 평가**
 • 표준의 개념을 이해하였는가?
 • 음식량을 남기지 않는 방법을 이해하였는가?
 • 작업할 때 안전 및 유의 사항을 잘 지켰는가?
② **동료 평가**
 • 창의적인 디자인 아이디어를 낸 동료는 누구인가?
 • 가장 적극적으로 실습에 참여한 동료는 누구인가?
③ **제품 평가**
 • 식판 모형은 견고하게 제작되었는가?
 • 조절판은 잘 작동하는가? • 밥의 양이 잘 조절되는가?

01 사람들 간의 편의, 효율, 그리고 안전을 위해 서로 간의 약속을 무엇이라 하는지 쓰시오.

(   )

정답 표준

02 사람들 간에 색깔의 이름을 약속함으로써 서로 간에 의사소통을 원활하게 할 수 있고, 다른 사람과도 편리하게 공유하여 사용할 수 있다.

(O , X)

정답 ○

03 표준의 중요성으로 보기 <u>어려운</u> 것은?

① 안전한 생활을 가능하게 한다.
② 제품의 부품이 통일되어 편리하다.
③ 사람 사이의 의사소통을 원활하게 한다.
④ 신기술로 자신만 이용하는 특혜를 누릴 수 있다.
⑤ 적정량을 정하므로 자원의 낭비를 막을 수 있다.

정답 ④

04 표준화의 긍정적인 영향에 속하는 것은?

① 일자리가 늘어난다.
② 독점화가 발생한다.
③ 기술 혁신이 어려워진다.
④ 다양성이 크게 줄어든다.
⑤ 신기술 개발이 빨라진다.

정답 ⑤

05 표준화는 생산 방법을 간단하게 하고 원가를 절감시킨다.

(O , X)

정답 ○

06 다음에서 설명하는 표준화의 창의적 문제 해결 단계를 쓰시오.

- 필요한 재료와 공구를 준비한다.
- 우드락에 선을 긋고 자른다.
- 핀을 사용하여 밥을 담을 부분의 레일을 만든다.

정답 실행하기

07 식판 모형 만들기에서 '누가 창의적인 디자인 아이디어를 냈는가'를 어떤 평가인지 쓰시오.

(   )

정답 동료 평가

01 〈보기〉는 표준의 중요성에 대한 설명이다. 옳은 것을 모두 고른 것은?

> ┤ 보기 ├
> ㄱ. 안전한 생활을 가능하게 한다.
> ㄴ. 제품의 부품이 통일되어 편리하다.
> ㄷ. 사람 사이의 의사소통을 원활하게 한다.
> ㄹ. 신기술로 자신만 이용하는 특혜를 누릴 수 있다.
> ㅁ. 정해진 규격으로 인하여 자원의 낭비를 막을 수 있다.

① ㄱ, ㄴ, ㄷ   ② ㄱ, ㄴ, ㄹ
③ ㄱ, ㄷ, ㄹ   ④ ㄴ, ㄹ, ㅁ
⑤ ㄷ, ㄹ, ㅁ

02 대화에서 설명하고 있는 표준의 중요성은?

> A: 휴대 전화가 고장 났어요.
>   휴대 전화를 새로 사야 하는 건가요?
> B: 아니요. 부품 하나만 교체하면 사용 가능합니다.

① 안전한 생활을 가능하게 한다.
② 제품의 부품이 통일되어 편리하다.
③ 사람 사이의 의사소통을 원활하게 한다.
④ 신기술로 자신만 이용하는 특혜를 누릴 수 있다.
⑤ 적정량을 정하므로 자원의 낭비를 막을 수 있다.

03 표준에 대한 설명으로 옳은 것은?

① 정해진 기간 동안 침해를 받지 않도록 발명을 인정해 주는 것이다.
② 인간의 욕구를 위해 자원의 형태를 변화시키는 수단이나 활동이다.
③ 이미 있는 물건을 좀 더 편리하고 이용하기 좋게 만드는 활동이다.
④ 사람들 간의 편의, 효율, 그리고 안전을 위한 서로 간의 약속이다.
⑤ 아직 알려지지 않은 사물이나 과학적 원리 등을 찾아내는 것이다.

04 〈보기〉는 표준화 영향에 대한 설명이다. 긍정적인 영향을 모두 고른 것은?

> ┤ 보기 ├
> ㄱ. 선진국의 독점화가 생긴다.
> ㄴ. 제품의 호환성이 생긴다.
> ㄷ. 제품의 다양성이 줄어든다.
> ㄹ. 신기술 개발이 빨라진다.
> ㅁ. 품질이 향상되고 일정하게 유지된다.

① ㄱ, ㄴ, ㄷ   ② ㄱ, ㄴ, ㄹ
③ ㄱ, ㄷ, ㄹ   ④ ㄴ, ㄹ, ㅁ
⑤ ㄷ, ㄹ, ㅁ

05 〈보기〉의 (가)와 (나)에 해당하는 표준화의 영향은?

> ┤ 보기 ├
> (가): 볼트와 너트의 표준화 덕분에 내가 개발한 공구를 수출할 수 있게 되었어!
> (나): 그 나라의 표준화에 맞추지 않으면 수출이 안 된다는 군!

① 가: 신기술 개발이 빨라진다.
    나: 일자리가 줄어든다.
② 가: 더 많은 국가에 제품을 공급한다.
    나: 선진국의 독점화가 발생한다.
③ 가: 품질이 향상되고 일정하게 유지된다.
    나: 표준화로 제품의 다양성이 줄어든다.
④ 가: 생활이 편리해진다.
    나: 기술 혁신이 어렵게 된다.
⑤ 가: 제품에 호환성이 생긴다.
    나: 사람들 간에 의사소통이 원활하게 된다.

06 음식량을 조절하는 식판을 만들기 위해 정보를 수집하고, 창의적인 아이디어를 구상하는 단계는?

① 문제 확인하기   ② 아이디어 창출하기
③ 아디이어 구체화하기   ④ 실행하기
⑤ 평가하기

01 표준에 대한 설명으로 옳지 않은 것은?

① 안전한 생활을 위한 서로 간의 약속이다.
② 서로 간의 의사소통을 원활하게 할 수 있다.
③ 자동화된 표준화는 일자리를 늘어나게 한다.
④ 부품이 통일되어 제품 간에 호환성이 생긴다.
⑤ 다른 사람과 편리하게 공유하여 사용할 수 있다.

02 그림의 대화에 해당하는 표준의 중요성은?

① 안전한 생활을 가능하게 한다.
② 제품의 부품이 통일되어 편리하다.
③ 사람 사이의 의사소통을 원활하게 한다.
④ 신기술로 자신만 이용하는 특혜를 누릴 수 있다.
⑤ 적정량을 정하므로 자원의 낭비를 막을 수 있다.

03 우리 생활 속에서 표준화가 이용된 사례가 아닌 것은?

① 경일이는 신호등이 초록색으로 바뀌어서야 길을 건넜다.
② 미연이는 친구의 휴대 전화 충전기를 빌려서 사용하였다.
③ 용문이는 A4용지 10장 분량으로 작성한 보고서를 제출하였다.
④ 정진이는 2학년 축구 대회를 위해 축구공을 10개를 준비하였다.
⑤ 광희는 발표회 준비를 위해 자신의 개성을 나타낼 수 낼 수 있는 옷을 주문 제작하였다.

[04~05] 그림은 로봇 기술로 표준화된 상황이다.

(가)   (나)

04 (가)에서 이야기하는 표준화의 긍정적 영향은?

① 생활이 편리해진다.
② 제품의 호환성이 생긴다.
③ 더 많은 국가에 제품을 공급한다.
④ 품질이 향상되고 일정하게 유지된다.
⑤ 생산 비용이 줄어들어 신기술 개발이 빨라진다.

05 (나)에서 이야기하는 표준화의 부정적 영향은?

① 제품의 호환성을 줄인다.
② 기술 혁신을 어렵게 한다.
③ 선진국의 독점화가 발생한다.
④ 자동화된 표준화로 일자리가 줄어든다.
⑤ 과도한 표준화로 제품의 다양성이 줄어든다.

06 음식량 조절 식판 만들기에서 다음 항목에 대한 답을 찾는 것은?

> • 표준의 개념을 이해하였는가?
> • 음식량을 남기지 않는 방법을 이해하였는가?
> • 작업할 때 안전 및 유의 사항을 잘 지켰는가?

① 제품 평가   ② 동료 평가
③ 자기 평가   ④ 제품 검사하기
⑤ 제품 창출하기

자주 출제되는 문제

01 〈보기〉는 기술적 문제 해결 과정을 나타낸 것이다. (가), (나), (다)에 들어갈 내용을 바르게 연결한 것은?

┌ 보기 ┐
1. 확인된 문제를 개선하기 위해 (가) 방안을 찾는 단계이다.
2. 선정한 아이디어를 다른 사람이 알아볼 수 있도록 (나)하는 단계이다.
3. 완성된 제품을 일정한 기준에 따라 (다)하는 단계이다.

	(가)	(나)	(다)
①	제작	표현	검사
②	표현	평가	검사
③	해결	표현	평가
④	해결	평가	검사
⑤	표현	해결	평가

02 다음이 설명하는 기술적 문제 해결 과정을 쓰시오.

창의적 사고 기법을 이용하여 다양한 아이디어를 내고, 실용성, 경제성, 제작 가능성 등을 고려하여 최적의 아이디어를 선정한다.

03 다음 그림에 해당하는 기술적 문제 해결 과정은?

① 문제 확인
② 아이디어 창출
③ 아이디어 구체화
④ 실행
⑤ 평가

04 일반 콘센트에 비해 욕실 콘센트가 좋은점은?

① 크기가 작다.
② 가격이 싸다.
③ 감전을 방지한다.
④ 모양이 아름답다.
⑤ 이동 설치가 쉽다.

05 〈보기〉에서 발명의 특성을 모두 고른 것은?

┌ 보기 ┐
ㄱ. 항상 우연한 기회에 이루어진다.
ㄴ. 인간의 창의적 노력에 의해 이루어진다.
ㄷ. 지금까지 없었던 새로운 물건을 만드는 활동이다.
ㄹ. 인간의 관찰로 알려지지 않은 사물을 찾는 활동이다.
ㅁ. 이미 있는 물건을 좀 더 편리하게 만드는 활동이다.

① ㄱ, ㄴ
② ㄴ, ㄹ
③ ㄱ, ㄷ, ㅁ
④ ㄴ, ㄷ, ㅁ
⑤ ㄱ, ㄴ, ㄹ, ㅁ

06 다음 바퀴 발달 과정에서 알 수 있는 발명의 특징은?

나무 바퀴에서 타이어 바퀴까지 각각의 불편한 점을 해결하는 과정을 통해 바퀴는 발달하게 되었다.

① 기술을 발달시킨다.
② 창의력을 길러준다.
③ 생활을 편리하게 해준다.
④ 문제 해결 능력을 길러준다.
⑤ 경제적 이익을 주고, 국가 경쟁력도 길러준다.

07 발견과 발명 관계를 바르게 나타낸 것은?

① 자석의 원리 발견 → 나침반 발명 → 신대륙 발견
② 신대륙 발견 → 자석의 원리 발견 → 나침반 발명
③ 나침반 발명 → 신대륙 발견 → 자석의 원리 발견
④ 신대륙 발견 → 나침반 발명 → 자석의 원리 발견
⑤ 자석의 원리 발견 → 신대륙 발견 → 나침반 발명

08 인간의 관찰에 의해 이루어지는 발견에 속하는 것은?

① 총　　　　　② 전기　　　　　③ 로켓
④ 나침반　　　⑤ 피뢰침

자주 출제되는 문제

09 발명과 발견의 관계에 대한 설명으로 옳지 <u>않은</u> 것은?

① 하나의 발명은 또 다른 발명을 가져온다.
② 발견을 하기 위해 발명을 이용할 수 있다.
③ 발명을 하기 위해 발견을 이용할 수 있다.
④ 발견은 인간의 창의적 노력에 의해 이루어진다.
⑤ 한 사람이 발명과 발견 두 가지 모두를 할 수 있다.

10 발명이 사회에 미친 영향이 바르게 연결된 것은?

① 엘리베이터 – 전 세계를 바르고 안전하게 이동
② 전기세탁기 – 높은 빌딩을 더 많이 건설
③ 텔레비전 – 지구촌 구석구석까지 전파 전달
④ 페니실린 – 수많은 질병으로부터 해방
⑤ 스마트폰 – 여성들의 가사 노동으로부터 해방

11 다음 글에서 설명하고 있는 발명품은?

> • 1992년에 개발된 IBM사의 '사이먼'을 최초로 추정하고 있다.
> • 인터넷 검색, 은행 업무, 소셜 네트워크 서비스, 방송, 영상 통화, 게임 등 일상생활의 다양한 분야에서 활용되고 있다.

① 나일론　　　　　② 스마트폰
③ 페니실린　　　　④ 텔레비전
⑤ 엘리베이터

12 엘리베이터의 발명이 사회에 미친 영향은?

① 고층 빌딩이 많아지게 되었다.
② 전 세계를 빠르게 이동할 수 있게 되었다.
③ 여성들의 사회에 진출하는 데 영향을 주었다.
④ 인류를 수많은 질병으로부터 해방하게 하였다.
⑤ 다양한 정보를 서로 쉽게 주고받을 수 있게 되었다.

실전 문제

13 〈보기〉에서 설명하고 있는 발명 기법은?

| 보기 |
- 다른 사람의 아이디어를 응용하여 새로운 물건을 만드는 발명 기법이다.
- 선글라스, 볕가림 모자, 고무장갑 돌기, 미끄럼 방지용 신발

① 빼기　　　　　　② 더하기
③ 크기 바꾸기　　　④ 반대로 생각하기
⑤ 남의 아이디어 빌리기

14 다음 그림에 적용된 발명 기법은?

선풍기　　　　　　날개없는 선풍기

① 빼기　　　　　　② 더하기
③ 모양 바꾸기　　　④ 크기 바꾸기
⑤ 반대로 생각하기

15 〈보기〉에서 특허를 받기 위한 조건을 모두 고르면은?

| 보기 |
ㄱ. 자연법칙을 이용한 기술적 창작이어야 한다.
ㄴ. 지금까지 없었던 새로운 것이어야 한다.
ㄷ. 누구나 쉽게 이용 가능한 발명이어야 한다.
ㄹ. 쉽게 생각해내기 어려운, 진보된 것이어야 한다.
ㅁ. 기발한 발명이면 모두가 특허가 될 수 있다.

① ㄱ, ㄴ　　　　　　② ㄱ, ㄴ, ㄷ
③ ㄱ, ㄴ, ㄹ　　　　④ ㄴ, ㄷ, ㄹ
⑤ ㄴ, ㄷ, ㄹ, ㅁ

틀리기 쉬운 문제

16 특허권을 인정받을 수 없는 경우는?

① 위조 지폐 감별 장치를 개발하였다.
② 기존의 것보다 개량된 책꽂이를 발명하였다.
③ 공공의 건강을 지키는 운동 장치를 개발하였다.
④ 새로운 기능과 디자인의 휴대 전화를 발명하였다.
⑤ 미풍양속을 해칠 수 있는 새로운 장치를 개발하였다.

자주 출제되는 문제

17 〈보기〉에서 산업 재산권에 대한 설명이다. 옳은 것은 모두 고른 것은?

| 보기 |
ㄱ. 물건 및 방법에 관한 새롭고 수준 높은 발명에 부여하는 권리이다.
ㄴ. 이미 발명된 것을 개량해서 보다 편리하고 유용하게 하는 발명에 부여하는 권리이다.
ㄷ. 물품의 모양, 색채를 아름답게 하는 것에 부여하는 권리이다.
ㄹ. 문화 예술 분야의 창작물에 부여하는 권리이다.
ㅁ. 컴퓨터 프로그램과 인공 지능 등에 부여하는 권리이다.

① ㄱ, ㄴ, ㄷ　　　　② ㄱ, ㄴ, ㄹ
③ ㄱ, ㄴ, ㅁ　　　　④ ㄴ, ㄷ, ㄹ
⑤ ㄴ, ㄹ, ㅁ

18 지식 재산권이 바르게 연결된 것은?

① 저작권 – 디자인권
② 산업 재산권 – 상표권
③ 산업 재산권 – 정보 재산권
④ 신지식 재산권 – 실용신안권
⑤ 신지식 재산권 – 저작 인접권

Ⅵ 기술적 문제 해결을 통한 혁신

19 신지식 재산권으로 보호받을 수 있는 권리는?

① 컴퓨터 프로그램과 인공 지능 등에 관한 권리
② 물품의 모양, 색채를 아름답게 하는 것에 대한 권리
③ 다른 상품과 부별되는 표지인 상표에 부여하는 권리
④ 실연가, 음반 제작자, 방송 사업자 등에 부여하는 권리
⑤ 이미 발명된 것을 개량하여 보다 편리하고 유용하게 하는 것에 부여하는 권리

20 〈보기〉의 대화에 해당하는 지식 재산권 침해는?

① 상표권 침해　　　　② 저작권 침해
③ 디자인권 침해　　　④ 입체 상표권 침해
⑤ 퍼블리시티권 침해

21 다음과 같이 아이디어를 생성 정리하고, 최적의 아이디어를 만드는 단계는?

> • 아이디어 생성: 모양이 보기 좋아야 해! 수납함이 있으면 좋겠어! 의자 밑 공간에 수납함을 만드는 건 어때!
> • 아이디어 장리: 의자 밑 공간을 이용한다. 탈부착이 가능하도록 한다. 다른 용도로 사용할 수 있도록 한다.
> • 최적의 아이디어 만들기: 의자 밑 공간을 이용하고, 방석으로 사용 가능하며, 탈부착으로 휴대가 가능한 접이식 수납함

① 평가하기　　　　　② 실행하기
③ 문제 확인하기　　　④ 아이디어 창출하기
⑤ 아이디어 구체화하기

22 실행하기 과정이 바르게 연결된 것은?

① 준비하기 – 재료를 자르고 다듬질한다.
② 마름질하기 – 재료 표면에 금을 긋고 자른다.
③ 가공하기 – 만들기에 필요한 재료와 공구를 구한다.
④ 조립하기 – 재료가 구상한 대로 만들어졌는지 확인한다.
⑤ 검사하기 – 자르고 다듬질한 재료를 서로 연결하여 완성한다.

23 〈보기〉는 표준의 중요성에 대한 설명이다. (가), (나), (다)에 들어갈 내용을 바르게 연결한 것은?

> ┤ 보기 ├
> 1. 사람들 간의 약속을 통하여 서로 간에 (　가　)을 원활하게 할 수 있다.
> 2. 제품 간의 부품들이 (　나　)되어 편리하다.

	(가)	(나)		(가)	(나)
①	의사소통	통일	②	의사소통	공유
③	기술 혁신	호환	④	기술 혁신	향상
⑤	고정 관념	자동화			

24 〈보기〉는 표준화 영향에 대한 설명이다. 옳은 것을 모두 고르면?

┤ 보기 ├
가. 생산 원가가 절감된다.
나. 제품의 다양성이 늘어난다.
다. 품질이 향상되고 일정하게 유지된다.
라. 자동화된 표준화로 일자리가 늘어난다.
마. 생활이 편리해지고 제품의 호환성이 생긴다.

① 가, 나, 다
② 가, 다, 마
③ 나, 다, 라
④ 나, 라, 마
⑤ 다, 라, 마

25 다음의 글에서 나타내는 표준화의 영향은?

건전지를 게임기에 옮겨 끼면 또 게임을 할 수 있지!

① 생활이 편리해진다.
② 기술 혁신이 빨라진다.
③ 제품의 호환성이 생긴다.
④ 제품의 다양성이 줄어든다.
⑤ 선진국의 독점화가 발생한다.

26 음식량을 조절하는 식판 모형을 만들기 위해 관련 정보를 수집하고 창의적인 아이디어를 구상하는 단계는?

① 문제 확인하기
② 아이디어 창출하기
③ 아이디어 구체화하기
④ 실행하기
⑤ 평가하기

27 기술적 문제 해결 과정을 예를 들어 서술하시오.

28 발명품이 사회에 미친 영향을 예를 들어 설명하시오.

29 특허권과 실용신안권의 차이점에 대해 서술하시오.

30 창의적 사고 기법에 대해 서술하시오.

31 표준화가 우리에게 미친 긍정적, 부정적 영향을 각각 서술하시오.

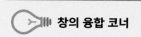
▶ **다음 글을 읽고, 물음에 답해 보자.**

임진왜란 때 왜구는 조선의 유명한 도자기공들을 잡아 갔다고 하네! 그 이유가 무엇일까?

우리 조상들의 도자기 만드는 기술은 세계 최고야!

서민들이 이용하려면 값이 싸야할 거야!

그릇을 만드는 기술이 발달한다면 값도 싸질 수 있겠지!

〈12세기에 만들어진 백자 음각 원앙문 대접〉

임진왜란이 일어나던 1592년 즈음의 일본은 도자기 기술이 발달하지 않아 음식을 대나무 그릇이나 나뭇잎 등에 담아 먹었다. 불편함 때문에 조선의 도자기와 도자기 기술을 갈망한 일본은, 조선의 가마들을 파괴하고 궁궐에서만 볼 수 있는 청자나 백자는 물론이고, 일반 백성들이 흔히 사용하던 도자기까지 빼앗았다. 이는 조선 왕조 도자기 발전에 커다란 타격을 가하였고, 많은 도자기 장인이 일본으로 끌려감으로써 일본도 도자기를 생산하게 되어 일본 도자기 발전에 결정적 계기가 되었으며 도자기 기술을 바탕으로 일본의 국가 경쟁력도 향상된다.

1. 나무 그릇이 도자기 그릇으로 바뀌면서 변화한 것들에 대하여 이야기해 보자.

2. 이러한 변화, 즉 혁신이 우리에게 가져다주는 것은 무엇인지 이야기해 보자.

VII

삶을 창조하는 기술

❯ 이 단원의 성취 기준과 학습 요소 ❯

섹션	성취 기준	학습 요소
1. 생산 기술의 이해	생산 기술이 인간 생활에 유용한 산출물을 만들어 내는 것을 이해하고, 하위 요소인 재료, 설계, 공정을 설명한다.	– 생산 기술의 개념과 요소
2. 제조 기술 시스템	제조 기술 시스템의 의미와 단계별 세부 요소를 이해하고, 제품의 생산 과정을 설명한다.	– 제조 기술 시스템의 이해 – 제품의 생산 과정의 이해
3. 제조 기술의 특징과 발달	제조 기술의 특징과 발달 과정, 재료의 특성과 이용을 설명하고, 제조 기술의 발달 전망을 예측한다.	– 제조 기술의 특징 및 발달 과정 – 재료의 특성과 이용 – 제조 기술의 발달 전망
4. 제조 기술의 창의적 문제 해결	제조 기술과 관련된 문제를 이해하고, 해결책을 창의적으로 탐색하고 실현하며 평가한다.	– 트랜스포머 가구 만들기
5. 건설 기술 시스템	건설 기술 시스템의 의미와 단계별 세부 요소를 이해하고, 건설 구조물의 생산 과정을 구체적으로 설명한다.	– 건설 기술 시스템의 이해 – 건설 구조물의 생산 과정
6. 건설 기술의 특징과 발달	건설 기술의 특징과 발달 과정을 이해하고, 최신 건설 기술을 탐색하여 건설 기술의 발달 전망을 예측한다.	– 건설 기술의 특징과 이용 분야 – 건설 기술의 발달 과정 – 건설 기술의 발달 전망
7. 건설 기술의 창의적 문제 해결	건설 기술과 관련된 문제를 이해하고 해결책을 창의적으로 탐색하고 실현하며 평가한다.	– 돔 구조 모형 만들기

1. 생산 기술의 개념

① 생산 기술이란 자연에서 얻은 자원을 활용하여 인류의 삶에 유용한 산출물을 개발하여 이용하는 것을 말한다.

② **생산 기술 역할**

㉠ 품질이 향상된다.

㉡ 다양한 산출물을 만들어 낸다.

㉢ 새로운 기술이 등장한다.

㉣ 제품 가격을 낮춘다.

㉤ 생산 기간을 단축한다.

2. 생산 기술의 요소

① **재료**

유용한 산출물을 만들 때 바탕으로 사용하는 것으로, 목재, 금속, 플라스틱, 시멘트 등이 있다.

㉠ **목재의 생산 방법**

• 벌목: 산이나 숲에서 나무를 자른다.

• 건조: 자른 나무의 수분을 제거한다.

• 제재: 나무를 일정한 크기로 만든다.

㉡ **금속의 생산 방법**

• 채취: 광산에서 광석을 채취한다.

• 제선 및 제강: 광석에서 금속을 분리하고, 불순물을 제거한다.

• 압연: 일정한 형태로 만든다.

㉢ **플라스틱의 생산 방법**

• 채굴: 관을 통하여 원유를 채굴한다.

• 증류: 관을 통하여 원유를 채굴한다.

• 분리: 그중에서 나프타를 분리한다.

㉣ **시멘트의 생산 방법**

• 채취: 광산에서 석회석을 채취한다.

• 혼합: 점토질과 첨가물 등을 혼합하여 단단하게 한다.

• 분쇄: 단단해진 것을 가루로 만든다.

② **설계**

제품이나 생산 구조물 등을 만들 때, 사용 목적에 맞도록 모양, 크기, 구조, 재료, 가공법 등을 합리적으로 구상하고, 이를 바탕으로 구체적인 계획을 작성하는 것이다.

㉠ 좋은 제품은 기능, 아름다움, 창의성, 경제성, 재료, 구조 등의 설계 요소를 갖추어야 한다.

㉡ **설계 요소**

• 기능: 목적에 알맞은가?

• 아름다움: 외형이 아름다운가?

• 창의성: 새로운 제품인가?

• 경제성: 제작 비용은 적당한가?

• 재료: 적당한 재료인가?

• 구조: 용도에 맞는 구조인가?

③ **공정**

제품이나 생산 구조물을 설계에 따라 가공, 조립 등의 방법을 거쳐서 완성하는 것이다.

㉠ **목제품 만드는 공정**

• 자르기, 구멍 뚫기, 깎기

• 끼워 맞추거나, 못, 나사 등으로 조립하기

㉡ **금속 제품 만드는 공정**

• 자르기, 구멍 뚫기

• 나사, 볼트 등으로 결합하기, 용접하기

㉢ **플라스틱 만드는 공정**

• 형틀에 넣거나 롤러 사이 통과 시켜 성형하기

㉣ **시멘트 제품 만드는 공정**

• 재료 반죽하기

• 굳히기

④ **산출**

생산 기술을 통해 얻어진 결과물로서, 제품이나 생산 구조물의 형태를 갖는다.

3. 금속 가공 방법

㉠ 주조: 금속을 녹인 후 형틀에 넣어 제품을 만든다.

㉡ 단조: 금속에 열을 가하거나 상온에서 망치나 해머로 두드려서 제품을 만든다.

㉢ 압연: 반대로 회전하는 두 개의 롤러 사이를 통과시켜 만든다.

㉣ 압출: 금속에 열을 가하여 부드럽게 한 후 구멍을 빠져나오게 하여 일정한 모양을 만든다.

㉤ 압축: 얇은 금속판을 형틀 위에 올려놓고 강하게 눌러 모양을 만든다.

01 자연에서 얻은 자원을 활용하여 인류의 삶에 유용한 산출물을 개발하여 이용하는 것을 무엇이라고 하는지 쓰시오.

(   )

정답 생산 기술

02 다음 설명 중 (   )에 알맞은 것은 무엇인지 쓰시오.

> 생산 기술의 하위 요소에는 재료, 설계, (   ) 등이 있다.

정답 공정

03 생산 기술의 재료 요소 중에서 산에서 나무를 자르는 것은?

① 건조   ② 벌목   ③ 채취
④ 혼합   ⑤ 분쇄

정답 ②

04 생산 기술의 하위 요소 중 다음이 설명하는 것은?

> 제품이나 생산 구조물 등을 만들 때, 사용 목적에 맞도록 모양, 크기, 구조, 재료, 가공법 등을 합리적으로 구상하고, 이를 바탕으로 구체적인 계획을 작성하는 것이다.

정답 설계

05 제품을 설계할 때에는 사용의 목적에 맞으면 기능은 고려하지 않는다.

(O , X)

정답 X

06 다음에서 설명하는 생산 기술의 하위 요소는 무엇인지 쓰시오.

> 제품이나 생산 구조물을 설계에 따라 가공, 조립 등의 방법을 거쳐서 완성하는 것이다.

정답 공정

07 생산 기술을 통해 얻어진 결과물을 산출이라 한다.

(O , X)

정답 O

01 자연에서 얻은 자원을 활용하여 인류의 삶에 유용한 산출물을 개발하여 이용하는 것은?

① 생산 기술　　　② 정보 기술
③ 건설 기술　　　④ 수송 기술
⑤ 제조 기술

02 다음 괄호에 들어갈 생산 기술의 하위 요소는 무엇인지 쓰시오.

생산 기술의 요소에는 재료, (　　　), 공정 등이 있다. 이러한 생산 요소가 일정한 과정을 거치면 우리 생활에 유용한 제품이 완성된다.

[03~04] 다음 설명을 보고 문제를 푸시오.

생산 기술의 목적은 더 좋게, ㉠더 저렴한 산출물을 ㉡제 때에 생산하는 것이다.

03 ㉠에 알맞은 것은?

① 가격을 낮춘다.
② 품질이 향상된다.
③ 생산 기간을 단축한다.
④ 새로운 기술이 등장한다.
⑤ 다양한 산출물을 만든다.

04 ㉡에 알맞은 것은?

① 가격을 낮춘다.
② 품질이 향상된다.
③ 생산 기간을 단축한다.
④ 새로운 기술이 등장한다.
⑤ 다양한 산출물을 만든다.

05 목재의 생산 방법 중 자른 나무에서 수분을 제거하는 것은?

① 벌목　　　② 건조
③ 제재　　　④ 분쇄
⑤ 설계

06 목재의 생산방법 순서가 바르게 나열된 것은?

① 제재 – 건조 – 벌목
② 제재 – 벌목 – 건조
③ 벌목 – 제재 – 건조
④ 벌목 – 건조 – 제재
⑤ 제재 – 건조 – 벌목

07 금속의 생산 방법 중 광석에서 금속을 분리하고, 불순물을 제거한 금속을 일정한 크기로 만드는 것을 무엇이라고 하는지 쓰시오.

08 다음의 (　　　)에 알맞은 것은?

원유에서 얻은 (　　　)(을)를 이용하여 플라스틱을 생산한다.

① 등유　　　② 경유
③ 나프타　　　④ 휘발유
⑤ 아스팔트

09 시멘트의 주원료는?

① 철 　　　　　② 점토
③ 황산 　　　　④ 원유
⑤ 석회석

10 다음 괄호에 설계의 요소가 무엇인지 쓰시오.

> 좋은 제품은 (　　　), 아름다움, 창의성, 경제성,
> 재료, 구조 등의 설계 요소를 갖추어야 한다.

11 다음 (　　) 알맞은 것은?

> 제품을 만들 때 에는 사용 목적에 알맞은 (　　　)
> 을 갖도록 해야 한다.

① 구조 　　　　② 재료
③ 기능 　　　　④ 창의성
⑤ 아름다움

12 제품 설계 요소 중 창의성과 관계 있는 것은?

① 비용은 저렴한가?
② 적당한 재료인가?
③ 용도에 알맞은가?
④ 새로운 제품인가?
⑤ 외형은 튼튼한가?

13 제품 설계 과정 중에서 여러 가지 아이디어를 생각하는 것은?

① 문제 인식하기
② 아이디어 구상하기
③ 아이디어 선정하기
④ 아이디어 평가하기
⑤ 구상도 및 제작도 그리기

14 제품이나 생산 구조물을 설계에 따라 가공, 조립 등의 방법을 거쳐서 완성하는 것을 무엇이라고 하는지 쓰시오.

15 다음이 설명하는 공정은 어떤 재료를 이용하여 제품을 만들 때 사용하는가?

> 열과 공기를 불어넣거나 형틀에 넣거나 롤러 사이를
> 통과시켜서 모양을 낸다.

① 목재 　　　　② 금속
③ 종이 　　　　④ 시멘트
⑤ 플라스틱

16 다음에 (　　) 알맞은 것은?

> (　　　)(이)란, 생산 기술을 통해 얻어진 결과물을
> 말한다.

① 재료 　　　　② 설계
③ 공정 　　　　④ 산출
⑤ 완성

중요

01 생산 기술의 목적 중 밑줄 친 부분의 역할로 알맞은 것은?

> 생산 기술의 목적은 더 좋게, 더 저렴한 산출물을
> 제 때에 생산하는 것이다.

① 가격을 낮춘다.
② 품질이 향상된다.
③ 생산 기간을 단축한다.
④ 생산 가격이 올라간다.
⑤ 생산 기간이 길어진다.

02 일상생활에서 사용하는 생산 기술 산출물이 아닌 것은?

① 주택   ② 공기
③ 자동차   ④ 컴퓨터
⑤ 건설 장비

중요

03 생산 기술의 요소로만 짝지어진 것은?

> ㄱ. 재료   ㄴ. 설계   ㄷ. 소비
> ㄹ. 공정   ㅁ. 기획

① ㄱ, ㄴ   ② ㄱ, ㅁ
③ ㄴ, ㄷ   ④ ㄴ, ㅁ
⑤ ㄷ, ㅁ

04 〈보기〉의 설명에 해당하는 생산 기술 재료는?

> ┤ 보기 ├
> • 원유에서 얻은 나프타를 이용하여 만든다.
> • 열에 의해 제품을 생산한다.

① 목재   ② 금속
③ 유리   ④ 시멘트
⑤ 플라스틱

[05~06] 문제를 읽고 〈보기〉를 참고하여 물음에 답하시오.

> ┤ 보기 ├
> ㄱ. 목적에 알맞은가?
> ㄴ. 외형이 아름다운가?
> ㄷ. 새로운 제품인가?
> ㄹ. 제작 비용은 적당한가?
> ㅁ. 용도에 맞는 구조인가?

05 〈보기〉에서 창의성에 대한 설명은?

① ㄱ   ② ㄴ
③ ㄷ   ④ ㄹ
⑤ ㅁ

06 〈보기〉에서 기능에 대한 설명은?

① ㄱ   ② ㄴ
③ ㄷ   ④ ㄹ
⑤ ㅁ

07 좋은 제품을 만들기 위한 설계 요소에 포함되지 <u>않는</u> 것은?

① 구조　　　　　　② 재료
③ 비용　　　　　　④ 색깔
⑤ 아름다움

[08~09] 문제를 읽고 〈보기〉를 참고하여 물음에 답하시오.

┤ 보기 ├
ㄱ. 문제 인식하기
ㄴ. 아이디어 구상하기
ㄷ. 아이디어 평가하기
ㄹ. 아이디어 선정하기
ㅁ. 구상도 및 제작도 그리기

08 〈보기〉에서 제품을 설계하는 과정 순서에 맞게 나열한 것은?

① ㄱ － ㄴ － ㄷ － ㄹ － ㅁ
② ㄱ － ㄷ － ㄴ － ㅁ － ㄹ
③ ㄴ － ㄱ － ㄹ － ㅁ － ㄷ
④ ㄴ － ㄱ － ㅁ － ㄹ － ㄷ
⑤ ㄹ － ㄴ － ㄷ － ㄱ － ㅁ

09 여러 가지 아이디어 중 사용 목적에 알맞은 것을 고르기 위해 생각하는 것은?

① ㄱ　　　　　　② ㄴ
③ ㄷ　　　　　　④ ㄹ
⑤ ㅁ

10 재료에 따른 가공 방법의 연결이 알맞은 것은?

① 목재 － 반죽하기
② 목재 － 열 가하기
③ 금속 － 자르기
④ 금속 － 물 붓기
⑤ 시멘트 － 구멍 뚫기

11 다음이 설명하는 금속 가공 방법은?

금속에 열을 가하거나 상온에서 망치나 해머로 두드려서 제품을 만든다.

① 주조　　　　　　② 단조
③ 압연　　　　　　④ 압출
⑤ 압축

12 다음이 설명하는 금속 가공 방법은?

반대로 돌아가는 2개의 롤러 사이를 통과시켜 제품을 만든다.

① 주조　　　　　　② 단조
③ 압연　　　　　　④ 압출
⑤ 압축

13 금속 가공법 중 주조를 통해 만든 제품으로 알맞은 것은?

① 전선　　　　　　② 철사
③ 철판　　　　　　④ 칼
⑤ 가마솥

1. 제조 기술 시스템의 이해

① **제조 기술**: 여러 가지 재료를 다양한 방법으로 가공하여 우리 생활에 필요한 제품을 만드는 기술이다.

② **제조 기술 시스템**

㉠ 제조 기술이 실현되는 데 이용되는 모든 활동을 체계화한 것으로, 투입, 과정, 산출 및 되먹임 등의 단계로 이루어진다.

㉡ 제조 기술 시스템의 단계

투입	과정	산출	되먹임
제품을 만드는 데 필요한 재료, 자본, 인력, 에너지, 설비, 시간 등의 요소를 투입한다.	가공, 조립, 검사 및 시험의 절차에 따라 투입 요소를 활용하여 제품을 만든다.	제조 과정의 결과로 제품이 완성된다.	문제가 발생하면 이를 해결하기 위해 문제가 되는 단계로 되돌아간다.

㉢ 제조 기술 시스템의 단계별 세부 요소

투입	과정	산출
• 재료: 제품을 만드는 원료 • 자본: 제품을 완성하는 데 필요한 비용 • 인력: 제품을 만드는 데 필요한 사람 • 에너지: 제품을 만드는 데 필요한 에너지 • 설비: 제품을 만들기 위한 수단 • 시간: 제품을 만드는 데 걸리는 기간	• 가공: 자연에서 얻은 재료에 힘을 가하거나 절단하거나 녹여서 원하는 형태로 만드는 일 • 조립: 가공한 부품들을 하나의 제품으로 결합하는 일 • 검사 및 시험: 가공과 조립 과정을 거친 제품이 문제가 없는지, 작동은 잘하는지를 확인하는 일	제품 완성

㉣ 금속 가공법

• 절삭: 각종 재료를 절삭 공구로 깎는 것이다.

• 주조: 금속을 가열하여 녹인 후, 모래나 금속으로 만든 틀에 넣어 그 속에서 냉각시켜 제품(주물)을 얻는 것이다.

• 단조: 금속 재료를 적당한 온도로 가열하여 해머 등으로 두드려서 필요한 모양으로 만드는 것이다.

• 압연: 상온 또는 고온에서 롤러 사이에 긴 소재를 통과시켜 제품을 만든다.

㉤ 플라스틱 가공법

• 압축 성형: 열경화성 플라스틱 재료를 예열하여 형틀에 넣고 압력을 가하여 형태를 만드는 가공법이다.

• 압출 성형: 열을 통해 녹은 플라스틱을 원하는 형태의 단면을 가지고 있는 압출 성형기를 통과시켜 가공하는 가공법이다.

• 공기 취입 성형: 중간 과정의 제품에 뜨거운 공기를 불어넣어 형틀 안에서 부풀어 오르게 하여 형태를 만드는 방법이다.

• 발포 성형: 폴리스티렌 입자에 가스를 주입한 후, 뜨거운 증기로 부풀려 형태를 만드는 가공법이다.

• 열 성형: 플라스틱판에 열을 가한 후 형 위에 밀착이 되도록 판과 형 사이에 진공 상태를 만들어 형태를 만드는 가공법이다.

2. 제품 생산 과정의 이해

① **자전거 만드는 생산 과정**: 자전거 생산 과정은 부품 가공, 프레임(차체) 용접, 도장 공정, 조립 공정의 단계로 나눌 수 있다.

투입	과정	산출	되먹임
• 재료: 금속, 플라스틱 등 • 자본: 재료비 및 생산비 • 인력: 자전거를 설계하는 사람, 자전거를 만드는 사람 등 • 에너지: 자전거를 만드는 데 필요한 전기 에너지 • 설비: 자전거 제작에 필요한 기계, 공구 • 시간: 자전거를 만드는 데 걸리는 기간	• 부품 가공 • 프레임(차체) 용접 • 도장 공정 • 조립 공정	자전거 완성	문제가 발생하면 이를 해결하기 위해 문제가 되는 단계로 되돌아간다.

② **물티슈 만드는 생산 과정**: 나무에서 펄프를 만들고, 펄프에 정화된 물을 투입한 후, 알맞은 크기로 가공하여 완성한다.

투입	과정	산출	되먹임
• 재료: 나무, 물 등 • 자본: 재료비 및 생산비 • 인력: 천연 펄프를 만드는 사람, 물티슈를 만드는 사람 등 • 에너지: 물티슈를 만드는 데 필요한 전기 에너지 • 설비: 물티슈 제작에 필요한 기계, 공구 • 시간: 물티슈를 만드는 데 걸리는 기간	• 목재 부수기 • 섬유질 채취 • 천연 펄프 완성 • 물 첨가 • 자르기 • 포장	물티슈 완성	문제가 발생하면 이를 해결하기 위해 문제가 되는 단계로 되돌아간다.

01 여러 가지 재료를 다양한 방법으로 가공하여 우리 생활에 필요한 제품을 만드는 기술을 무엇이라고 하는지 쓰시오.

(   )

정답 제조 기술

02 다음에서 설명하는 개념은 무엇인지 쓰시오.

제조 기술이 실현되는 데 이용되는 모든 활동을 체계화한 것으로 투입, 과정, 산출 및 되먹임 등의 단계로 이루어진다.

정답 제조 기술 시스템

03 제조 기술 시스템의 과정 요소로 알맞은 것은?
① 제품을 만드는 원료
② 제품을 만드는 비용
③ 제품을 만드는 기계
④ 제품을 만드는 사람
⑤ 제품을 만드는 방법

정답 ⑤

04 제조 기술 시스템에서 다음 설명에 해당하는 단계는 무엇인지 쓰시오.

문제가 발생하면 이를 해결하기 위해 문제가 되는 단계로 되돌아간다.

정답 되먹임

05 제조 기술 시스템에서 제품이 한번 완성되면 문제가 있어도 해결할 수 없다.
(O , X)

정답 X

06 다음에서 설명하는 가공 방법이 무엇인지 쓰시오.

자전거를 만들 때, 차체를 고정시키기 위해 금속을 녹여 붙이는 방법이다.

정답 용접

07 제조 기술에서 효율적인 생산을 위해 제품 검사 및 시험은 가능하면 생략한다.
(O , X)

정답 X

01 제조 기술 시스템의 단계에 해당하지 <u>않는</u> 것은?

① 투입   ② 과정
③ 산출   ④ 적용
⑤ 되먹임

02 다음 (　)에 들어갈 제조 기술의 투입 요소는 무엇인지 쓰시오.

> 제조 기술의 투입 과정은 제품을 만드는데 필요한 재료, (　), 인력, 에너지, 설비, 시간 등의 요소를 투입한다.

03 제조 기술 시스템의 과정에서 가공한 부품들을 하나의 제품으로 결합하는 일은?

① 가공   ② 조립
③ 검사   ④ 시험
⑤ 분리

04 자전거를 만들 때 투입 요소로 적당하지 <u>않은</u> 것은?

① 시간   ② 재료비
③ 기능공   ④ 전기 설비
⑤ 프레임 용접

05 물티슈 만드는 순서가 바르게 나열된 것은?

① 섬유질 채취 – 목재 부수기 – 펄프 완성 – 물 첨가
② 섬유질 채취 – 목재 부수기 – 물 첨가 – 펄프 완성
③ 물 첨가 – 섬유질 채취 – 목재 부수기 – 펄프 완성
④ 물 첨가 – 목재 부수기 – 섬유질 채취 – 펄프 완성
⑤ 목재 부수기 – 섬유질 채취 – 펄프 완성 – 물 첨가

06 자전거 만들 때 재료의 표면의 녹 방지, 방습 및 미관을 위하여 적당한 도료를 칠하는 것을 무엇이라고 하는지 쓰시오.

07 다음이 설명하는 자전거 공정은?

> 프레임(차체)에 바퀴, 브레이크, 페달, 변속기, 안장 등을 연결한다.

① 부품 가공   ② 차체 용접
③ 도장 공정   ④ 조립 공정
⑤ 마감 공정

08 다음 (　)에 가장 적당한 것은?

> 종이 등을 만들기 위해 나무와 같은 섬유 식물에서 뽑아낸 재료로 (　)을/를 만든다.

① 펄프   ② 변재
③ 심재   ④ 목질
⑤ 섬유소

01 제조 기술 시스템에서 문제가 발생하면 이를 해결하기 위해 문제가 되는 단계로 되돌아가는 것은?

① 투입 　　　　　② 설계
③ 산출 　　　　　④ 과정
⑤ 되먹임

02 제조 기술 시스템에서 과정 단계에 포함되는 것은?

① 토지 　　　　　② 자본
③ 인력 　　　　　④ 에너지
⑤ 검사 및 시험

03 다음이 설명하는 제조 기술 시스템은?

> 가공, 조립, 검사 및 시험의 절차에 따라 투입 요소를 활용하여 제품을 만든다.

① 투입 　　　　　② 과정
③ 산출 　　　　　④ 되먹임
⑤ 판매

04 〈보기〉가 제조 기술 시스템의 단계는?

> ┤ 보기 ├
> 가공한 부품들을 하나의 제품으로 결합하는 일이다.

① 가공 　　　　　② 시험
③ 설계 　　　　　④ 조립
⑤ 검사

[05~06] 문제를 읽고 〈보기〉를 참고하여 물음에 답하시오.

> ┤ 보기 ├
> ㄱ. 부품 가공 　　　　ㄴ. 도장 공정
> ㄷ. 차체 용접 　　　　ㄹ. 조립 공정
> ㅁ. 산출

05 〈보기〉를 시공하는 순서에 맞게 바르게 나열한 것은?

① ㄱ－ㄴ－ㄷ－ㄹ－ㅁ
② ㄱ－ㄷ－ㄴ－ㄹ－ㅁ
③ ㄴ－ㄱ－ㄹ－ㅁ－ㄷ
④ ㄴ－ㄱ－ㅁ－ㄹ－ㄷ
⑤ ㄹ－ㄴ－ㄷ－ㄱ－ㅁ

06 다음에서 설명하는 공사의 종류에 해당하는 것을 〈보기〉에서 고르면?

> 재료 표면의 녹 방지, 방충, 방습 및 미관을 위하여 적당한 도료를 칠하는 것이다.

① ㄱ 　　　　　　② ㄴ
③ ㄷ 　　　　　　④ ㄹ
⑤ ㅁ

07 물티슈 만드는 과정에서 투입 요소가 **아닌** 것은?

① 재료 　　　　　② 자본
③ 설비 　　　　　④ 시간
⑤ 채취

1. 제조 기술의 특징
① 자연에서 필요한 재료를 얻는다.
② 재료를 유용한 제품으로 변화시켜 경제적 가치를 높인다.
③ 같은 원료라도 가공 및 처리 방법에 따라 다양한 형태로 나타난다.
④ 산출물이 제품의 형태로 나타난다.
⑤ 다른 산업 발전에 큰 영향을 끼친다.

2. 제조 기술의 발달 과정
소량 생산 시대 → 대량 생산 시대 → 다품종 생산 시대
① 고대
  ㉠ 고대에는 손과 도구를 사용하여 필요한 물건을 스스로 만들어 사용하였다.
  ㉡ 가정에서 필요한 물품을 손과 도구를 사용하여 생산하였다.(가내 수공업)
② 중세
  ㉠ 초기에는 가내 수공업 형태였으나, 물품 수요의 증가로 생산성이 높은 공장제 수공업의 형태로 발전하였다.
  ㉡ 공장에 나와 여러 사람들이 모여 작업을 하는 방식이었다.(공장제 수공업)
③ 근대
  ㉠ 생산 기계를 이용하여 제품을 대량으로 생산하였다.(공장제 기계 공업)
  ㉡ 컨베이어 벨트 방식을 통한 일관 생산 방식이 도입되어 생산성은 더욱 증가하였다.
④ 현대
  ㉠ 공장 자동화를 통하여 유연 생산 방식이 도입되었다.
  ㉡ 컴퓨터와 산업용 로봇을 이용한 공장 자동화가 되었다.

3. 재료의 특성과 이용
① 목재
  ㉠ 합판: 원목을 넓고 얇은 판으로 만든 후 나뭇결 방향이 서로 직각이 되도록 홀수 겹으로 만든 것으로, 책상, 의자, 가구, 건축, 재료 등에 이용에 쓰인다.
  ㉡ 집성재: 목재를 나뭇결 방향으로 나란히 모아 접착제로 붙여서 만든 것으로, 실내 장식용, 건축 자재, 가구 등에 쓰인다.

  ㉢ 중밀도 섬유판(MDF): 원목을 갈아 얻은 섬유질을 압축시켜 만든 것으로, 실내 장식재, 문짝, 액자 등에 쓰인다.
  ㉣ 파티클 보드: 사용하고 남은 목재를 잘게 부순 후 접착제와 섞어 압축시켜 만든 것으로, 가구, 칸막이, 실내 장식재 등에 쓰인다.
② 플라스틱
  ㉠ 열가소성 플라스틱: 열을 가할 때마다 녹아 움직여서 부드럽고 유연해지는 플라스틱이다.(폴리프로필렌 수지(PP), 폴리스티렌 수지(PS), 폴리에틸렌, 테레프 탈레이트 수지(PET) 등)
  ㉡ 열경화성 플라스틱: 열을 가해 한번 굳어지면 다시 열을 가해도 녹아 움직이지 않는 플라스틱이다.(폴리에스테르 수지, 멜라민 수지, 페놀 수지, 실리콘 수지 등)
③ 금속
  ㉠ 철금속
  • 순철: 탄소가 거의 없는 철로, 재질이 연한 순수한 철로서 전기가 잘 통한다.
  • 탄소강: 탄소가 조금 들어 있는 철로, 열처리를 하면 성질이 바뀐다.
  • 주철: 탄소가 많이 들어 있는 철로, 녹이 잘 슬지 않아 기계 몸체, 맨홀 뚜껑 등에 이용된다.
  ㉡ 비철금속
  • 구리와 구리 합금: 전기와 열이 잘 통하고, 녹이 잘 슬지 않는다.(청동, 황동)
  • 알루미늄과 알루미늄 합금: 가볍고 전기가 잘 통한다. 공기 중에서 산화 피막이 형성되어 녹이 슬지 않는다.

4. 제조 기술의 발달 전망
① **3D 프린팅**: 재료를 녹여 층층이 쌓아 올리면서 3차원 물체를 찍어내는 것을 말한다.
② **스마트 공장**: 공장 내 설비와 기계에 설치된 센서가 데이터를 실시간으로 수집하고 분석하여 스스로 제어하는 공장이다.

01 자연에서 얻어지는 여러 가지 재료를 가공·처리하여 유용한 제품을 만드는 것을 제조라고 하며, 이러한 방법을 이용하여 인간에게 필요한 유용한 제품을 만드는 기술을 제조 기술이라 한다.

(O , X)

정답 O

02 다음에서 설명하는 제조 기술의 특징을 쓰시오.

> 금속과 유리 등으로 스마트폰을 만듦으로써, 가치가 올라간다.

정답 경제적 가치를 높인다.

03 제조 기술의 발달은 다른 산업의 발전과는 관련이 없다.

(O , X)

정답 X

04 다음이 설명과 관련 있는 제조 기술 발달 시대는?

> • 손과 도구를 사용하여 필요한 물건을 스스로 만들어 사용하였다.
> • 돌이나 금속을 이용하여 농업 생산을 이루었다.

① 고대   ② 중세   ③ 근대
④ 현대   ⑤ 미래

정답 ①

05 18세기 중반부터 19세기 초반까지 영국에서 시작된 기술의 혁신과 이로 인해 일어난 사회, 경제 등의 큰 변화를 (   )(이)라 한다.

정답 산업 혁명

06 다음에서 설명하는 공업의 형태를 쓰시오.

> 생산 기계를 이용하여 제품을 대량으로 생산하였다.

정답 공장제 기계 공업

07 현대의 제조 기술은 공장 자동화가 이루어지면서 더욱 간편하게 제품을 생산할 수 있게 되었다.

(O , X)

정답 O

08 원목을 넓고 얇은 판으로 만든 후 나뭇결 방향이 서로 직각이 되도록 홀수 겹으로 만든 것을 합판이라 한다.

(O , X)

정답 ○

09 다음에서 설명하는 목재 가공재를 쓰시오.

- 원목을 갈아 얻은 섬유질을 압축시켜 만든다.
- 실내 장식재, 문짝, 액자 등에 이용된다.

정답 중밀도 섬유판(MDF)

10 다음에서 열가소성 플라스틱은?

① 페놀 수지
② 멜라민 수지
③ 실리콘 수지
④ 폴리프로필렌 수지
⑤ 폴리에스테르 수지

정답 ④

11 다음에서 설명하는 개념이 무엇인지 쓰시오.

대형 3D 프린터가 건설 구조물을 만든다. 건설 비용과 시간이 줄어들어 다량의 건물을 빠른 시간 안에 지을 수 있다.

정답 3D 프린팅 건설 기술

12 탄소강은 탄소가 거의 없는 철로, 재질이 연한 순수한 철로서 전기가 잘 통한다.

(O , X)

정답 ○

13 (   )은/는 재료를 녹여 층층이 쌓아 올리면서 3차원 물체를 찍어내는 것을 말한다. 플라스틱이 일반적으로 사용되고 있지만, 앞으로는 점점 다양한 재료가 사용될 것이다.

정답 3D 프린팅

14 사물에 센서와 통신 기능을 내장하여 인터넷에 연결하는 기술을 사물 인터넷이라 한다.

(O , X)

정답 ○

01 제조 기술의 특징으로 적당하지 않은 것은?

① 자연에서 필요한 재료를 얻는다.
② 산출물이 구조물의 형태로 나타난다.
③ 다른 산업 발전에 큰 영향을 끼친다.
④ 재료를 유용한 제품으로 변화시켜 경제적 가치를 높인다.
⑤ 같은 원료라도 가공 및 처리 방법에 따라 다양한 형태로 나타난다.

02 〈보기〉에서 제시된 사례와 관련된 제조 기술의 특징은?

┤ 보기 ├
스마트폰을 만드는 데 필요한 금속, 유리 등은 자연에서 재료를 얻는다.

① 자연에서 필요한 재료를 얻는다.
② 산출물이 제품의 형태로 나타난다.
③ 다른 산업 발전에 큰 영향을 끼친다.
④ 재료를 유용한 제품으로 변화시켜 경제적 가치를 높인다.
⑤ 같은 원료라도 가공 및 처리 방법에 따라 다양한 형태로 나타난다.

03 다음 내용에서 드러나는 제조 기술의 특징과 관련이 있는 용어는?

금속과 유리 등을 재료로 스마트폰뿐만 아니라 식판, 유리컵 등을 만들 수 있다.

① 전문성 ② 다양성
③ 조화로움 ④ 산업 영향
⑤ 경제적 가치

04 가정에서 필요한 물품을 손과 도구를 사용하여 생산하는 방식은?

① 가내 수공업 ② 공장제 수공업
③ 가내 기계 공업 ④ 공장제 기계 공업
⑤ 자동화 생산 방식

05 다음 내용과 같은 성과를 이룬 사람은?

스코틀랜드의 발명가이자 기계 공학자로 영국과 세계의 산업 혁명에 중대한 역할을 한 증기 기관을 발명하였다.

① 모스 ② 에디슨
③ 트레제제게 ④ 스티븐슨
⑤ 제임스 와트

06 다음에서 (   )에 알맞은 생산 방식이 무엇인지 쓰시오.

유연 생산 방식은 (   ) 소량 생산에 알맞은 생산 방식으로, 효율성과 유연성을 모두 갖춘 시스템이다.

07 근대에는 생산 과정을 몇 개의 작업으로 나누어 순서대로 조립하는 방식이 도입되어 생산성이 더욱 향상되었는데 이러한 생산 방식을 무엇이라 하는가?

08 다음 글에서 ㉠과 ㉡에 들어갈 내용으로 가장 적당한 것으로 짝지어진 것은?

현대에는 (㉠)와/과 산업용(㉡)을/를 이용한 공장 자동화가 이루어지면서 더욱 간편하게 제품을 생산할 수 있게 되었다.

	㉠	㉡		㉠	㉡
①	기계	기계	②	로봇	기계
③	컴퓨터	로봇	④	로봇	기계
⑤	컴퓨터	컴퓨터			

09 컨베이어 벨트 방식을 통한 일관 생산 방식이 도입되어 생산성이 향상된 시기는?

① 고대   ② 중세
③ 근대   ④ 현대
⑤ 원시 시대

10 목재의 특성에 대한 설명으로 바르지 못한 것은?

① 가볍다.
② 부드럽다.
③ 따뜻하다.
④ 썩기 쉽다.
⑤ 변형이 없다.

11 사용하고 남은 목재를 잘게 부순 후 접착제와 섞어 압축시켜 만든 목재 가공재는?

① 원목
② 합판
③ 집성재
④ 파티클보드
⑤ 중밀도 섬유판

12 열을 가해 한번 굳어지면 다시 열을 가해도 녹아 움직이지 <u>않는</u> 플라스틱은?

① 폴리에스테르 수지
② 폴리스티렌 수지
③ 폴리에틸렌 수지
④ 폴리프로필렌 수지
⑤ 테레프탈레이트 수지

13 구리와 아연의 합금은?

① 청동   ② 황동
③ 주철   ④ 순철
⑤ 스테인리스

14 공기 중에서 산화 피막이 형성되어 녹이 슬지 <u>않는</u> 금속이 무엇인지 쓰시오.

15 빈칸에 들어갈 알맞은 말은?

막대한 양의 데이터 집합을 (   )(이)라 한다.

① 증강 현실   ② 가상현실
③ 사물 인터넷   ④ 빅 데이터
⑤ 유비쿼터스

16 다음이 설명하는 미래의 제조 기술은?

공장 내 설비와 기계에 설치된 센서가 데이터를 실시간으로 수집하고 분석하여 스스로 제어하는 공장이다.

① 증강 현실   ② 가상 현실
③ 사물 인터넷   ④ 빅 데이터
⑤ 스마트 공장

01 다음 설명에서 ㉠과 ㉡에 들어갈 말을 쓰시오.

> 제조 기술은 손과 도구를 사용하여 인간에게 필요한 물건을 만드는 (㉠)(으)로부터 시작되었고, 산업 혁명 이후 (㉡)이/가 도입되면서 급속도로 발달되기 시작하였다.

02 제조 기술의 특징 중에서 재료의 가치 상승에 해당하는 설명은?

① 자연에서 필요한 재료를 얻는다.
② 다른 산업 발전에 큰 영향을 끼친다.
③ 산출물이 구조물의 형태로 나타난다.
④ 재료를 유용한 제품으로 변화시켜 경제적 가치를 높인다.
⑤ 같은 원료라도 가공 및 처리 방법에 따라 다양한 형태로 나타난다.

03 가정에서 필요한 물품을 자급자족하기 위해 손이나 도구를 사용하여 만드는 것부터 시작하였는데, 이러한 생산 방식이 무엇인지 쓰시오.

04 다음이 설명하는 제조 기술 생산 시대는?

> 초기에는 가내 수공업 형태였으나, 물품 수요의 증가로 생산성이 높은 공장제 수공업의 형태로 발전하였다.

① 원시 　　　　② 고대
③ 중세 　　　　④ 근대
⑤ 현대

[05～07] 문제를 읽고 보기에 해당하는 것을 고르시오.

> ┤ 보기 ├
> ㄱ. 생산 기계를 이용하여 제품을 대량으로 생산하였다.
> ㄴ. 컨베이어 벨트 방식을 통한 일관 생산 방식이 도입되어 생산성은 더욱 증가하였다.
> ㄷ. 공장 자동화를 통하여 유연 생산 방식이 도입되어 다양한 제품을 생산하게 되었다.
> ㄹ. 컴퓨터와 산업용 로봇을 이용한 공장 자동화가 이루어지면서 더욱 간편하게 제품을 생산할 수 있게 되었다.

05 〈보기〉에서 대량 생산 시대의 설명으로만 짝지어진 것은?

① ㄱ, ㄴ 　　　② ㄴ, ㄷ 　　　③ ㄷ, ㄹ
④ ㄱ, ㄹ 　　　⑤ ㄴ, ㄹ

06 〈보기〉에서 다품종 생산 시대의 설명으로만 짝지어진 것은?

① ㄱ, ㄴ 　　　② ㄴ, ㄷ 　　　③ ㄷ, ㄹ
④ ㄱ, ㄹ 　　　⑤ ㄴ, ㄹ

07 다품종 소량 생산에 알맞은 생산 방식으로, 효율성과 유연성을 모두 갖춘 시스템은 무엇인가?

08 다음이 설명하는 것에 가정 적당한 것은?

> 컴퓨터와 산업용 로봇을 이용하여 더욱 간편하게 제품을 생산할 수 있게 된 것이다.

① 설계 자동화 　　　② 생산 자동화
③ 사무 자동화 　　　④ 가정 자동화
⑤ 공장 자동화

중요

09 〈보기〉에서 생산 방식의 발달 순서가 바른 것은?

┤ 보기 ├

ㄱ. 가내 수공업　　　ㄴ. 공장제 수공업
ㄷ. 공장제 기계 공업　ㄹ. 공장 자동화

① ㄱ － ㄴ － ㄷ － ㄹ
② ㄱ － ㄷ － ㄴ － ㄹ
③ ㄴ － ㄱ － ㄹ － ㄷ
④ ㄴ － ㄱ － ㄷ － ㄹ
⑤ ㄹ － ㄴ － ㄷ － ㄱ

10 다음의 특성을 가진 재료는?

가볍고, 가공하기 쉬우며, 부드럽고 따뜻한 느낌을 준다. 또한, 무늬가 아름답고, 열과 전기가 잘 통하지 않는다. 반면, 타기 쉬우며, 썩기 쉽고, 재질이 고르지 못하며, 건조하면서 수축되어 변형이 생긴다.

① 목재
② 금속
③ 유리
④ 시멘트
⑤ 플라스틱

11 목재를 나뭇결 방향으로 나란히 모아 접착제로 붙여서 만든 목재 가공재는?

① 원목
② 합판
③ 집성재
④ 파티클 보드
⑤ 플로어링

12 열을 가할 때 녹아 움직일 수 있는 플라스틱은?

① 열친화성 플라스틱
② 열경계성 플라스틱
③ 열전도성 플라스틱
④ 열경화성 플라스틱
⑤ 열가소성 플라스틱

[13~15] 〈보기〉는 금속의 특성이다. 문제를 읽고 보기에 해당하는 것을 고르시오.

┤ 보기 ├

ㄱ. 재질이 균일하다.
ㄴ. 녹는점이 비교적 높다.
ㄷ. 연성과 전성이 우수하다.
ㄹ. 상온에서 대부분 고체이다.
ㅁ. 강도와 경도가 높은 편이다.

13 〈보기〉에서 금속 가공법 중 단조 작업과 관련이 있는 성질은?

① ㄱ　　　② ㄴ　　　③ ㄷ
④ ㄹ　　　⑤ ㅁ

14 〈보기〉에서 금속 가공법 중 주조 작업과 관련이 있는 성질은?

① ㄱ　　　② ㄴ　　　③ ㄷ
④ ㄹ　　　⑤ ㅁ

15 〈보기〉에서 다음의 내용과 관련된 것은?

3D 프린팅은 재료를 녹여 층층이 쌓아 올리면서 3차원 물체를 찍어내는 것을 말한다.

① ㄱ　　　② ㄴ　　　③ ㄷ
④ ㄹ　　　⑤ ㅁ

Ⅶ 삶을 창조하는 기술

1. 문제 확인하기
① **과제명**: '독서대 겸용 책꽂이' 만들기
② **제한 사항**
  ㉠ 목재, 사포, 나사못, 경첩, 드라이버, 망치, 접착제, 톱, 자 등을 사용할 수 있고, 목재 이외의 재료도 사용 가능하다.
  ㉡ 자체의 모양이 변하면서 두 가지 용도가 가능해야 한다.

2. 아이디어 창출하기
독서대 겸용 책꽂이를 만들기 위해 관련 정보를 수집하고, 창의적인 아이디어를 구상한다.
① **정보 수집**
  ㉠ 좁은 주거 공간을 효율적으로 사용하기 위한 일명 '트랜스포머' 가구가 많이 만들어지고 있다.
  ㉡ 두 개 이상의 기능을 갖추고 있어 공간 활용에 유리할 뿐만 아니라 경제적이며, 주거 생활도 혁신적으로 바꿀 수 있다.
② **창의적 아이디어 구상**

A: 두 개의 물건을 하나로 합치면 어때?
▶ B: 우리가 자주 사용하는 독서대와 책꽂이를 하나로 합쳐보는 건 어때?
▶ A: 옆으로 붙일까?
B: 옆으로 붙이는 건 효율적이지 않아.
▶ A: 위로 붙이는 건 어때?
B: 좋은 방법이긴 하지만 위로 붙이면 위험하지 않을까?
▼
A: 우리 같이 독서대 겸용 책꽂이를 만들어 보자.
◀ B: 효율적이고 공간을 많이 차지하지 않아서 실용적이야.
◀ A: 그럼 필요할 때마다 변신하는 건 어때?

3. 아이디어 구체화하기
선정된 아이디어를 프리핸드로 스케치하여 구체화한다.

4. 실행하기
필요한 재료와 공구를 준비하여 '독서대 겸용 책꽂이'를 만든다.
① **준비물**: 접착제, 자, 톱, 망치, 경첩, 나사못, 드라이버, 사포

② **만들기**
  ㉠ 설계한 대로 선을 긋는다.
  ㉡ 톱을 사용하여 자른다.
  ㉢ 자른 부품을 사포를 사용하여 다듬는다.
  ㉣ 설계한 대로 못과 망치를 사용하여 조립한다.
  ㉤ 드라이버를 사용하여 두 개의 판을 못과 경첩으로 연결한다.
  ㉥ 접착제를 사용하여 나무 막대를 붙인다.
  ㉦ 완성

5. 평가하기
완성품을 평가 기준에 따라 스스로 또는 친구와 함께 평가한다.

구분	평가 기준
자기 평가	• 트랜스포머 제품의 원리를 잘 이해하였는가? • 트랜스포머 제품의 이용 분야를 이해하였는가? • 작업할 때 안전 및 유의 사항을 잘 지켰는가?
동료 평가	• 창의적인 디자인 아이디어를 낸 동료는 누구인가? • 가장 적극적으로 실습에 참여한 동료는 누구인가?
제품 평가	• 제품의 디자인은 창의적인가? • 제품은 사용하기 편리하고 견고한가? • 모양이 변하면서 두 가지 용도로 사용이 가능한가?

01 트랜스포머 가구는 좁은 공간을 최대한 활용할 수 있는 공간 절약형 가구이다.

(O , X)

정답 O

02 '독서대 겸용 책꽂이 만들기'의 제한 사항에 해당하지 않는 것은?

① 모양을 변형할 수 있어야 한다.
② 목재 이외의 재료는 불가능하다.
③ 사포, 경첩, 접착제 등을 사용할 수 있다.
④ 2가지 용도 이상으로 사용할 수 있어야 한다.
⑤ 드라이버, 망치, 접착제, 톱, 자 등을 사용할 수 있다.

정답 ②

03 소파가 2층 침대로 변하는 가구도 트랜스포머 가구이다.

(O , X)

정답 O

04 아이디어 구체화하기 단계에서는 선정한 아이디어를 (   )(으)로 스케치하여 구체화한다.

정답 프리핸드

05 '독서대 겸용 책꽂이 만들기'에서 모든 과정은 못을 이용하여 막대를 붙인다.

(O , X)

정답 X

06 다음에서 (   )에 공통으로 들어갈 내용은 무엇인지 쓰시오.

경첩을 고정할 때는 나사를 (   )(으)로 돌려 고정할 수 있도록 한다.

정답 오른쪽

07 제조 기술의 창의적 문제 해결 과정 중 다음 설명은 어떤 단계인지 쓰시오.

• 트랜스포머 제품의 원리를 잘 이해하였는가?
• 트랜스포머 제품의 이용 분야를 이해하였는가?
• 작업할 때 안전 및 유의 사항을 잘 지켰는가?

정답 자기 평가

01 〈보기〉와 같이 과제명과 제한 사항이 제시되는 단계는?

┤ 보기 ├
- 과제명: 독서대 겸용 책꽂이 만들기
- 제한 사항
  - 목재, 사포, 나사못, 경첩, 드라이버, 망치, 접착제, 톱, 자 등을 사용할 수 있고, 목재 이외의 재료도 사용 가능하다.
  - 자체의 모양이 변하면서 두 가지 용도가 가능해야 한다.

① 평가하기　　　　　② 실행하기
③ 문제 확인하기　　　④ 아이디어 창출하기
⑤ 아이디어 구체화하기

02 다음과 같은 활동이 이루어지는 단계는?

독서대 겸용 책꽂이를 만들기 위해 관련 정보를 수집하고, 창의적인 아이디어를 구상한다.

① 평가하기　　　　　② 실행하기
③ 문제 확인하기　　　④ 아이디어 창출하기
⑤ 아이디어 구체화하기

03 다음에서 (　　)에 알맞은 도면 그리는 방식은?

'독서대 겸용 책꽂이 만들기'를 할 때 선정한 아이디어를 (　　)(으)로 스케치하여 구체화한다.

① 구상도　　　　　② 프리핸드
③ 정투상도　　　　④ 사투상도
⑤ 등각 투상도

04 〈보기〉는 창의적 문제 해결 과정에서 실행하기를 나타낸 것이다. 순서대로 바르게 나열한 것은?

┤ 보기 ├
가. 완성　　　　　나. 자르기
다. 다듬기　　　　라. 선긋기
마. 조립하기

① 가 – 나 – 다 – 라 – 마
② 나 – 다 – 마 – 가 – 라
③ 나 – 마 – 라 – 다 – 가
④ 다 – 라 – 마 – 가 – 나
⑤ 라 – 나 – 다 – 마 – 가

05 사포질은 결 방향으로 하여 (　　)이/가 생기지 않도록 한다.

06 독서대 겸용 책꽂이 만들기에서 제품 평가 항목은?

① 열심히 실습한 동료는?
② 제품의 디자인은 창의적인가?
③ 트랜스포머 제품의 원리를 잘 이해하였는가?
④ 작업할 때 안전 및 유의 사항을 잘 지켰는가?
⑤ 트랜스포머 제품의 이용 분야를 이해하였는가?

07 다음은 자기 평가, 동료 평가, 제품 평가 중에서 어떤 평가의 항목들인지 쓰시오.

- 트랜스포머 제품의 원리를 잘 이해하였는가?
- 트랜스포머 제품의 이용 분야를 이해하였는가?
- 작업할 때 안전 및 유의 사항을 잘 지켰는가?

01 다음에서 설명하는 금속 재료는?

> • 가볍고 전기가 잘 통한다.
> • 공기 중에서 산화 피막이 형성되어 녹이 슬지 않는다.
> • 음료수 캔, 창틀 등에 이용된다.

① 순철　　　　　② 구리
③ 황동　　　　　④ 청동
⑤ 알루미늄

02 '독서대 겸용 책꽂이 만들기'의 준비물에 해당하지 <u>않는</u> 것은?

① 자　　　　　② 톱
③ 글루건　　　　④ 사포
⑤ 드라이버

03 다음 대화와 관련된 '독서대 겸용 책꽂이 만들기' 단계는?

> 서영: 두 개의 물건을 하나로 합치면 좋을 텐데.
> 준하: 좋은 생각이야! 우리가 자주 사용하는 독서대와 책꽂이를 하나로 합쳐보는 건 어때?
> 서영: 좋아, 그럼 어떤 방법이 좋을까? 옆으로 붙일까?
> 준하: 옆으로 붙이는 건 효율적이지 않아.
> 서영: 위로 붙이는 건 어때?
> 준하: 위험한데.
> 서영: 그럼 필요할 때마다 변신하는 건 어때?
> 준하: 효율적이고 공간을 많이 차지하지 않아서 실용적이야.
> 서영: 맞아. 내가 원하던 거야! 우리 같이 '독서대 겸용 책꽂이'를 만들어 보자.

① 평가하기　　　　② 실행하기
③ 문제 확인하기　　④ 아이디어 창출하기
⑤ 아이디어 구체화하기

[04~05] 문제를 읽고 보기에 해당하는 것을 고르시오.

┤ 보기 ├
ㄱ. 완성품을 스스로 평가해 본다.
ㄴ. 선정한 아이디어를 프리핸드로 스케치하여 구체화한다.
ㄷ. 필요한 재료와 공구를 준비하여 '독서대 겸용 책꽂이'를 만든다.
ㄹ. '독서대 겸용 책꽂이'를 만들기 위해 관련 정보를 수집하고, 창의적인 아이디어를 구상한다.
ㅁ. 사용 목적에 따라 형태가 변하는 제품을 만들 수는 없는지 생각한다.

04 '독서대 겸용 책꽂이 만들기' 활동이 이루어지는 순서대로 바르게 나열한 것은?

① ㄱ - ㄴ - ㄷ - ㄹ - ㅁ
② ㄱ - ㄷ - ㄹ - ㅁ - ㄴ
③ ㄴ - ㄹ - ㄷ - ㅁ - ㄱ
④ ㅁ - ㄴ - ㄹ - ㄷ - ㄱ
⑤ ㅁ - ㄹ - ㄴ - ㄷ - ㄱ

05 〈보기〉의 '독서대 겸용 책꽂이 만들기' 활동 중 ㄴ이 설명하는 단계는?

① 문제 확인　　　　② 아이디어 창출
③ 아이디어 선정　　④ 아이디어 구상
⑤ 아이디어 구체화

06 다음 내용은 관련된 '독서대 겸용 책꽂이 만들기'의 어떤 과정에 해당하는가?

> • 제품의 디자인은 창의적인가?
> • 제품은 사용하기 편리하고 견고한가?
> • 모양이 변하면서 두 가지 용도로 사용이 가능한가?

① 자기 평가　　② 동료 평가　　③ 제품 평가
④ 상대 평가　　⑤ 절대 평가

1. 건설 기술 시스템의 이해

① 건설 기술

주변의 여러 가지 재료를 가공하고 조립하여 인간이 생활하는 데 필요한 구조물을 만드는 기술이다.

② 건설 기술 시스템

㉠ 의미: 건설 기술이 실현되는 데 이용되는 모든 활동을 체계화한 것으로, 투입, 과정, 산출 및 되먹임 등의 단계로 이루어진다.

㉡ 건설 기술 시스템의 단계

투입	과정	산출	되먹임
건설 구조물을 만드는 데 필요한 토지, 자본, 건설 재료, 인력, 건설 장비 등의 요소를 투입한다.	기획, 설계, 시공의 절차에 따라 투입 요소를 활용하여 건설 구조물을 만든다.	건설 과정의 결과로 건설 구조물이 완성된다.	문제가 발생하면 이를 해결하기 위해 문제가 되는 단계로 되돌아간다.

㉢ 건설 기술 시스템의 단계별 세부 요소

투입	과정	산출
• 토지: 건설 구조물이 만들어질 땅 • 자본: 건설 구조물을 완성하는 데 필요한 비용 • 건설 재료: 건설 구조물을 만드는 데 사용하는 재료 • 인력: 건설 구조물을 완성하는 과정에 관계된 사람 • 건설 장비: 건설 구조물을 만들 때 사용하는 기계	• 기획: 어떤 건설 구조물을 만들지 구상하는 단계 • 설계: 기획 단계에서 구상한 건설 구조물을 도면으로 표현하는 단계 • 시공: 설계도에 따라 건설 구조물을 만드는 단계	건설 구조물 완성

2. 건설 구조물의 생산 과정

건설 구조물의 생산 과정은 기획, 설계, 시공 등의 단계로 이루어진다.

① 기획하기

어떤 구조물을 만들지 구상하는 단계로서, 건설 구조물의 사용 목적, 규모와 예산, 대지 조건, 공사 기간 등을 고려하여 기획한다.

② 설계하기

정해진 구상안에 따라 다양한 형태의 도면을 작성한다. 계획 설계, 기본 설계, 실시 설계 순으로 이루어진다.

㉠ 계획 설계: 설계를 의뢰한 사람이 추상적인 요구로부터 하나의 형태를 만들어 내는 과정이다.

　예 스케치, 기초적인 도면, 모형, 보고서 등

㉡ 기본 설계: 설계자의 구상을 구체적으로 표현하기 위하여 도면으로 작성하는 과정이다.

　예 배치도, 평면도, 입면도, 단면도, 투시도 등의 기본 설계 도면

㉢ 실시 설계: 기본 설계를 바탕으로 실제로 집을 지을 수 있는 상세한 설계도를 만드는 과정이다.

　예 일반도, 구조도, 설비도 등

③ 시공하기

정해진 장소에서 일정한 기간 동안 도면에 따라서 생활이나 산업에 필요한 건설 구조물을 완성한다.

㉠ 착공 준비: 공사 시작에 앞서 주변 환경 및 현장 상황, 공사 대지 등을 조사한다.

㉡ 가설 공사: 본 공사를 시행하기 위해 필요한 임시 시설이나 설비를 설치하는 공사이다.

㉢ 토공사: 흙을 파서 쌓거나 운반하는 공사이다.

㉣ 기초 공사: 땅 위의 구조물을 안전하게 지탱할 수 있도록 땅 속에 구조물을 만드는 공사이다.

㉤ 골조 공사: 건설 구조물의 뼈대를 만드는 공사이다. 뼈대를 구성하는 재료에 따라 목공사, 조적 공사, 철근 콘크리트 공사 등이 있다.

• 목공사: 목재를 조립하여 만든다.

• 조적 공사: 벽돌, 블록 등을 쌓아서 만든다.

• 철근 콘크리트 공사: 철근 구조에 콘크리트를 부어 만든다.

• 철골 공사: 건설물의 뼈대를 철강재로 구성한다.

㉥ 마감 공사: 필요한 설비를 하고 마무리하는 공사이다.

• 타일 공사: 구조물 표면에 타일을 붙이는 공사이다.

• 미장 공사: 벽이나 천장, 바닥 따위에 회반죽, 모르타르 등을 바르는 공사이다.

• 도장 공사: 시설물에 도료 등을 칠하는 공사이다.

• 창호 공사: 창과 문을 제작하거나 설치하는 공사이다.

• 방수 공사: 방수 재료를 사용하여 지하실이나 옥상 등에 물이 새는 것을 막는 공사이다.

01 인간이 생활하는 데 필요한 구조물을 만드는 기술을 무엇이라고 하는지 쓰시오.

(   )

정답 건설 기술

02 다음에서 설명하는 개념은 무엇인지 쓰시오.

> 건설 기술이 실현되는 데 이용되는 모든 활동을 체계화한 것으로, 투입, 과정, 산출 및 되먹임 등의 단계로 이루어진다.

정답 건설 기술 시스템

03 건설 기술 시스템의 투입 요소에 해당하지 <u>않는</u> 것은?

① 건설 구조물이 만들어질 땅
② 구상한 건설 구조물을 표현한 도면
③ 건설 구조물을 만들 때 사용하는 기계
④ 건설 구조물을 완성하는 데 필요한 비용
⑤ 건설 구조물을 완성하는 과정에 관계된 사람

정답 ②

04 건설 기술 시스템에서 다음 설명에 해당하는 단계는 무엇인지 쓰시오.

> 기획, 설계, 시공의 절차에 따라 투입 요소를 활용하여 건설 구조물을 만든다.

정답 과정

05 계획 설계는 설계자의 구상을 구체적으로 표현하기 위하여 도면으로 작성하는 과정이다.

(O , X)

정답 X

06 다음에서 설명하는 공사의 종류는 무엇인지 쓰시오.

> 본 공사를 시행하기 위해 필요한 임시 시설이나 설비를 설치하는 공사이다.

정답 가설 공사

07 기초 공사는 건설 구조물의 뼈대를 만드는 공사이다.

(O , X)

정답 X

01 건설 기술 시스템의 단계에 해당하지 <u>않는</u> 것은?

① 투입   ② 구상   ③ 과정
④ 산출   ⑤ 되먹임

02 다음 괄호에 들어갈 건설 구조물의 생산 과정은 무엇인지 쓰시오.

> 건설 구조물의 생산 과정은 어떤 구조물을 지을지 구상하는 기획, 기획한 것을 도면으로 표현하는 설계, 도면대로 실제 건설 구조물을 만드는 (　　) 단계로 이루어진다.

03 구조물 건설을 기획할 때 고려해야 할 사항이 <u>아닌</u> 것은?

① 대지 조건   ② 공사 기간
③ 규모와 예산   ④ 시공자의 요구
⑤ 건설 구조물의 사용 목적

04 실제로 집을 지을 수 있는 상세한 설계도를 만드는 건설 설계의 단계는?

① 기획 설계   ② 계획 설계
③ 기본 설계   ④ 실시 설계
⑤ 구상 설계

05 설계하기의 순서가 바르게 나열된 것은?

① 계획 설계 → 기본 설계 → 실시 설계
② 계획 설계 → 실시 설계 → 기본 설계
③ 기본 설계 → 계획 설계 → 실시 설계
④ 기본 설계 → 실시 설계 → 계획 설계
⑤ 실시 설계 → 기본 설계 → 계획 설계

06 공사 시작에 앞서 주변 환경 및 현장 상황, 공사 대지 등을 조사하는 것을 무엇이라고 하는지 쓰시오.

07 다음이 설명하는 공사의 종류는?

> 필요한 설비를 하고 마무리하는 공사이다.

① 토공사   ② 가설 공사
③ 골조 공사   ④ 기초 공사
⑤ 마감 공사

08 다음에 제시된 공사들이 포함되는 공사는?

> 목공사, 조적 공사, 철근 콘크리트 공사

① 토공사   ② 가설 공사
③ 골조 공사   ④ 기초 공사
⑤ 마감 공사

중요
01 건설 기술 시스템에서 문제가 발생하면 이를 해결하기 위해 문제가 되는 단계로 되돌아가는 것은?

① 투입   ② 설계
③ 산출   ④ 과정
⑤ 되먹임

02 건설 기술 시스템에서 과정 단계에 포함되는 것은?

① 토지   ② 자본
③ 인력   ④ 건설 장비
⑤ 골조 공사

03 건설 기획 시 고려해야 할 사항 중 다음 내용에 해당하는 것은?

> • 누구를 위하여 지을 것인가?
> • 건설 구조물의 용도는 무엇인가?

① 사용 목적   ② 대지 조건
③ 건설 시기   ④ 공사 기간
⑤ 규모와 예산

중요
04 〈보기〉의 설명에 해당하는 건설 설계 단계는?

┤ 보기 ├
> 설계를 의뢰한 사람의 추상적인 요구로부터 하나의 형태를 만들어 내는 과정이다

① 기획 설계   ② 계획 설계
③ 과정 설계   ④ 실시 설계
⑤ 구상 설계

[05~06] 문제를 읽고 〈보기〉를 참고하여 물음에 답하시오.

┤ 보기 ├
> ㄱ. 토공사
> ㄴ. 가설 공사
> ㄷ. 마감 공사
> ㄹ. 기초 공사
> ㅁ. 골조 공사

중요
05 〈보기〉를 시공하는 순서에 맞게 바르게 나열한 것은?

① ㄱ－ㄴ－ㄷ－ㄹ－ㅁ
② ㄱ－ㄷ－ㄴ－ㅁ－ㄹ
③ ㄴ－ㄱ－ㄹ－ㅁ－ㄷ
④ ㄴ－ㄱ－ㅁ－ㄹ－ㄷ
⑤ ㄹ－ㄴ－ㄷ－ㄱ－ㅁ

06 다음에서 설명하는 공사의 종류에 해당하는 것을 〈보기〉에서 고르면?

> 흙을 파서 쌓거나 운반하는 공사이다.

① ㄱ   ② ㄴ
③ ㄷ   ④ ㄹ
⑤ ㅁ

07 조적식 구조물에 해당하는 것은?

① 목구조   ② 벽돌 구조
③ 철골 구조   ④ 철근 콘크리트 구조
⑤ 철골 철근 콘크리트 구조

1. 건설 기술의 특징

① **장기성**: 오랜 시간 사용할 수 있어야 한다.

　예 명동 성당 건물은 1898년에 완공되어 지금까지도 사용되고 있다.

② **지역성**: 지역의 특성에 맞아야 한다.

　예 제주도의 초가는 돌을 이용하여 집을 짓거나 담을 쌓았다.

③ **종합성**: 다양한 학문과 기술이 조화를 이룰 수 있도록 해야 한다.

　예 동대문디자인플라자 건물에는 과학성, 예술성 등이 깃들어 있다.

④ **일회성**: 한 번 시공하면 변경이나 해체가 어렵다.

　예 규모가 큰 건물이나 교량은 다시 짓기가 어렵고, 보수할 경우에도 많은 불편을 감수해야 하므로 처음부터 정확하게 계획하여 만들어야 한다.

⑤ **공공성**: 공공성과 공익성을 가져야 한다.

　예 종합 운동장은 공공시설이므로 많은 사람들이 이용하는 데 편리성과 안전성을 고려해야 한다.

2. 건설 기술의 이용 분야

① **주거 분야**: 개인이나 가족이 휴식과 안정을 취하는 단독 주택, 아파트 등의 시설을 제공한다.

② **산업 분야**: 각종 생산 및 서비스 산업 활동에 필요한 공장 등의 시설을 제공한다.

③ **복지 분야**: 여러 사람들이 복지를 누릴 수 있는 학교, 병원, 공원 등의 시설을 제공한다.

④ **교통 분야**: 사람과 물자가 이동할 수 있는 도로, 항만, 터널, 교량 등의 시설을 제공한다.

　㉠ 교량: 교량은 강이나 계곡 사이를 연결해 주는 구조물이다.

　㉡ 도로: 도로는 사람과 차량 통행을 위하여 만들어진 공공의 통로이다.

⑤ **에너지 분야**: 전기를 생산하고 이동시킬 수 있는 발전소, 송전탑 등의 시설을 제공한다.

　• 원자력 발전소: 핵분열로 인한 에너지로 전기를 발생시키는 발전소이다.

⑥ **환경 분야**: 주변 환경을 개선하거나 훼손된 환경을 복구하고 정화하는 상하수도 처리장 등의 시설을 제공한다.

　• 상수도 처리장: 우리가 사용하는 깨끗한 물을 공급하는 설비이다.

3. 건설 기술의 발달 과정

① **산업화 이전의 건설 기술**

　㉠ 고대: 거대한 건물, 수로, 도로, 성곽 등을 건설하였다.

　• 그리스에서는 신전 건축이 발달하였다.

　• 이집트에서는 피라미드 건설하였다.

　• 로마에서는 실용적인 기술이 발달하여 상하수도, 도로 등을 갖춘 도시가 발달하였다.

　㉡ 중세: 종교 건축이 활발하여 원형의 돔 구조와 높은 첨탑 구조가 주를 이루었다.

② **산업화 이후의 건설 기술**

　㉠ 근대

　• 철, 유리, 시멘트 등 새로운 건설 재료가 개발하였다.

　• 철골 구조와 철근 콘크리트 구조가 발달하였다.

　• 대형 구조물, 고층 건설 구조물, 대형 철제 교량 등이 건설되었다.

　㉡ 현대

　• 건설 공법이 발달하여 초고층화, 설계 및 시공의 자동화, 건설 자재의 규격화 및 대량 생산화가 이루어졌다.

　• 정보 통신 기술과의 융합으로 정보화·지능화된 구조물이 생겨났다.

4. 건설 기술의 발달 전망

① **친환경 건설 기술**: 친환경 자재를 사용하여 주변 자연환경과 조화를 이루는 친환경적인 건설 구조물이 등장하고 있다.

② **새로운 건설 공법과 재료의 개발**: 새로운 건설 공법이 개발되어 다양한 구조와 형태를 가진 구조물이 건설되고 있다.

③ **다양한 건설 공간의 확대**: 기존의 생활공간을 벗어난 다양한 공간이 개발되면서 새로운 생활공간을 조성하고 있다.

　예 지하 도시, 해양 도시, 우주 도시 등

④ **정보화된 건설 기술**: 컴퓨터와 정보 기술을 활용함으로써 건설 기계의 자동화가 이루어지고 있다.

01 건설 기술은 인간이 쾌적하고 편리한 생활을 하기 위해 필요한 구조물을 만드는 건축 기술과 공공의 이익을 위해 자연환경을 변화시켜 필요한 구조물을 만드는 토목 기술로 나뉜다.
(O , X)

정답 ○

02 다음에서 설명하는 건설 기술의 특징을 쓰시오.

> 동대문디자인플라자 건물에는 과학성, 예술성 등이 깃들어 있다. 이처럼 건설 기술은 다양한 학문과 기술이 조화를 이룰 수 있도록 해야 한다.

정답 종합성

03 건설 기술은 시공한 후에 문제가 발생하면 다시 짓거나 보수하는 방법이 있어 편리하다.
(O , X)

정답 X

04 다음은 건설 기술이 어떤 분야에서 이용되고 있는 것을 나타내는지 쓰시오.

> 전기를 생산하고 이동시킬 수 있는 발전소, 송전탑 등의 시설을 제공한다.

① 환경 분야 　　　　　　② 복지 분야
③ 산업 분야 　　　　　　④ 주거 분야
⑤ 에너지 분야

정답 ⑤

05 고대에는 종교 건축이 활발하여 원형의 돔 구조와 높은 첨탑 구조가 주를 이루었다.
(O , X)

정답 X

06 다음에서 설명하는 건설 구조물을 쓰시오.

> 1851년 만국 박람회 때 런던 교외에 만들어진 건설 구조물로, 철골 구조로 뼈대를 만들고, 유리를 지붕과 벽의 재료로 사용하였다.

정답 수정궁

07 고대에는 거대한 건물, 수로, 도로, 성곽 등을 건설하였다. 그리스에서는 신전 건축이 발달하였고 이집트에서는 왕의 무덤인 (　　　　　)을/를 건설하였다.

정답 피라미드

08 산업화 이후에는 새로운 건설 재료가 개발되고, 철골 구조와 철근 콘크리트 구조가 발달하면서 대형 건설 구조물, 고층 건설 구조물, 대형 철제 교량 등이 건설되었다.

(O , X)

정답 ○

09 지열, 풍력, 태양광 등 자연 에너지를 활용하는 건설 구조물인 (   )와/과 단열성을 높여 에너지 소비를 최소화한 건물 구조물인 '패시브 하우스'가 점차 발전하고 개발될 것이다.

정답 액티브 하우스

10 오늘날의 건설 기술에 대한 특징으로 옳지 <u>않은</u> 것은?
① 설계 및 시공의 자동화
② 다양한 종교 건축이 발달
③ 정보 통신 기술과의 융합
④ 정보화·지능화된 구조물
⑤ 건설 자재의 규격화 및 대량 생산화

정답 ②

11 다음에서 설명하는 개념이 무엇인지 쓰시오.

> 대형 3D 프린터가 건설 구조물을 만든다. 건설 비용과 시간이 줄어들어 다량의 건물을 빠른 시간 안에 지을 수 있다.

정답 3D 프린팅 건설 기술

12 강도가 뛰어나며 가벼운 건설 재료가 활용되고, 새로운 기능이 더해진 건설 재료의 개발로 건설 구조물의 (   )은/는 향상될 것이다.

정답 안전성

13 미래에는 컴퓨터와 정보 기술을 활용함으로써 건설 기계의 (   )이/가 이루어질 것이다.

정답 자동화

14 건설 구조물이 점차 늘어남에 따라 기존의 생활공간이 협소해지는 부정적인 결과도 초래하게 될 것이다.

(O , X)

정답 X

01 건설 기술에 대한 설명으로 적절하지 않은 것은?

① 건설 기술은 건축 기술과 토목 기술로 나뉜다.
② 건설 기술은 사회의 발전에 필요한 여러 가지 시설물을 건설한다.
③ 건설 기술은 많은 사람들에게 편리한 생활환경을 조성해 주는 역할을 한다.
④ 건설 기술은 주거, 산업, 복지, 교통, 에너지, 환경 등 다양한 분야에 이용되고 있다.
⑤ 건설 기술은 사회, 문화, 경제적인 영향을 많이 받으며 다른 산업과는 관련성이 없다.

02 〈보기〉에서 제시된 사례와 관련된 건설 기술의 특징은?

> ┤ 보기 ├
> 명동 성당 건물은 1898년에 완공되어 지금까지도 사용되고 있다.

① 종합성
② 공공성
③ 경제성
④ 장기성
⑤ 지역성

03 다음 내용에서 드러나는 건설 기술의 특징은?

> 제주도의 초가는 돌을 이용하여 집을 짓거나 담을 쌓았다.

① 지역의 특성에 맞아야 한다.
② 공공성과 공익성을 가져야 한다.
③ 오랜 시간 사용할 수 있어야 한다.
④ 한 번 시공하면 변경이나 해체가 어렵다.
⑤ 다양한 학문과 기술이 조화를 이룰 수 있도록 해야 한다.

04 건설 기술의 특징에 해당하지 않는 것은?

① 종합성
② 공공성
③ 경제성
④ 단기성
⑤ 지역성

05 다음 내용에 해당하는 건설 기술의 이용 분야는?

> 각종 생산 및 서비스 산업 활동에 필요한 공장 등의 시설을 제공한다.

① 주거 분야
② 산업 분야
③ 교통 분야
④ 복지 분야
⑤ 에너지 분야

06 건설 기술이 교통 분야에서 이용된 사례에 해당하지 않는 것은?

① 도로
② 항만
③ 터널
④ 교량
⑤ 정수장

07 기원전 4~5세기에 만들어진 왕의 무덤으로 수톤 무게의 돌들만 200만 개 이상 사용된 것이 무엇인지 쓰시오.

08 다음 글에서 ㉠과 ㉡에 들어갈 내용으로 바르게 짝지어진 것은?

> • 이탈리아 피렌체의 두오모 대성당은 1296년부터 140여 년에 걸쳐 완성된 대성당으로 오늘날에도 세계에서 가장 큰 돌로 만든 (㉠)이다.
> • 1248년부터 630여 년에 걸쳐 완성된 쾰른 대성당은 뾰족하게 솟은 두 개의 (㉡)(으)로 유명하다. 높이는 157m로 세계에서 세 번째로 높은 교회이다.

	㉠	㉡		㉠	㉡
①	돔	아치	②	돔	첨탑
③	첨탑	아치	④	첨탑	돔
⑤	아치	첨탑			

09 종교 건축이 활발하게 이루어진 시기는?

① 고대 　　　　　　② 중세
③ 근대 　　　　　　④ 현대
⑤ 원시시대

10 산업화 이전의 건설 기술에 대한 설명으로 옳은 것은?

① 새로운 건설 재료가 개발되었다.
② 철골 구조와 철근 콘크리트 구조가 발달하였다.
③ 정보 통신 기술과의 융합으로 정보화 · 지능화된 구조물이 생겨났다.
④ 대형 건설 구조물, 고층 건설 구조물, 대형 철제 교량 등이 건설되었다.
⑤ 종교 건축이 활발하여 원형의 돔 구조와 높은 첨탑 구조가 주를 이루었다.

11 시대별로 건설 구조물을 바르게 나열한 것은?

① 피라미드 – 에펠탑 – 두오모 대성당 – 부르즈 할리파
② 피라미드 – 쾰른 대성당 – 수정궁 – 부르즈 할리파
③ 쾰른 대성당 – 피라미드 – 인천 대교 – 에펠탑
④ 두오모 대성당 – 쾰른 대성당 – 피라미드 – 에펠탑
⑤ 에펠탑 – 수정궁 – 두오모 대성당 – 부르즈 할리파

12 산업화 이후의 건설 구조물이 아닌 것은?

① 에펠탑 　　　　　② 수정궁
③ 인천 대교 　　　　④ 두오모 대성당
⑤ 부르즈 할리파

13 산업화 이후 건설 기술에 사용된 건설 재료 중 〈보기〉의 빈칸에 들어갈 알맞은 말은?

┤ 보기 ├
철, (　　　), 시멘트

① 유리 　　　　　② 벽돌
③ 자갈 　　　　　④ 나무
⑤ 모르타르

14 친환경 자재를 사용하여 주변 자연환경과 조화를 이루는 건설하는 기술이 무엇인지 쓰시오.

15 빈칸에 들어갈 알맞은 말은?

단열성을 높여 에너지 소비를 최소화한 건물 구조물인 (　　　)이/가 점차 발전하고 개발될 것이다.

① 액티브 하우스 　　② 패시브 하우스
③ 인공지능 하우스 　④ 3D 프린팅 건설
⑤ 태양광 조명 시스템

16 〈보기〉의 내용과 관련 있는 건설 기술의 발달 전망은?

┤ 보기 ├
지하 도시, 해양 도시, 우주 도시

① 친환경 건설 기술
② 정보화된 건설 기술
③ 새로운 건설 공법의 개발
④ 다양한 건설 공간의 확대
⑤ 건설 재료 및 자재의 변화

01 다음 설명에서 ㉠과 ㉡에 들어갈 말을 쓰시오.

> 건설 기술은 인간이 쾌적하고 편리한 생활을 하기 위해 필요한 구조물을 만드는 (㉠)와/과 공공의 이익을 위해 자연환경을 변화시켜 필요한 구조물을 만드는 (㉡)(으)로 나뉜다.

02 건설 기술의 특징 중에서 종합성에 해당하는 설명은?

① 지역의 특성에 맞아야 한다.
② 공공성과 공익성을 가져야 한다.
③ 오랜 시간 사용할 수 있어야 한다.
④ 한 번 시공하면 변경이나 해체가 어렵다.
⑤ 다양한 학문과 기술이 조화를 이룰 수 있도록 해야 한다.

03 규모가 큰 건물이나 교량은 다시 짓기가 어렵고, 보수할 경우에도 많은 불편을 감수해야 하므로 처음부터 정확하게 계획하여 만들어야 한다는 것은 건설 기술의 어떤 특징을 드러내는 것인지 쓰시오.

04 다음 설명에 해당하는 건설 기술의 특징은?

> 종합 운동장은 공공시설이므로 많은 사람들이 이용할 수 있도록 편리성과 안정성을 고려해야 한다.

① 종합성　　　　　② 공공성
③ 경제성　　　　　④ 장기성
⑤ 지역성

[05~06] 문제를 읽고 보기에 해당하는 것을 고르시오.

> ┤ 보기 ├
> ㄱ. 강이나 계곡 사이를 연결해 주는 구조물이다.
> ㄴ. 우리가 사용하는 깨끗한 물을 공급하는 설비이다.
> ㄷ. 사람과 차량 통행을 위하여 만들어진 공공의 통로이다.
> ㄹ. 핵분열로 인한 에너지로 전기를 발생시키는 발전소이다.
> ㅁ. 개인이나 가족이 휴식과 안정을 취하는 단독 주택, 아파트 등의 시설을 제공한다.

05 〈보기〉에서 건설 기술이 주거 분야에 이용된 사례에 해당하는 것은?

① ㄱ　　　　② ㄴ　　　　③ ㄷ
④ ㄹ　　　　⑤ ㅁ

06 〈보기〉에서 교량에 대한 설명에 해당하는 것은?

① ㄱ　　　　② ㄴ　　　　③ ㄷ
④ ㄹ　　　　⑤ ㅁ

07 〈보기〉에서 ㄹ은 건설 기술이 어떤 분야에서 이용되고 있는지를 보여주는 사례인지 쓰시오.

08 건설 기술이 복지 분야에서 이용되고 있는 사례로만 짝지어진 것은?

① 학교, 병원　　　　② 학교, 아파트
③ 교량, 공원　　　　④ 도로, 정수장
⑤ 병원, 발전소

09 다음에서 설명하는 건축 구조 양식을 쓰시오.

> 산업화 이전에 발달한 건축 양식으로, 공을 반으로 자른 모양인 반구형의 지붕을 가진 건축 구조이다.

10 다음에서 설명하고 있는 건축 구조 양식은?

> • 높고 뾰족한 모양의 지붕을 가진 건축 구조이다.
> • 쾰른 대성당은 뾰족하게 솟은 두 개의 탑으로 되어 있으며, 높이는 157m로 세계에서 세 번째로 높은 교회이다.

① 돔 구조   ② 아치 구조
③ 타원 구조   ④ 첨탑 구조
⑤ 트러스 구조

11 근대 시대에 지어진 건설 구조물이 <u>아닌</u> 것은?

① 수정궁   ② 에펠탑
③ 후버 댐   ④ 쾰른 대성당
⑤ 엠파이어 스테이트 빌딩

12 〈보기〉의 내용은 어느 시대 건설 기술의 특징인가?

> ┤ 보기 ├
> ㄱ. 대형 건설 구조물이 건설되기 시작하였다.
> ㄴ. 철골 구조와 철근 콘크리트 구조가 발달하였다.
> ㄷ. 철, 유리, 시멘트 등 새로운 건설 재료가 개발되었다.

① 고대   ② 중세
③ 근대   ④ 현대
⑤ 원시 시대

[13~15] 문제를 읽고 보기에 해당하는 것을 고르시오.

> ┤ 보기 ├
> ㄱ. 친환경 자재를 사용하여 주변 자연환경과 조화를 이루는 친환경적인 건설 구조물이 등장할 것이다.
> ㄴ. 새로운 건설 공법이 개발되어 다양한 구조와 형태를 가진 구조물이 건설될 것이다.
> ㄷ. 기존의 생활공간을 벗어난 다양한 공간이 개발되면서 새로운 생활공간을 조성하게 될 것이다.
> ㄹ. 인공 지능을 갖춘 건설 로봇이 사람을 대신하는 것이 보편화될 것이다.
> ㅁ. 컴퓨터와 정보 기술을 활용함으로써 건설 기계의 자동화가 이루어질 것이다.

13 〈보기〉에서 정보화된 건설 기술과 관련된 것끼리 짝지어진 것은?

① ㄱ, ㄴ   ② ㄴ, ㄷ   ③ ㄷ, ㄹ
④ ㄷ, ㅁ   ⑤ ㄹ, ㅁ

14 〈보기〉에서 아래 설명하는 내용과 관련된 것은?

> ┤ 보기 ├
> 지하 도시, 해양 도시, 우주 도시 등 새로운 공간에 필요한 구조물을 건설하여 도시를 이루면서 생활공간이 한층 더 확대될 것이다.

① ㄱ   ② ㄴ   ③ ㄷ
④ ㄹ   ⑤ ㅁ

15 〈보기〉에서 아래 설명하는 내용과 관련된 것은?

> ┤ 보기 ├
> 지열, 풍력, 태양광 등 자연 에너지를 활용하는 건설 구조물인 '액티브 하우스'와 단열성을 높여 에너지 소비를 최소화한 건물 구조물인 '패시브 하우스'가 점차 발전하고 개발될 것이다.

① ㄱ   ② ㄴ   ③ ㄷ
④ ㄹ   ⑤ ㅁ

07 건설 기술의 창의적 문제 해결 | Ⅶ. 삶을 창조하는 기술 |

1. 문제 확인하기
① **과제명**: '넓고 튼튼한 돔 구조 모형' 만들기
② **제한 사항**
　㉠ 나무 막대, 자, 칼, 글루건 등을 사용할 수 있고, 나무 막대의 길이는 15cm 이하, 개수는 40개 이하로만 사용할 수 있다.
　㉡ 돔 내부의 공간이 가장 넓어야 한다.
　㉢ 하중을 최대한 지탱할 수 있어야 한다.

2. 아이디어 창출하기
넓고 튼튼한 돔 구조 모형을 만들기 위해 관련 정보를 수집하고, 창의적인 아이디어를 구상한다.
① **정보 수집**
　㉠ 아치 구조: 벽돌이나 석재를 쌓을 때 곡선 모양으로 쌓아 지탱하는 구조를 말한다. 아치 구조는 힘을 한곳에 집중시키지 않고, 양쪽으로 분산시키기 때문에 다른 구조에 비해 더 안전하고 튼튼하다.
　㉡ 돔 구조: 아치 구조에서 발전된 반구 형태의 구조물로써, 다각형 평면 위에 만들어진 둥근 곡면의 천장이나 지붕을 말한다.
② **창의적 아이디어 구상**: 수집한 정보를 바탕으로 다양하고 창의적인 아이디어를 구상해 본다.

3. 아이디어 구체화하기
선정된 아이디어를 프리핸드로 스케치하여 구체화한다.

4. 실행하기
필요한 재료와 공구를 준비하여 '넓고 튼튼한 돔 구조 모형'을 만든다.
① **준비물**: 자, 칼, 글루건, 나무 막대
② **만들기**
　㉠ 노란색 막대 7cm, 파란색 막대 6.2cm가 되도록 자른다.
　㉡ 노란색 막대를 연결하여 십각형을 만든다.
　㉢ 십각형에 노란색 시옷 모양의 막대를 연결한다.
　㉣ 노란색 시옷 모양 사이사이에 파란색 별 모양을 연결한다.
　㉤ 노란색 막대를 연결한다.
　㉥ 노란색 막대를 연결하여 오각형을 만든다.
　㉦ 파란색 별 모양의 막대를 연결한다.
　㉧ 완성
③ **재하 시험하기**
재하 시험이란 구조물에 무게를 늘리면서 얼마나 튼튼한 지를 알아보는 시험을 말한다. 3~4개의 돔 구조 모형을 가까이 붙여 놓고, 그 위에 판을 올린다. 판 위에 교과서를 1권씩 올리면서 어느 정도의 무게를 견딜 수 있는지 확인한다.

$$재하 능력 = \frac{교과서의 무게}{구조물의 무게} \times 1 \ (또는 \frac{1}{4})$$

5. 평가하기
스스로 평가를 하거나 친구와 완성품에 대한 평가를 한다. 평가를 거치면서 더 넓고 튼튼한 돔 구조 모형을 만드는 방법을 생각해 본다.
① **자기 평가**
　㉠ 돔 구조물에 대한 원리를 이해하였는가?
　㉡ 건설 구조물에 대한 관심이 늘었나?
　㉢ 작업할 때 안전 및 유의 사항을 잘 지켰는가?
② **동료 평가**
　㉠ 창의적인 디자인 아이디어를 낸 동료는 누구인가?
　㉡ 가장 적극적으로 실습에 참여한 동료는 누구인가?
③ **제품 평가**
　㉠ 구조물의 디자인은 창의적인가?
　㉡ 구조물의 크기는 어느 정도인가?
　㉢ 돔 구조 모형에 책을 올렸을 때, 무너지지 않고 잘 견뎌 내는가?

01 돔 구조는 벽돌이나 석재를 쌓을 때 곡선 모양으로 쌓아 지탱하는 구조를 말한다.
(O , X)

정답 X

02 '넓고 튼튼한 돔 구조 모형 만들기'의 제한 사항에 해당하지 않는 것은?
① 돔 내부의 공간이 가장 넓어야 한다.
② 하중을 최대한 지탱할 수 있어야 한다.
③ 나무 막대, 자, 칼, 글루건 등을 사용할 수 있다.
④ 글루건은 최대한 많이 사용하여 튼튼하게 붙여야 한다.
⑤ 나무 막대의 길이는 15cm 이하, 개수는 40개 이하로만 사용할 수 있다.

정답 ④

03 튼튼하고 넓은 건물을 지으려면 기둥이 반드시 지탱해 주어야 한다.
(O , X)

정답 X

04 아이디어 구체화하기 단계에서는 선정한 아이디어를 (   )(으)로 스케치하여 구체화한다.

정답 프리핸드

05 '넓고 튼튼한 돔 구조 모형 만들기'에서 모든 과정은 글루건을 이용하여 막대를 붙인다.
(O , X)

정답 ○

06 다음에서 (   )에 공통으로 들어갈 내용은 무엇인지 쓰시오.

> 완성된 돔 구조 모형으로 (   )을/를 한다. (   )은/는 구조물에 무게를 늘리면서 얼마나 튼튼한지를 알아보는 시험이다.

정답 재하 시험

07 건설 기술의 창의적 문제 해결 과정에서 다음 설명에 해당하는 단계는 무엇인지 쓰시오.

> 스스로 평가를 하거나 친구와 완성품에 대한 평가를 한다. 평가를 거치면서 더 넓고 튼튼한 돔 구조 모형을 만드는 방법을 생각해 본다.

정답 평가하기

01 〈보기〉와 같이 과제명과 제한 사항이 제시되는 단계는?

┤ 보기 ├
- 과제명: 넓고 튼튼한 돔 구조 모형 만들기
- 제한 사항
  ▶ 나무 막대, 자, 칼, 글루건 등을 사용할 수 있고, 나무 막대의 길이는 15cm 이하, 개수는 40개 이하로만 사용할 수 있다.
  ▶ 돔 내부의 공간이 가장 넓어야 한다.
  ▶ 하중을 최대한 지탱할 수 있어야 한다.

① 평가하기   ② 실행하기
③ 문제 확인하기   ④ 아이디어 창출하기
⑤ 아이디어 구체화하기

02 다음과 같은 활동이 이루어지는 단계는?

- 정보 수집
- 창의적 아이디어 구상

① 평가하기   ② 실행하기
③ 문제 확인하기   ④ 아이디어 창출하기
⑤ 아이디어 구체화하기

03 필요한 재료와 공구를 준비하여 '넓고 튼튼한 돔 구조 모형'을 만드는 단계를 쓰시오.

04 다음에서 ㉠에 해당하는 건축 구조 양식은?

(㉠)은/는 벽돌이나 석재를 쌓을 때 곡선 모양으로 쌓아 지탱하는 구조를 말한다. (㉠)은/는 힘을 한곳에 집중시키지 않고, 양쪽으로 분산시키기 때문에 다른 구조에 비해 더 안전하고 튼튼하다.

① 돔 구조   ② 아치 구조
③ 타원 구조   ④ 첨탑 구조
⑤ 트러스 구조

05 〈보기〉는 창의적 문제 해결 과정을 나타낸 것이다. 순서대로 바르게 나열한 것은?

┤ 보기 ├
가. 평가하기
나. 실행하기
다. 문제 확인하기
라. 아이디어 창출하기
마. 아이디어 구체화하기

① 가 – 나 – 다 – 라 – 마
② 나 – 다 – 마 – 가 – 라
③ 나 – 마 – 라 – 다 – 가
④ 다 – 나 – 라 – 마 – 가
⑤ 다 – 라 – 마 – 나 – 가

06 구조물에 무게를 늘리면서 얼마나 튼튼한지를 알아보는 시험을 무엇이라고 하는지 쓰시오.

07 '넓고 튼튼한 돔 구조 모형 만들기'에서 제품 평가에 해당하는 평가 항목은?

① 구조물의 크기는 어느 정도인가?
② 건설 구조물에 대한 관심이 늘었나?
③ 돔 구조물에 대한 원리를 이해하였는가?
④ 작업할 때 안전 및 유의 사항을 잘 지켰는가?
⑤ 가정 적극적으로 실습에 참여한 동료는 누구인가?

08 다음은 평가하기 자기 평가, 동료 평가, 제품 평가 중에서 어떤 평가의 항목들인지 쓰시오.

- 창의적인 디자인 아이디어를 낸 동료는 누구인가?
- 가장 적극적으로 실습에 참여한 동료는 누구인가?

중요

01 다음에서 설명하는 건축 구조 양식은?

> 아치 구조에서 발전된 반구 형태의 구조물로써, 다각형 평면 위에 만들어진 둥근 곡면의 천장이나 지붕을 말한다.

① 돔 구조
② 아치 구조
③ 타원 구조
④ 첨탑 구조
⑤ 트러스 구조

02 '넓고 튼튼한 돔 구조 모형 만들기'의 준비물에 해당하지 <u>않는</u> 것은?

① 자
② 칼
③ 글루건
④ 나무 막대
⑤ 둥근 자석

중요

03 다음 대화와 관련된 '넓고 튼튼한 돔 구조 모형 만들기' 단계는?

> 서희: 넓고 튼튼한 돔 구조 모형을 만들기 위한 방법에는 무엇이 있을까?
> 동현: 넓은 판을 올려놓는 건 어때?
> 서희: 기둥 없이 넓은 판을 지붕으로 사용한다면 가운데가 움푹 내려앉을 거야.
> 동현: 그러면 작은 판들을 연결시키는 건 어때?
> 서희: 결합된 부분이 무게를 견디지 못하고 무너지지 않을까?
> 동현: 그렇다면 저번에 관람했던 석굴암의 천장 같은 구조는 어떨까?
> 서희: 그거 좋은 생각이다! 판들이 서로 지탱하면서 연결되어야 하니깐 둥근 모양의 지붕이 되겠다!

① 평가하기
② 실행하기
③ 문제 확인하기
④ 아이디어 창출하기
⑤ 아이디어 구체화하기

[04~06] 문제를 읽고 보기에 해당하는 것을 고르시오.

┤ 보기 ├

ㄱ. 완성품은 스스로 또는 친구와 함께 평가한다.
ㄴ. 선정한 아이디어를 프리핸드로 스케치하여 구체화한다.
ㄷ. 필요한 재료와 공구를 준비하여 '넓고 튼튼한 돔 구조 모형'을 만든다.
ㄹ. 넓고 튼튼한 돔 구조 모형을 만들기 위해 관련 정보를 수집하고, 창의적인 아이디어를 구상한다.
ㅁ. 기둥은 없지만, 튼튼하고 넓은 공간을 만들어 낼 수 있는 방법을 없을까?'라는 문제 상황을 확인한다.

04 '넓고 튼튼한 돔 구조 모형 만들기' 활동이 이루어지는 순서대로 바르게 나열한 것은?

① ㄱ－ㄴ－ㄷ－ㄹ－ㅁ
② ㄱ－ㄷ－ㄹ－ㅁ－ㄴ
③ ㄴ－ㄹ－ㄷ－ㅁ－ㄱ
④ ㅁ－ㄴ－ㄹ－ㄷ－ㄱ
⑤ ㅁ－ㄹ－ㄴ－ㄷ－ㄱ

05 '넓고 튼튼한 돔 구조 모형 만들기'에서 아이디어 구체화하기 단계에 이루어지는 활동은?

① ㄱ
② ㄴ
③ ㄷ
④ ㄹ
⑤ ㅁ

06 다음 내용과 관련된 '넓고 튼튼한 돔 구조 모형 만들기'의 과정에 해당하는 것은?

> • 돔 구조물에 대한 원리를 이해하였는가?
> • 건설 구조물에 대한 관심이 늘었나?
> • 작업할 때 안전 및 유의 사항을 잘 지켰는가?

① ㄱ
② ㄴ
③ ㄷ
④ ㄹ
⑤ ㅁ

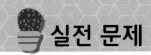 # 실전 문제

자주 출제되는 문제

01 다음이 설명하는 것은 무엇인가?

> 자연에서 얻은 자원을 활용하여 인류의 삶에 유용한 산출물을 개발하여 이용하는 것은 말한다.

02 〈보기〉는 생산 기술의 요소 중 재료에 대한 것이다. (가), (나), (다)가 설명하는 것을 바르게 연결한 것은?

> ┤ 보기 ├
> (가) 산에서 숲에서 나무를 자른다.
> (나) 금속을 일정한 형태로 만든다.
> (다) 원유를 열에 의해 다양한 물질로 분류한다.

	(가)	(나)	(다)
①	벌목	용융	채굴
②	채굴	벌목	압연
③	벌목	채굴	용융
④	채굴	압연	벌목
⑤	벌목	압연	분류

03 다음 그림에 해당하는 생산 공정은?

플라스틱 관

형틀

① 구상하기   ② 설계하기
③ 가공하기   ④ 조립하기
⑤ 평가하기

04 금속 가공법 중에서 단조의 장점은?

① 작업이 단순하다.
② 제품을 만들기가 쉽다.
③ 긴 제품을 만들기에 적합하다.
④ 아름다운 모양을 만들 수 있다.
⑤ 제품의 조직이 치밀하고 강하다.

05 〈보기〉에서 금속 가공법을 모두 고른 것은?

> ┤ 보기 ├
> ㄱ. 주조   ㄴ. 단조
> ㄷ. 압연   ㄹ. 압축
> ㅁ. 공기 취입 성형

① ㄱ, ㄴ   ② ㄴ, ㄹ
③ ㄱ, ㄷ, ㅁ   ④ ㄴ, ㄷ, ㅁ
⑤ ㄱ, ㄴ, ㄷ, ㄹ

06 제조 기술 시스템에서 과정 산출 요소에 속하는 것은?

① 재료   ② 시간   ③ 가공
④ 조립   ⑤ 제품 완성

07 자전거의 생산 과정 순서로 가장 알맞은 것은?

① 부품 가공 → 프레임 용접 → 도장 공정 → 완성
② 부품 가공 → 도장 공정 → 프레임 용접 → 완성
③ 프레임 용접 → 부품 가공 → 도장 공정 → 완성
④ 프레임 용접 → 도장 공정 → 부품 가공 → 완성
⑤ 도장 공정 → 부품 가공 → 프레임 용접 → 완성

자주 출제되는 문제

08 제조 기술 시스템에 대한 설명으로 옳지 않은 것은?

① 투입 – 제품을 만드는 데 필요한 재료, 자본, 인력, 에너지, 설비, 시간 등의 요소를 투입한다.
② 과정 – 가공, 조립, 검사 및 시험의 절차에 따라 투입 요소를 활용하여 제품을 만든다.
③ 산출 – 제조 과정의 결과로 제품이 완성된다.
④ 되먹임 – 문제가 발생하면 이를 해결하기 위해 문제가 되는 단계로 되돌아간다.
⑤ 제조 기술 시스템 – 사람이나 물건을 이동하는 데 이용되는 모든 활동을 체계화한 것으로, 투입, 과정, 산출 및 되먹임 등의 단계로 이루어진다.

09 제조 기술 시스템 투입 요소의 설명으로 알맞게 짝지어진 것은?

① 설비 – 제품을 만드는 원료
② 재료 – 제품을 만들기 위한 수단
③ 자본 – 제품을 만드는 데 필요한 사람
④ 인력 – 제품을 완성하는 데 필요한 비용
⑤ 에너지 – 제품을 만드는 데 필요한 에너지

10 다음은 제조 기술 시스템의 과정 요소에 대한 설명이다. 밑줄 친 것이 뜻하는 것은?

> 제조 기술 시스템은 자연에서 얻은 재료에 힘을 가하거나 절단하거나 녹여서 원하는 형태로 만들고, 가공한 부품들을 하나의 제품으로 결합하여 완성하며, 가공과 조립 과정을 거친 제품이 문제가 없는지, 작동은 잘 하는지를 확인하는 일이다.

① 가공　　　② 조립　　　③ 검사
④ 시험　　　⑤ 되먹임

11 자전거 만들 때 차체의 녹 방지, 방습 및 미관을 위하여 도료를 칠하는 작업은?

① 도장　　　② 도금　　　③ 합금
④ 연마　　　⑤ 열처리

12 〈보기〉에서 제조 기술의 특징을 모두 고르면?

> 보기
> ㄱ. 자연에서 필요한 재료를 얻는다.
> ㄴ. 산출물이 제품의 형태로 나타난다.
> ㄷ. 다른 산업 발전에 큰 영향을 끼친다.
> ㄹ. 제품의 가치가 달라지는 않는다.
> ㅁ. 같은 원료라도 가공 및 처리 방법에 따라 다양한 형태로 나타난다.

① ㄱ, ㄴ　　　　　② ㄱ, ㄴ, ㄷ
③ ㄱ, ㄴ, ㄹ　　　④ ㄴ, ㄷ, ㄹ
⑤ ㄱ, ㄴ, ㄷ, ㅁ

13 〈보기〉에서 설명하는 시대로 알맞은 것은?

> 보기
> 초기에는 가내 수공업 형태였으나, 물품 수요의 증가로 생산성이 높은 공장제 수공업의 형태로 발전하였다.

① 선사　　　　② 고대　　　　③ 중세
④ 근대　　　　⑤ 현대

14 〈보기〉에서 설명하고 있는 공업의 형태는?

> 보기
> 작은 규모의 일터에서 단순한 기술과 도구로 물건을 만들어 내는 공업 형태이다

① 가내 수공업　　　　② 공장제 수공업
③ 가내 기계 공업　　　④ 공장제 기계 공업
⑤ 공장 자동화

15 〈보기〉에서 설명하고 있는 생산 방식은?

> 보기
> 다품종 소량 생산에 알맞은 생산 방식으로, 효율성과 유연성을 모두 갖춘 시스템이다.

① 공장제 수공업　　　　② 공장제 기계 공업
③ 일관 생산 방식　　　　④ 유연 생산 방식
⑤ 공장 자동화

16 다음이 설명하는 목재 가공재는?

> • 원목을 넓고 얇은 판으로 만든 후 나뭇결 방향이 서로 직각이 되도록 홀수 겹으로 만든다.
> • 재질이 강하고, 수축에 의한 변형이 작다.
> • 책상, 의자, 가구, 건축 재료 등에 이용된다.

① 합판
② 집성재
③ 파티클 보드
④ 중밀도 섬유판
⑤ 플로어 링

17 〈보기〉는 목재의 특성에 대한 설명이다. 옳은 것은 모두 고른 것은?

> ┤ 보기 ├
> ㄱ. 가볍다.
> ㄴ. 썩지 않는다.
> ㄷ. 가공하기 쉽다.
> ㄹ. 무늬가 아름답다.
> ㅁ. 열과 전기가 잘 통한다.

① ㄱ, ㄴ, ㄷ
② ㄱ, ㄷ, ㄹ
③ ㄱ, ㄴ, ㅁ
④ ㄴ, ㄷ, ㄹ
⑤ ㄴ, ㄹ, ㅁ

18 목재의 용도가 바르게 연결되지 **못한** 것은?

① 합판 – 책상, 의자 등
② 파티클 보드 – 책상, 마루 등
③ 집성제 – 가구, 실내 장식용 등
④ 플로어 링 – 마루, 체육관 벽면 등
⑤ 중밀도 섬유판 – 실내 장식, 문짝 등

19 플라스틱의 특성에 대한 설명으로 알맞은 것은?

① 대체로 무겁다.
② 불에 잘 견딘다.
③ 무늬가 아름답다.
④ 건조하면 수축한다.
⑤ 열과 전기를 전달하지 않는다.

20 전기 저항이 적어 다음 그림과 같은 전기 재료에 사용하는 철의 종류는?

① 순철
② 주철
③ 선철
④ 탄소강
⑤ 스테인리스 강

21 구리 합금 중에서 황동은 구리에 어떤 금속을 합금한 것인가?

① 철
② 아연
③ 주석
④ 니켈
⑤ 크롬

22 두랄루민의 용도로 가장 적합한 것은?

① 전선
② 음료수 캔
③ 맨홀 뚜껑
④ 비행기 몸체
⑤ 기계의 몸체

23 다음이 설명하는 금속의 특성은?

> 물체를 압축했을 때, 끊어짐없이 변형이 잘 일어나는 것으로, 이 성질이 좋으면 금속이 잘 펴진다.

① 연성
② 전성
③ 강도
④ 경도
⑤ 취성

24 다음 그림에 해당하는 제조 기술의 창의적 문제 해결 과정은?

① 문제 확인
② 아이디어 창출
③ 아이디어 구체화
④ 실행
⑤ 평가

25 다음은 건설 기술 시스템의 과정 요소에 대한 설명이다. 밑줄 친 것이 뜻하는 것은?

> 건설 기술 시스템은 어떤 건설 구조물을 만들지 구상하고, 도면으로 나타내며, 이를 토대로 건설 구조물을 만드는 단계이다.

① 기획 ② 설계 ③ 시공
④ 시험 ⑤ 되먹임

26 건설 구조물의 생산 과정 중 기획 단계에 대한 내용으로 적당하지 <u>않은</u> 것은?

① AS 받을 곳은 어디입니까?
② 건설 구조물의 완공은 언제입니까?
③ 건설 구조물의 용도는 무엇인가요?
④ 건설 구조물의 크기와 공사비는 얼마인가요?
⑤ 건설 구조물이 세워지는 곳의 교통 문제는 없습니까?

27 다음이 설명하는 설계는?

> 설계자의 구상을 구체적으로 표현하기 위하여 도면으로 작성하는 과정이다.

① 기본 설계
② 계획 설계
③ 실시 설계
④ 상세 설계
⑤ 기초 설계

28 〈보기〉는 건설 시공 작업이다. 순서대로 바르게 나열한 것은?

> ┤ 보기 ├
> ㄱ. 착공 준비   ㄴ. 토공사
> ㄷ. 가설 공사   ㄹ. 기초 공사
> ㅁ. 골조 공사   ㅂ. 마감 공사

① ㄱ → ㄴ → ㄷ → ㄹ → ㅁ → ㅂ
② ㄱ → ㄷ → ㄴ → ㄹ → ㅁ → ㅂ
③ ㄱ → ㄷ → ㄹ → ㄴ → ㅁ → ㅂ
④ ㄱ → ㄹ → ㄴ → ㄷ → ㅁ → ㅂ
⑤ ㄱ → ㅁ → ㄷ → ㄹ → ㄴ → ㅂ

29 다음이 골조 공사의 종류는?

> 건설 구조물의 뼈대를 만드는 공사의 한 방법이며, 벽돌, 블록, 돌을 쌓아서 만드는 방법이다.

① 목공사
② 흙 공사
③ 조적 공사
④ 철골 공사
⑤ 철근-콘크리트 공사

30 다음이 설명하는 건설 기술의 특징은?

> 제주도의 초가는 돌을 이용하여 집을 짓거나 담을 쌓았다.

① 지역의 특성에 맞아야 한다.
② 오랜 시간 사용할 수 있어야 한다.
③ 공공성과 공익성을 가져야 한다.
④ 한 번 시공하면 변경이나 해체가 어렵다.
⑤ 다양한 학문과 기술이 조화를 이룰 수 있도록 해야 한다.

31 다음이 설명하는 건설 기술의 이용 분야는?

> 주변 환경을 개선하거나 훼손된 환경을 복구하고 정화하는 정수장 등의 시설을 제공한다.

① 교통 분야   ② 환경 분야
③ 복지 분야   ④ 산업 분야
⑤ 주거 분야

32 다음 그림에 해당하는 교량은?

주탑

다량의 케이블

① 단순교   ② 아치교   ③ 현수교
④ 사장교   ⑤ 트러스교

33 금속 가공법 뜻을 서술하고, 우리 생활 주변에 있는 제품을 예로 드시오.

34 제조 기술의 발달이 다른 산업 발전에 끼치는 영향을 예를 들어 설명하시오.

35 남극에 건설된 장보고 과학 기지의 외벽은 골프공처럼 작은 홈이 파여 있는데, 이것은 건축물에 어떠한 영향을 끼치는지 서술하시오.

36 산업화 이후의 건설 기술 발달 사항에 대해 서술하시오.

37 트러스 구조에 특징과 장점에 대하여 서술하시오.

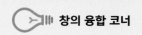

▶ 화성에 우주기지를 짓는 기술에 대하여 생각해 보자.

<출처: www.spacex.com>

일론 머스크는 2024년에 인간을 화성으로 보낸다고 공식 발표하였다. 초대형 로켓으로 지구촌 전체가 30분 생활권이 되며 앞으로 100년 이내에 100만 명을 화성에 이주시킨다는 우주 식민지 계획 발표하였다. 또한, 그는 화성 이주 계획에 필요한 핵심 기술인 로켓 재사용 기술과 자율 착륙 기술을 확보했다고 설명하였다.

MEMO

정답과 해설

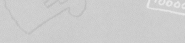

Ⅴ 기술을 통한 적응

01 기술과 사회

이해 문제　　　　　　8쪽

01 ②　　02 생명체　03 ②　　04 ⑤　　05 ⑤　　06 ③
07 ⑤　　08 ②　　09 ⑤　　10 홀로그램

01 실천적 특성은 실질적이고 창의적인 결과가 나오는 것으로 인간의 필요에 의해 실생활에 직접 이용할 수 있는 결과물을 만든다.

03 오늘날 기술은 복잡하고 고도화되고 있으며, 각각의 기술은 통합되어 활용되고 있다.

04 정보 통신 기술은 정보를 생산·처리하여 주고받는 기술이다.

05 기술의 발달에 따라 농업 사회, 산업 사회, 정보 사회로 변화되었다.

06 직업이 여러 종류로 나누어지면서 그 종류가 다양해져 직업 선택의 폭이 넓어졌다.

07 교사, 농부 – 농업 사회에 등장한 직업
　　원. 공장 노동자 – 산업 사회에 등장한 직업

08 나노 의학 기술 – 건강한 사회, 미래 자동차 기술 – 스마트한 사회, 무인 항공기 기술 – 편리한 사회, 신·재생에너지 기술 – 지속 가능한 사회

09 다양한 기술을 통해 미래 사회는 더욱 편리하고 스마트하고, 지속 가능하며, 안전하고, 건강한 사회가 될 것이다.

적용 문제　　　　　　9쪽

01 ②　　02 ①　　03 ④　　04 ⑤　　05 ④　　06 ⑤
07 ①

01 생각한 것을 이용할 수 있도록 하는 것을 실천적 특성이라고 한다.

02 ②, ③은 수송 기술, ④는 정보 통신 기술, ⑤는 생명 기술의 사례이다.

03 제조 기술의 발달로 대량 생산이 가능해졌다.

04 컴퓨터와 정보 통신 기술의 발달로 정보와 지식을 중요하게 여기는 정보 사회로 변화하였다.

05 버스를 타기 – 수송 기술
　　버스 정류장 – 건설 기술
　　스마트폰으로 버스 위치 확인 – 정보 통신 기술
　　바이오 디젤을 연료로 하는 – 생명 기술

06 정보 사회에서 가정의 변화 모습이다.

07 웨어러블 기술은 스마트한 사회를 위한 기술이다.

02 기술과 안전

이해 문제　　　　　　12쪽

01 ⑤　　02 ②　　03 ⑤　　04 ③　　05 ④　　06 ①
07 ②

01 안전이란 위험이 생기거나 사고가 날 염려가 없는 편안한 것을 말한다.

02 19세기 산업 사회가 시작되면서 안전사고 피해자가 생기면서 안전에 대한 개념이 등장하게 되었다.

03 넘어짐 사고를 예방할 수 있는 방법들이다.

04 누전, 가스 누설, 문어발식 콘센트 연결은 화재 발생의 원인이 되어 화재 사고가 일어난다.

05 제시된 곳은 떨어짐 사고가 주로 발생하는 장소이다.

06 기계 작업을 할 때에는 장갑을 착용하지 않아야 기계에 손이 껴서 기계에 들어가는 현상을 막을 수 있다.

07 기계 장비를 장시간 사용할 경우, 기계 과열로 인해 전기 누전이 발생하여 전기 사고 발생이 높아진다.

적용 문제　　　　　　13쪽

01 ④　　02 ④　　03 ②　　04 ①　　05 ④　　06 ⑤

01 ① 안전사고는 예방이 가능하다.
　　② 기술의 발달 과정에서 안전은 더욱 중요하게 되었다.
　　③ 안전은 위험이 생기거나 사고가 날 염려가 없는 편안한 것을 의미한다.
　　⑤ 안전사고 발생하고 대처가 부족하면 재발 가능성이 높다.

02 화재 사고에 원인들이다. 'ㄹ'은 화재 사고의 예방 및 대처 방안 중 하나이다.

03 ㄱ, ㄷ – 넘어짐 사고, ㄴ – 떨어짐 사고, ㄹ – 화재 사고, ㅁ – 교통사고의 예방 및 대처 방안이다.

04 교통사고는 가정 밖에서 일어나는 안전사고이다.

05 안전사고 발생 시 간단한 응급 처치 요령에 대하여 지도하고 즉각적으로 치료를 받을 수 있도록 지도한다.

06 베이킹파우더와 식초가 만나면 이산화탄소가 발생한다.

01 인간의 필요와 욕구를 충족시키기 위해 자원의 형태를 변화시키는 수단이나 활동을 기술이라고 한다.

02 기술의 특성에는 생산적, 실용적, 실천적이 있다.

03 버스와 관련해서도 제조 기술, 건설 기술, 수송 기술 등 각각의 기술이 통합되어 활용되고 있다.

04 컴퓨터 등의 정보 통신 기술이 발달하면서 산업 사회에서 정보 사회로 변화되었다.

05 정보 사회의 특징에 대한 설명이다.

06 맞춤형 치료 기술에 대한 설명이고, 이 기술을 통해 미래에는 건강한 사회가 될 것이다.

07 3차원 디스플레이 기술은 통신, 제품 설계, 의료 분야 등에서 이용될 것이다.

08 빅 데이터 분석 기술, 웨어러블 기술, 미래 자동차 기술, 정보 통신 네트워크 기술 등을 통해 미래에는 스마트한 사회가 될 것이다.

09 신·재생 에너지 기술, 스마트 그리드 기술에 대한 설명으로 이 기술을 통해 미래에는 지속 가능한 사회가 될 것이다.

10 미끄럼 방지 장치를 설치하거나 손잡이 봉을 부착한다.

11 전선 피복이 벗겨진 제품은 사용을 중지하고 수리하거나 교체한다.

서술형 문제

12 내가 즐겨 타는 자전거에서, 자전거를 만드는 제조 기술, 자전거로 이동하는 수송 기술, 자전거에 장착한 스마트폰은 정보 통신 기술, 자전거 도로를 만드는 건설 기술 등이 있다.

13 기술이 빠른 속도로 발전함에 따라 새로운 직업이 생겨났고, 일부 직업은 사라지기도 한다. 또한, 기술의 발달로 전문 지식을 필요로 하는 직업이 늘어났고, 직업이 여러 종류로 나누어지면서 그 종류가 다양해져 직업 선택의 폭이 넓어졌다.

14 다양한 기술을 통해 미래 사회는 더욱 편리하고, 스마트하고, 지속 가능하며 안전하고, 건강한 사회가 될 것이다.

15 안전사고의 유형에는 넘어짐 사고, 떨어짐 사고, 전기 사고, 화재 사고, 끼임 사고, 교통사고 등이 있다.

💡 창의 융합 코너   16쪽

예시 답안 1. (가) 수송 기술, (나) 제조 기술

2. (가)의 그림 속 모습은 개인용 비행 물체를 타고 편지를 배달하는 우편배달부 모습이다. 현재에는 하늘을 나는 다양한 수송 수단인 비행기, 헬리콥터, 로켓 등이 개발되어 이용되고 있다. 현재에는 높은 비용으로 개인보다는 단체 이동에 주로 이용되고 있으나, 미래에는 드론을 통한 개인 이동이 보편화될 예정이다.

3. (나)의 그림 속 모습은 가정에서 자동화 기계를 이용하여 가정에서 청소를 하는 모습이다. 현재에는 과거에 상상했던 모습보다 정교화, 구체화되어 로봇의 형태로 이루어져 있으며, 가정용 로봇으로 가사 보조, 홈 보안, 아이들을 위한 교육 도구, 반려 동물을 대신하는 역할을 하고 있다. 현재에는 프로그램을 통한 제한된 활동 및 동작을 하였으나, 미래에는 인공지능 개발 및 발달로 인해 가정용 로봇의 이용이 다양한 분야에서 보편화될 예정이다.

💡 창의 융합 코너   17쪽

예시 답안

초보운전의 특징인 느린 운전 속도를 상징할 수 있는 거북이를 표현하여 쉽게 알아볼 수 있게 하였다.

Ⅵ 기술적 문제 해결을 통한 혁신

01 기술적 문제 해결 과정

01 ②　　02 ⑤　　03 ③　　04 ⑤　　05 ①　　06 ①
07 ③

01 아이디어 창출하기는 확인된 문제를 개선하기 위해 해결 방안을 찾는 단계이다.

02 문제 확인은 기술적 문제를 구체적으로 확인하는 단계이다.

03 아이디어 구체화는 선정된 아이디어를 다른 사람이 알아볼 수 있도록 표현하는 단계이다.

04 ①은 문제 확인, ②는 평가, ③은 아이디어 창출, ④는 아이디어 구체화 ⑤는 실행 단계이다.

05 도면은 물체의 모양, 크기, 구조, 제작 방법 등을 한국산업규격에 정해진 규칙에 따라 제도 용지에 나타낸 것이다.

06 실용성, 경제성, 제작 가능성 등을 고려해서 적합한지를 평가한다.

07 욕실용 콘센트는 물이 튀어 감전이 일어나는 것을 막기 위해 덮개를 결합한 콘센트이다.

01 ③　　02 ④　　03 ⑤　　04 ②　　05 ②　　06 ①

01 아이디어 창출은 문제 해결 방안을 찾는 단계이고, 아이디어 구체화는 선정한 아이디어를 표현하는 단계이다.

02 아이디어 구체화는 선정된 아이디어를 다른 사람이 알아볼 수 있도록 표현하는 단계이다.

03 선정한 아이디어를 프리핸드로 스케치하고, 이를 바탕으로 제품을 만들기 위한 도면을 작성한다.

04 기술적 문제 해결 과정은 기술적 지식과 방법으로 문제를 실천적으로 해결하는 과정이다.

05 실천적은 생각한 것을 창의적인 결과물로 만드는 것이다.

06 확산적 사고 기법으로 다양한 아이디어를 내고, 수렴적 사고 기법으로 최적의 아이디어를 선정한다.

02 발명의 이해

01 ③　　02 ③　　03 ⑤　　04 ②　　05 ④　　06 ①
07 ③　　08 ①　　09 ①　　10 ④　　11 ①　　12 ②
13 ②　　14 ①　　15 ①　　16 ①

01 발명은 기존에 생각했던 고정 관념을 깨는 것이 중요하며, 이미 있는 물건을 좀 더 편리하게 만드는 활동이다.

02 발명을 잘하려면 일상생활에서 불편한 점을 해결하기 위한 창의적인 아이디어가 필요하다.

03 발견은 인간의 관찰에 의해 이루어지고, 발명은 인간의 창의적 노력에 의해 이루어지며, 서로 밀접한 관계가 있다.

04 발견은 자연에 이미 존재하지만 아직 알려지지 않은 사물이나 현상, 사실, 과학적 원리 등을 찾아내는 것이다.

05 자석의 원리가 발견되어 이를 바탕으로 발명된 나침반은 미지의 땅을 발견하는 데 도움을 주었다.

06 새로운 형태의 바퀴를 구상하는 과정에서 창의력이 높아진다.

07 발명을 하기 위해 발견을 이용할 수 있다. 이처럼 발견은 발명으로 이어져 인류 문명이 발전한다.

08 피뢰침-전기, 자석의 원리-나침반, 작용과 반작용의 법칙-로켓, 허블 우주 망원경-은하이다.

09 1852년 미국의 오티스가 낙하 방지 장치를 발명하여 엘리베이터의 안정성을 높였다.

10 페니실린은 스코틀랜드의 알렉산더 플레밍이 처음 발견한 후, 1941년 치료용 주사제로 만들어졌다.

11 1938년 물, 석탄, 석유 등을 합성하여 만든 최초의 합성 섬유로 가격이 싸고, 대량 생산이 가능하여 여러 분야에 널리 활용되었다.

12 인터넷을 통해 전 인류가 하나로 연결되어 다양한 정보를 서로 주고받을 수 있게 되었다.

13 기존의 물건에 다른 물건이나 다른 기능을 더하여 새로운 물건을 만드는 발명 기법이다.

14 모양 바꾸기 발명 기법은 사용하기 편리하거나 성능이 좋아진다. 십자드라이버, 구부러진 물파스 등이 있다.

15 모양 바꾸기 발명 기법으로 재료의 낭비를 줄이거나 휴대하기 편리하게 할 수 있다.

16 빼기 발명 기법으로 보다 간단하거나 간편한 발명품을 만들 수 있고, 재료를 절약하거나 부피를 줄일 수 있다.

01 ③	02 ④	03 ③	04 ②	05 ④	06 ②
07 ④	08 ③	09 ②	10 ⑤	11 ①	12 ④
13 ③	14 ②	15 ③			

01 오늘날 타이어 바퀴는 공기 튜브가 없는 것으로 발달하였으며, 그 안정성을 높여가고 있다.

02 창의적인 아이디어를 내기 위해서는 기존의 고정 관념을 깨는 것이 매우 중요하다.

03 발명은 지금까지 없었던 물건을 만들거나 이미 있는 물건을 좀 더 편리하게 만드는 활동이다.

04 발견은 자연에 이미 존재하지만 아직 알려지지 않은 사물이나 현상, 사실, 과학적 원리 등을 찾아내는 것이다.

05 자석의 원리를 발견하게 되어 나침반이 발명되고, 이는 미지의 땅을 발견하는 데 도움을 주었다.

06 화약의 발견은 총을 발명하게 하고, 허블 우주 망원경의 발명은 은하를 발견하게 하였다.

07 벤자민 프랭클린의 피뢰침 발명은 전기의 발견을 가져왔다.

08 1908년 미국 시카고의 한 기계 회사에서 근무하던 알바 피셔라는 발명가가 전기세탁기를 만들었다.

09 1903년 미국의 라이트 형제가 발명한 동력 비행기 플라이어 1호가 비행에 성공하였다.

10 인터넷을 통해 전 인류가 하나로 연결되었다. 고층 빌딩이 가능해진 것은 엘리베이터의 발명 때문이었다.

11 1949년 미국의 에커트와 모클리는 에니악이라는 거대한 컴퓨터를 만들었다.

12 현재 사용하고 있는 물건의 모양, 색, 방향, 성질 등을 반대로 생각하거나 거꾸로 하여 새로운 것을 만드는 반대로 생각하기 기법을 역발상 기법이라고도 한다.

13 빼기 기법은 더하기와 반대로 물건의 구성이나 기능 중 일부를 제거하여 새로운 물건을 만드는 것이다.

14 남의 아이디어 빌리기 발명 기법은 창조적 모방이라고도 하며, 기존의 제품보다 성능, 디자인, 모양 등이 더욱 좋을 수 있다.

15 발명 기법은 기존의 물건을 좀 더 편리하고 실용적인 방법으로 아이디어를 낼 수 있도록 도와주는 방법이다.

03 특허의 이해

01 ①	02 ③	03 ①	04 ④	05 ②	06 ③
07 ①	08 ④	09 ③	10 ③	11 ③	12 ⑤

01 쉽게 생각해 내기 어려운 진보된 것이어야 하며, 공공질서나 풍속을 해치지 않아야 특허로 인정받을 수 있다.

02 중력을 따르지 않는 것은 자연법칙에 위배된다.

03 특허권은 다른 사람의 침해를 받지 않고 발명을 이용할 수 있도록 보장하는 권리로, 특허청에서 특허 증서를 발급해 준다.

04 산업 재산권에는 특허권, 실용신안권, 디자인권, 상표권이 있다.

05 실용신안권은 산업 재산권으로 출원일로부터 10년간 유지되며, 특허권은 20년, 디자인권은 20년이다.

06 신지식 재산권은 산업 재산권과 저작권만으로 보호할 수 없는 영역을 보호하는 권리로, 산업 저작권, 첨단 산업 재산권, 정보 재산권, 퍼블리시티권 등이 있다.

07 저작권에는 협의의 저작권, 저작 인접권 등이 있다.

08 유명인이 자신의 성명이나 초상을 상품의 광고에 이용하는 것을 허락하는 권리를 퍼블리시티권이라고 하는데, 이는 신지식 재산권으로 보호받을 수 있다.

09 산업 재산권은 신지식 재산권으로 산업 재산권과 저작권만으로 보호할 수 없는 영역을 보호하는 권리이다.
①은 정보 재산권, ④는 저작권, ⑤는 첨단 산업 재산권에 대한 설명이다.

10 지식 재산권에는 산업 재산권, 저작권, 신지식 재산권 등이 있다. 저작권에는 협의의 저작권, 저작 인접권 등이 있다.

11 신지식 재산권에는 산업 저작권, 첨단 산업 재산권, 정보 재산권, 퍼블리시티권 등이 있다.

12 입체 모양이나 상태 또는 입체 모양에 기호 문자 등이 결합된 상표를 입체 상표라고 하는데 이는 신지식 재산권으로 보호받는다.

01 ⑤	02 ④	03 ①	04 ②	05 ③	06 ⑤
07 ①	08 ①	09 ⑤	10 ④	11 ②	12 ⑤

01 특허는 산업적으로 이용 가능한 발명이어야 하며, 자연법칙을 이용한 기술적 창작이어야 한다.

02 산업적으로 이용 가능한 발명이어야 하고, 쉽게 생각해 내기 어려운, 진보된 것이어야 한다.

03 국가의 안전과 국방상 필요한 경우에도 현행법상 특허가 될 수 없다.

04 산업 재산권에는 특허권, 실용신안권, 디자인권, 상표권 등이 있다. 가는 특허권, 다는 디자인권을 설명하고 있다.

05 실용신안권은 기존에 존재하는 기술의 불편한 점을 고치거나 혁신하는 발명을 말한다.

06 퍼블리시티권은 신지식 재산권으로 보호를 받을 수 있다.

07 그림은 기존 전화기와 별다른 점이 없어 특허 출원이 불가능하다.

08 저작 인접권은 문화 예술 분야의 창작물에 부여하는 저작권에 해당한다.

09 신지식 재산권은 산업 재산권과 저작권만으로 보호할 수 없는 영역을 보호하는 원리이다.

10 저작권은 문화 예술분야의 창작물에 부여하는 권리이다.

11 영화는 영상 저작물로서 저작자의 허락 없이 불법으로 내려받아 이용하고 불특정 다수에게 전파하는 행위는 저작권 침해에 해당한다.

12 신지식 재산권에는 산업 저작권, 첨단 산업 재산권, 정보 재산권, 퍼블리시티권 등이 있다.

04 생활 속 문제의 창의적 해결

이해 문제   40쪽

| 01 ② | 02 ⑤ | 03 다양한 아이디어 | 04 ③ | 05 ① |
| 06 ② | 07 ⑤ | 08 ③ | | |

01 아이디어 창출하기는 확인된 문제를 창의적 기법으로 해결하는 단계로, 최적의 아이디어를 찾는 단계이다.

02 문제 확인하기에서 대상의 특성 찾기는 구조, 모양, 색상, 성질, 용도 등을 찾는 것이다.

04 아이디어 구체화하기는 창출된 생각을 다른 사람이 알아볼 수 있도록 표현하는 단계이다.

05 ①은 실행하기, ②는 평가하기, ③은 아이디어 창출하기, ④는 문제 확인하기, ⑤는 아이디어 구체화하기이다.

06 재료 표면에 금을 긋고 자르는 과정을 마름질하기라고 한다.

07 ①은 마름질하기, ②는 조립하기, ③은 가공하기, ④는 준비하기에 해당한다.

08 평가하기는 완성품을 적절한 기준에 따라 평가하여 새로운 개선 방향과 활용 방안을 찾고, 이를 통해 더욱 뛰어난 결과물을 만들 수 있다.

적용 문제   41쪽

| 01 ② | 02 ② | 03 ③ | 04 ④ | 05 ⑤ | 06 ④ |
| 07 ④ | 08 ⑤ | | | | |

01 아이디어 창출하기는 확인된 문제를 창의적 사고 기법을 이용하여 해결할 수 있다.

02 문제 확인하기는 개선하려는 대상의 특성과 불편한 점을 찾는 단계이고, 아이디어 구체화하기는 창출된 생각을 다른 사람이 알아볼 수 있도록 표현하는 단계이다.

03 아이디어 창출하기는 확산적 사고 기법으로 다양한 아이디어를 만들고, 수렴적 사고 기법으로 최적의 아이디어를 만든다.

04 아이디어 창출하기는 아이디어를 완성품으로 만들기 위해 창출된 생각을 다른 사람이 알아볼 수 있도록 표현하는 단계이다.

05 문제의 창의적 해결 과정은 기술적 문제 해결 과정을 통해 창의적으로 해결할 수 있다.

06 확산적 사고 기법으로 다양한 아이디어를 내고, 수렴적 사고 기법으로 최적의 아이디어를 선정한다.

07 실행하기는 완성품을 만드는 단계로 안전사항에 주의하여야 한다.

08 평가는 완성품을 적절한 기준에 따라 평가하여 새로운 개선 방향과 활용 방안을 찾는 단계이다.

05 표준의 이해~06 표준화의 창의적 문제 해결

이해 문제   044쪽

| 01 ① | 02 ② | 03 ④ | 04 ④ | 05 ② | 06 ② |

01 표준은 사람들 간의 편의, 효율, 그리고 안전을 위한 서로

간의 약속으로 이를 정하고 활용하는 것을 표준화라고 한다.

02 제품의 부품이 통일되면 제품 간에 호환성이 생겨 매우 편리해진다.

03 표준을 정하고 이를 활용하는 것을 표준화라고 하며, 이는 우리 생활 속에서 많은 영향을 주고 있다.

04 그 나라의 표준에 맞추지 않으면 수출이 안 될 수 있고, 과도한 표준화는 제품의 다양성을 줄일 수 있다.

05 표준화로 생산 방법이 간단해져 원가가 절감되며, 자동화된 표준화는 일자리를 줄어들게 할 수 있다.

06 음식물을 남기지 않는 방법에 대해 정보를 수집하고 학급의 여러 친구들과 창의적 사고 기법 등을 통해 아이디어를 창출한다.

적용 문제
45쪽

01 ③ 02 ① 03 ⑤ 04 ⑤ 05 ④ 06 ③

01 자동화된 표준화는 일자리를 줄어들게 하며, 정해진 규격 덕분에 제품을 일정한 품질로 생산할 수 있게 된다.

02 사람들 간의 편의, 효율, 안전을 위한 서로 간의 약속을 표준이라고 하고, 이를 정하고 활용하는 것을 표준화라고 한다.

03 표준화는 표준을 정하고 활용하는 것으로 안전한 생활을 가능하게 한다.

04 표준화는 생산 비용을 감소시키고, 생산 방법을 간편하게 하여 새로운 기술 개발을 촉진시킨다.

05 자동화된 표준화로 로봇 등이 모든 일을 처리하므로 일자리가 줄어들 수 있다.

06 평가하기에는 스스로 평가하거나 친구와 완성품에 대한 평가를 한다. 완성된 결과물인 제품 평가에서는 제품이 도면에 나타난 대로 만들어졌는지를 꼼꼼히 평가한다.

실전 문제
46~50쪽

01 ③ 02 아이디어 창출 03 ① 04 ③ 05 ④
06 ④ 07 ① 08 ② 09 ④ 10 ④ 11 ②
12 ① 13 ⑤ 14 ① 15 ③ 16 ⑤ 17 ①
18 ② 19 ① 20 ① 21 ① 22 ② 23 ①
24 ② 25 ③ 26 ②

[서술형 문제] 27~31 해설 참조

01 해결 방안을 찾는 단계는 아이디어 창출, 표현하는 단계는 아이디어 구체화, 일정한 기준에 평가하는 평가 단계가 있다.

03 문제 확인은 기술적 문제를 구체적으로 확인하는 단계이다.

04 욕실 콘센트는 물이 튀어 감전이 일어나는 것을 막기 위해 덮개를 결합한 콘센트이다.

05 발명을 잘하려면 일상생활에서 불편한 점을 해결하기 위한 창의적인 아이디어가 필요한데, 이를 위해서는 기존에 생각했던 고정 관념을 깨는 것이 중요하다.

06 바퀴는 나무로 깎아 만든 바퀴에서 나무판을 이어 만든 바퀴, 바큇살이 있는 바퀴, 바큇살이 있고 공기 튜브로 만든 바퀴, 공기튜브가 없는 현재의 타이어 바퀴로 발전하였다.

07 발명과 발견은 서로 밀접한 관계가 있어 발견이 발명으로 이어지고, 다시 새로운 발견을 하는 과정 속에서 인류는 발전한다.

08 벤자민 플랭클린의 피뢰침 발명은 전기를 발견하게 하였다. 발견은 자연에 이미 존재하지만 아직 알려지지 않은 것을 찾아내는 것이다.

09 발견은 인간의 관찰, 발명은 인간의 창의적 노력에 의해 이루어진다.

10 페니실린은 1928년 플레밍이 처음 발견한 후, 1941년에 치료용 주사제로 만들었다.

11 나일론은 섬유, 패션, 의료, 공업 분야 등에 널리 활용되었으며, 텔레비전은 지구촌 구석구석까지 전파를 보내게 하였다.

12 1852년 미국의 오티스가 '낙하 방지 장치'를 발명하여 엘리베이터의 안정성을 높였다.

[오답 파헤치기] ②는 비행기의 발명으로 전 세계를 바르고 안전하게 이동할 수 있게 하였다. ③은 전기세탁기 발명으로 가사 부담을 획기적으로 덜어주게 하였다.

13 다른 사람이 발명한 것을 보고 아이디어를 얻어 새로운 물건을 만드는 발명 기법으로, 이를 창조적 모방이라 한다.

14 빼기 기법은 기존의 물건에서 물건을 덜어내거나 기능 또는 내용을 제거하여 새로운 물건이 되도록 하는 발명 기법이다.

15 산업적으로 이용 가능한 발명이어야 하며, 공공 질서를 해치거나 풍속을 해치는 것은 발명에 해당되지 않는다.

16 특허권은 다른 사람의 침해를 받지 않고 발명을 이용할 수 있도록 보장하는 권리를 말하며, 특허청에서 증서를 발급해 준다.

17 산업 재산권은 생활과 산업에 관련된 발명이나 디자인, 상표 등에 부여하는 권리로, 특허권, 실용신안권, 디자인권, 상표권 등이 있다.

[오답 **파헤치기**] ㄹ. 저작권에 대한 설명으로, 협의의 저작권과 저작 인접권이 있다.
ㅁ. 신지식 저작권의 산업 저작권에 대한 설명이다. 첨단 산업 재산권, 정보 재산권, 퍼블리시티권 등이 있다.

18 저작권에는 협의의 저작권, 저작 인접권 등이, 산업 재산권에는 특허권, 실용신안권, 디자인권, 상표권 등이 있고, 신지식 재산권에는 산업 저작권, 첨단 산업 재산권, 정보 재산권 등이 있다.

19 신지식 재산권은 산업 재산권과 저작권만으로 보호할 수 없는 영역을 보호하는 권리이다. 이에는 산업 저작권, 첨단 산업 재산권, 정보 재산권, 퍼블리시티권 등이 있다.

20 간판과 포장지에 유명 브랜드의 상표와 유사한 마크를 사용하여 상표가 갖는 식별력이나 명성을 손상하는 행위는 산업 재산권 중에서 상표권 침해에 해당한다.

21 아이디어 창출은 확산적 사고 기법을 통해 다양한 아이디어를 생성하며, 이를 정리하고, 수렴적 사고 기법으로 정리한 아이디어에서 최적의 아이디어를 만든다.

22 만들기에 필요한 재료와 공구를 준비하는 과정, 재료 표면에 금을 긋고 자르는 마름질 과정, 잘라낸 부품을 조립하여 제품을 만드는 과정, 제품이 구상한 대로 만들어졌는지 검사하는 과정이 있다.

23 표준은 서로 간의 의사소통을 원활하게 할 수 있고, 다른 사람과도 편리하게 공유하여 사용할 수 있다.

24 표준화가 되면 생산 방법이 간단해져 원가가 절감되어 생산 비용이 줄어들고 신기술 개발이 빨라진다.

25 제품들 간의 부품들이 통일되면 제품 간의 호환성이 생겨 편리해진다.

26 창의적인 아이디어를 구상하기 위해서는 창의적 사고 기법을 이용하여 최적의 아이디어를 창출한다.

서술형 문제

27 〈일반 볼펜 → 삼색 볼펜〉
• 문제 확인: 여러 색의 볼펜이 필요한데 세 개를 갖고 다니기 너무 불편하다.
• 아이디어 창출: 하나의 펜에 여러 색의 볼펜 심을 넣는다. 펜을 작게 만들어서 부피를 줄인다.
• 아이디어 구체화: 여러 색의 볼펜 심을 넣은 펜을 프리핸드 스케치와 도면으로 표현한다.
• 실행: 필요한 재료와 공구를 이용하여 제품을 만든다.
• 평가: 완성된 제품이 실용성, 경제성, 제작 가능성 등에 적합한지 평가한다.

28 • 세탁기의 발명으로 여성들의 가사 부담을 획기적으로 덜어주어 여성이 사회 진출을 하는 데 영향을 주었다.
• 페니실린의 발명으로 인류는 수많은 질병으로부터 해방되었다.
• 엘리베이터의 발명으로 고층 빌딩이 많아지게 되었다.

29 특허권은 물건 및 방법에 관한 새롭고 수준 높은 발명에 부여하는 권리이고, 실용신안권은 이미 발명된 것을 개량해서 보다 편리하고 유용하게 하는 발명에 부여하는 권리이다.

30 창의적 사고 기법이란, 창의적인 사고를 하기 위해 생각의 과정이나 생각하는 방법 등을 체계화한 것으로, 확산적 사고 기법과 수렴적 사고 기법이 있다. 확산적 사고 기법은 다양한 아이디어를 만들어 가는 기법이고, 수렴적 사고 기법은 확산적 사고 기법을 통해 나온 다양한 아이디어를 최적의 아이디어로 만드는 기법이다.

31 〈긍정적 영향〉
• 생산 비용이 줄어들어 신기술 개발이 빨라진다.
• 더 많은 국가에 제품을 공급한다.
• 품질이 향상되고 일정하게 유지된다.
• 생활이 편리해진다.
• 제품의 호환성이 생긴다.
〈부정적 영향〉
• 자동화된 표준화로 일자리가 줄어든다.
• 선진국의 독점화가 발생한다.
• 과도한 표준화로 제품의 다양성이 줄어든다.
• 기술 혁신을 어렵게 한다.

🔆▷Ⅲ 창의 융합 코너
51쪽

[예시 답안] 1. 나무 그릇은 씻기가 불편했지만, 도자기 그릇은 씻기가 편리해졌다.
2. 나무 그릇은 국물이 있는 음식을 담기 어려웠지만, 도자기 그릇은 국물이 있는 음식을 쉽게 담을 수 있었다.
3. 나무 그릇은 빵이나 채소 등을 주로 담는 데 이용하였지만 도자기 그릇은 어떤 음식도 담을 수 있었다.

[예시 답안] 1. 기술을 발달시킨다.
2. 창의력을 길러준다.
3. 생활을 편리하게 해 준다.
4. 문제 해결 능력을 길러준다.
5. 경제적 이익을 주고, 국가 경쟁력을 길러준다.

Ⅶ 삶을 창조하는 기술

01 생산 기술의 이해

이해 문제　　56~57쪽

01 ①　　02 설계　　03 ①　　04 ③　　05 ②　　06 ④

07 압연　　08 ③　　09 ⑤　　10 기능　　11 ③　　12 ④

13 ②　　14 공정　　15 ⑤　　16 ④

01 생산 기술의 뜻은 자연에서 얻은 자원을 활용하여 인류의 삶에 유용한 산출물을 개발하여 이용하는 것을 말한다.

03 많은 사람들이 사용할 수 있도록 기존보다 가격을 낮춘 제품들이 생산되고 있다.

04 제 때의 의미는 기간에 대한 것이며, 자동화 생산 방식으로 생산 기간이 단축되고 있다.

05 목재는 수분이 포함되어 있어 건조하여 수분을 제거하지 않고, 사용하면 갈라짐, 뒤틀림, 수축 현상이 발생한다.

06 목재를 얻을 때에는 산에 있는 나무를 베는 벌목, 벌목한 나무의 수분을 제거하는 건조, 건조된 나무를 일정한 크기로 자르는 제재의 순으로 이루어진다.

08 원유를 분별 증류법에 의해 분해하면 여러 가지 물질이 나오는데, 이때 나오는 나프타는 플라스틱의 원료로 사용된다.

09 시멘트는 탄산칼슘이 주성분인 석회석을 주원료로 점토질과 첨가물을 혼합하여 만든다.

11 제품을 만들 때 에는 사용 목적에 알맞은 기능을 갖도록 해야 한다.

12 설계 요소에서 창의성은 사용 목적에 맞는 새로운 것을 말한다.

13 좋은 제품을 만들려면 여러 가지 아이디어를 생각하고, 평가한 후 그중에서 알맞은 것을 선정해야 한다.

15 플라스틱은 열에 의해 쉽게 모양이 변형되므로, 열을 가하여 틀에 넣거나, 롤러 사이를 통과시켜 모양을 만든다.

16 생산 기술을 통해 얻어진 결과물은 제품이나 생산 구조물의 형태를 갖는다.

적용 문제　　58~59쪽

01 ②　　02 ②　　03 ①　　04 ⑤　　05 ③　　06 ①

07 ④　　08 ①　　09 ③　　10 ③　　11 ②　　12 ③

13 ⑤

01 '더 좋게'의 역할은 다양한 산출물과 산출물의 품질 향상, 새로운 기술의 적용을 말한다.

02 생산 기술을 통해 얻어진 산출물은 제품이거나 구조물의 형태를 갖는다.

03 생산 기술의 요소에는 재료, 설계, 공정 등이 있다.

04 플라스틱은 원유를 분해해서 얻은 나프타를 원료로 얻어지며, 열에 의해 잘 변형되는 특성이 있다.

05 제품을 설계할 때 창의성은 사용 목적에 알맞은 새로운 것을 말한다.

06 제품을 설계할 때에는 목적에 알맞은 기능을 갖도록 해야 한다.

07 제품 만들 때 설계 요소는 기능, 경제성, 아름다움, 재료, 창의성, 구조 등이 있다.

08 제품 설계는 문제 인식하기, 아이디어 구상하기, 아이디어 평가하기, 아이디어 선정하기, 구상도 및 제작도 그리기 과정을 거친다.

09 제품을 설계할 때 여러 가지 아이디어 중에서 올바른 평가를 통해야 알맞은 아이디어를 선택할 수 있다.

10 금속을 가공하는 방법에는 자르기, 구멍 뚫기, 깎기, 녹이기, 두드리기 등이 있다.

11 금속을 두드려서 제품을 만들 때, 열을 가하여 만들면 열간 단조, 열을 가하지 않고 두드려서 만들면 냉간 단조라 한다.

12 압연을 통해 두꺼운 금속을 얇고, 길게 만들 수 있다.

13 주조는 금속을 녹인 후 형틀에 넣은 후 식혀서 제품을 만드는 가공법으로 복잡한 모양의 제품을 만드는 데 적당하다.

02 제조 기술 시스템

이해 문제　　62쪽

01 ④　　02 자본　　03 ②　　04 ⑤　　05 ⑤

06 도장　　07 ④　　08 ①

01 제조 기술 시스템은 제조 기술이 실현되는 데 이용되는 모든 활동을 체계화한 것으로, 투입, 과정, 산출 및 되먹임 등의 단계로 이루어진다.

03 자르거나, 깎거나, 구멍 뚫기 등을 통해 만들어진 부품을 조립하여 완성된 하나의 제품이 된다.

04 프레임 용접은 자전거 만드는 과정 요소로 차체를 접합하는 과정이다.

05 물티슈를 만들 때에는 목재 부수기, 섬유질 채취, 펄프 완성 후 물을 첨가하여 완성한다.

07 조립 공정이 끝나면 자전거가 완성된다.

08 종이를 만들 때에는 목재에서 섬유질을 채취하여 펄프를 만든다.

🌵 적용 문제   63쪽

01 ⑤   **02** ⑤   **03** ②   **04** ④   **05** ②   **06** ②
07 ⑤

01 문제가 발생하면 이를 해결하기 위해 문제가 되는 단계로 되돌아가는 것을 되먹임이라 한다.

02 가공과 조립 과정을 거친 제품이 문제가 없는지 작동은 잘하는지를 확인해야 한다.

03 제조 기술 시스템에서 실제 제품을 만드는 것은 과정 단계이다.

04 재료를 깎거나, 휘거나, 잘라서 부품을 만들고, 그 부품을 다양한 방법으로 조립하여 제품을 완성한다.

05 자전거를 만든 순서는 부품 가공 – 차체 용접 – 도장 공정 – 조립 공정 – 산출의 순이다.

06 ㄷ의 용접은 적정 온도의 열을 가하여 2개 이상의 금속 재료를 접합시키는 것이다.

07 채취는 섬유질을 얻기 위한 과정 단계이다.

03 제조 기술의 특징과 발달

👆 이해 문제   67~68쪽

01 ②   **02** ①   **03** ②   **04** ①   **05** ⑤
06 다품종   **07** 일관 생산 방식   **08** ③   **09** ③   **10** ⑤
11 ④   **12** ①   **13** ②   **14** 알루미늄   **15** ④
16 ⑤

01 제조 기술의 산출물은 제품의 형태로 나타난다.

02 제조 기술은 자연에서 필요한 재료를 얻는다.

03 제조 기술은 같은 원료라도 가공 및 처리 방법에 따라 다양한 형태로 나타낸다.

04 초기의 제조 기술은 가정에서 필요한 것을 생산하여 사용하는 가내 수공업의 형태를 띠었다.

05 제임스 와트(1736~1819)는 스코틀랜드의 발명가이며, 증기 기관을 개량하여 성능을 향상시켰다.

06 유연 생산 방식은 다품종 소량 생산에 알맞은 생산 방식이다.

08 현대에는 공장 자동화를 통하여 유연 생산 방식이 도입되었는데, 컴퓨터와 산업용 로봇을 이용한 공장 자동화가 이루어지면서 더욱 간편하게 제품을 생산할 수 있게 되었다.

09 근대에는 공장제 기계 공업이 시작되었고, 컨베이어 벨트 시스템이 도입되었다.

10 목재는 가볍고, 가공하기 쉬우며, 부드럽고 따뜻한 느낌을 준다. 또한, 무늬가 아름답고, 열과 전기가 잘 통하지 않는다. 반면, 타기 쉬우며, 썩기 쉽고, 재질이 고르지 못하며, 건조하면서 수축되어 변형이 생긴다.

11 파티클 보드는 사용하고 남은 목재를 잘게 부순 후 접착제와 섞어 압축시켜 만든 것으로, 가구, 칸막이, 실내 장식재 등에 이용된다.

12 오답 뛰어넘기 폴리스티렌 수지, 폴리에틸렌 수지, 폴리프로필렌 수지, 테레프탈레이트 수지는 열가소성 수지이다.

13 구리에 주석을 합금하면 청동, 구리와 아연을 합금하면 황동이라 한다.

15 유비쿼터스는 언제, 어디서나 네트워크에 접속할 수 있는 것을 의미한다.

16 스마트 공장은 공장 내 설비와 기계에 설치된 센서가 데이터를 실시간으로 수집하고 분석하여 스스로 제어하는 공장이다.

🌵 적용 문제   69~70쪽

01 ⊙ 수공업, ⓒ 기계 공업   **02** ④   **03** 가내 수공업
04 ③   **05** ①   **06** ③   **07** 유연 생산 방식   **08** ⑤
09 ①   **10** ①   **11** ③   **12** ⑤   **13** ④   **14** ②
15 ②

02 ②는 산출물의 형태, ③은 제조 기술의 영향, ⑤는 다양성을 나타낸다.

04 중세에는 공장에 나와 여러 사람들이 모여 작업을 하는 공장제 수공업 방식으로 제품을 만들기 시작하였다.

05 근대에는 공장제 기계 공업과 일관 생산 방식이 도입되어 제품을 대량으로 생산하게 되었다.

06 현대에는 컴퓨터와 공장 자동화를 통해 다양한 제품의 생산이 가능하게 되었다.

08 컴퓨터와 산업용 로봇을 이용한 공장 자동화로 다품종 소량 생산 방식이 가능하게 되었다.

09 제조 기술 생산 방식은 가내 수공업▶공장제 수공업▶공장제 기계 공업▶자동화 생산 순서로 발달되었다.

10 목재는 우리 주변에서 쉽게 구할 수 있어, 가장 먼저 사용하기 시작한 제조 기술의 재료이다.

11 집성재는 목재를 나뭇결 방향으로 나란히 모아 접착제로 붙여서 만든 것으로, 실내 장식용, 건축 자재, 가구 등에 이용된다.

12 열가소성 플라스틱은 열과 압력에 의해 녹아 움직일 수 있는 플라스틱을 말한다.

13 연성은 잡아당겼을 때 늘어나는 성질이며, 전성은 두드렸을 때 펴지는 성질을 말한다.

14 주조는 금속의 녹는 성질을 이용하여 형틀에 부어 넣고 식혀서 제품을 만드는 방법이다.

15 3D 프린팅은 재료를 녹여 층층이 쌓아 올려 제품을 만드는 것으로, 점점 더 다양한 재료가 사용되고 있다.

04 실행하기 과정은 선긋기 – 자르기 – 다듬기 – 조립하기 – 완성의 순서대로 창의적 문제 해결 활동이 이루어진다.

06 제품 평가에 해당하는 평가 항목은 ②이다.

오답 **뛰어넘기** ①은 동료 평가 항목, ③,④,⑤는 자기 평가 항목이다.

적용 문제 74쪽

01 ⑤ **02** ③ **03** ④ **04** ⑤ **05** ⑤ **06** ③

01 알루미늄은 공기 중 표면에 얇은 막이 형성되어, 공기 중 녹이 슬지 않고, 가벼운 특징이 있다.

02 글루건으로 목재를 접합하는 것은 적당하지 않다.

03 아이디어 창출하기 단계에서는 문제를 해결하기 위해 관련 정보를 수집하고, 창의적인 아이디어를 구상한다. 서영과 준하는 대화를 하면서 창의적인 아이디어를 구상하고 있다.

04 문제 확인하기 – 아이디어 창출하기 – 아이디어 구체화하기 – 실행하기 – 평가하기의 순서대로 창의적 문제 해결 활동이 이루어진다.

05 아이디어 구체화하기 단계에서는 선정한 아이디어를 프리핸드로 스케치하여 구체화한다.

06 자기 평가에 대한 질문들이 제시되어 있다. 평가하기 단계에서는 자기 평가, 동료 평가, 제품 평가 등이 이루어진다.

04 제조 기술의 창의적 문제 해결

이해 문제 73쪽

01 ③ **02** ④ **03** ② **04** ⑤ **05** 거스름

06 ② **07** 자기 평가

01 문제 확인하기 단계에서 과제명이나 제한 사항을 제시하여, 문제 사항을 확인한다.

02 아이디어 창출하기 단계에서는 문제를 해결하기 위한 정보 수집과 창의적인 아이디어를 구상 단계로 나뉜다.

03 아이디어를 구상할 때는 정확한 치수와 모양을 나타내는 것이 아니라 대략의 모양을 나타내는 프리핸드 스케치가 적당하다.

05 건설 기술 시스템

이해 문제 77쪽

01 ② **02** 시공 **03** ④ **04** ④ **05** ①

06 착공 준비 **07** ⑤ **08** ③

01 청소년기에는 성호르몬이 많이 분비되면서 남성과 여성을 뚜렷하게 구분할 수 있는 신체적인 특징이 나타난다.

03 구조물 건설을 기획할 때는 사업주(건설주)의 요구를 반영하여야 한다.

04 구조물 건설을 기획할 때는 사업주(건설주)의 요구를 반영하여야 한다.

05 설계하기 단계에서는 정해진 구상안에 따라 다양한 형태의 도면을 작성하는데 계획 설계, 기본 설계, 실시 설계 순으로 이루어진다.

07 마감 공사는 필요한 설비를 하고 마무리하는 공사로, 마감 공사를 끝으로 건설 구조물이 완성된다.

08 골조 공사는 건술 구조물의 뼈대를 만드는 공사이다. 뼈대를 구성하는 재료에 따라 목공사, 조적 공사, 철근 콘크리트 공사 등이 있다.

적용 문제   78쪽

01 ⑤   **02** ⑤   **03** ①   **04** ②   **05** ③   **06** ①
07 ②

---

01 문제가 발생하면 이를 해결하기 위해 문제가 되는 단계로 되돌아가는 것을 되먹임이라 한다.

02 골조 공사는 시공하기에 해당하므로 건설 기술 시스템에서 과정 단계에 포함된다.

03 건설 기획 시 고려 사항으로 어떤 용도로 건설 구조물을 세울 것인가 건설 구조물의 사용 목적에 관한 사항이다.

04 계획 설계는 설계를 의뢰한 사람의 추상적인 요구로부터 하나의 형태를 만들어 내는 과정이다.

05 시공하는 순서는 가설 공사 – 토공사 – 기초 공사 – 골조 공사 – 마감 공사 순이다.

06 흙을 파서 쌓거나 운반하는 공사는 토공사에 대한 설명이다.

07 돌, 벽돌, 블록 등을 쌓아서 만든 구조물이 조적식 구조물이다.

---

06 건설 기술의 특징과 발달

이해 문제   82~83쪽

01 ⑤   **02** ④   **03** ①   **04** ④   **05** ②   **06** ⑤
07 피라미드   **08** ②   **09** ②   **10** ⑤   **11** ②
12 ④   **13** ①   **14** 친환경 건설 기술   **15** ②   **16** ④

---

01 건설 기술은 사회, 문화, 경제적인 영향을 많이 받으며 다른 산업에 주는 파급 효과가 크다.

02 건설 기술의 특징 중 장기성은 오랜 시간 사용할 수 있어야 한다는 것이다.

03 제주도에는 화산섬이기 때문에 지역의 특성에 맞게 돌을 이용하여 집을 짓거나 담을 쌓았다.

04 건설 기술은 오랜 시간 사용할 수 있어야 한다는 장기성의 특징을 가지고 있다.

05 제시된 내용은 건설 기술이 산업 분야에서 이용되고 있는 사례에 해당한다.

06 주변 환경을 개선하거나 훼손된 환경을 복구하고 정화하는 정수장은 환경 분야에서 건설 기술이 이용된 사례이다.

08 이탈리아 피렌체의 두오모 대성당은 세계에서 가장 큰 돌로 만든 돔이고, 독일의 쾰른 대성당은 뾰족하게 솟은 두 개의 첨탑으로 유명하다.

09 중세에는 종교 건축이 활발하여 원형의 돔 구조와 높은 첨탑 구조가 주를 이루었다.

10 중세(산업화 이전)에는 종교 건축이 활발하여 원형의 돔 구조와 높은 첨탑 구조가 주를 이루었다.
⟨오답 **뛰어넘기**⟩ ①, ②, ③, ④는 모두 산업화 이후 건설 기술에 대한 내용이다.

11 시대별로 나열하면, 피라미드(고대) – 쾰른 대성당(중세) – 수정궁(근대) – 부르즈 할리파(현대) 순서이다.
⟨오답 **뛰어넘기**⟩ 두오모 대성당은 중세, 에펠탑은 근대, 인천 대교는 현대에 지어진 건설 구조물이다.

12 이탈리아 피렌체의 두오모 대성당은 중세 시대(산업화 이전)에 지어진 건설 구조물이다.

13 근대에는 철, 유리, 시멘트 등 새로운 건설 재료가 개발되고, 철골 구조와 철근 콘크리트 구조가 발달하면서 대형 건설 구조물, 고층 건설 구조물, 대형 철제 교량 등이 건설되었다.

15 지열, 풍력, 태양광 등 자연 에너지를 활용하는 건설 구조물은 '액티브 하우스'이고, 단열성을 높여 에너지 소비를 최소화한 건물 구조물은 '패시브 하우스'이다.

16 지하 도시, 해양 도시, 우주 도시 등 기존의 생활공간을 벗어난 다양한 공간이 개발되면 생활공간이 한층 더 확대될 것이다.

01 ㉠ 건축 기술, ㉡ 토목 기술   02 ⑤   03 일회성
04 ②   05 ⑤   06 ①   07 에너지 분야   08 ①
09 돔 구조   10 ④   11 ④   12 ③   13 ⑤
14 ③   15 ①

02 ①은 지역성, ②는 공공성, ③은 장기성, ④는 일회성에 해당한다.

04 공공성은 건설 기술이 많은 사람들이 함께 사용하는 공공적인 성격을 지니며 인간의 생활을 향상시키고 편리하게 하기 위한 것을 고려해야 한다는 것이다.

05 ㅁ은 건설 기술이 주거 분야에 이용되고 있는 것에 대한 설명이다.

06 ㄱ은 교량, ㄴ은 정수장, ㄷ은 도로, ㄹ은 원자력 발전소에 대한 설명이다. 교량과 도로는 건설 기술이 교통 분야에 이용되고 있는 사례에 해당한다.

08 건설 기술은 여러 사람들이 누릴 수 있는 학교, 병원, 공원 등의 시설을 제공한다. 학교, 병원, 공원은 건설 기술이 복지 분야에서 이용되고 있는 사례이다.
오답 뛰어넘기 ②에서 아파트는 주거 분야, ③의 교량은 교통 분야, ④에서 도로는 교통 분야, 정수장은 환경 분야, ⑤의 발전소는 에너지 분야에서 건설 기술이 이용되는 사례이다.

10 독일의 쾰른 대성당은 높고 뾰족한 모양의 지붕을 가진 첨탑 구조이다.

11 쾰른 대성당은 중세 시대에 지어진 건설 구조물이다. 보기의 다른 구조물은 모두 근대 시대에 지어진 것이다.

12 근대에는 철, 유리, 시멘트 등 새로운 건설 재료가 개발되고, 철골 구조와 철근 콘크리트 구조가 발달하면서 대형 건설 구조물, 고층 건설 구조물, 대형 철제 교량 등이 건설되었다.

13 ㄱ은 친환경 건설 기술, ㄴ은 새로운 건설 공법 개발, ㄷ은 다양한 건설 공간의 확대, ㄹ과 ㅁ은 정보화된 건설 기술에 대한 내용이다.

14 건설 기술의 발달 전망 중에서 다양한 건설 공간의 확대에 대한 설명을 하고 있다. ㄷ에서도 다양한 건설 공간의 확대에 대한 내용을 제시하고 있다.

15 건설 기술의 발달 전망 중에서 친환경 건설 기술에 대한 설명을 하고 있다. ㄱ에서도 친환경 건설 기술에 대한 내용을 제시하고 있다.

07 건설 기술의 창의적 문제 해결

01 ③   02 ④   03 실행하기   04 ②   05 ⑤
06 재하 시험   07 ①   08 동료 평가

01 문제 확인하기 단계에서 과제명이나 제한 사항을 제시하여, 문제 사항을 확인한다.

02 아이디어 창출하기 단계에서는 문제를 해결하기 위해 관련 정보를 수집하고, 창의적인 아이디어를 구상한다.

04 아치 구조는 벽돌이나 석재를 쌓을 때 곡선 모양으로 쌓아 지탱하는 구조를 말한다.

05 문제 확인하기 – 아이디어 창출하기 – 아이디어 구체화하기 – 실행하기 – 평가하기의 순서대로 창의적 문제 해결 활동이 이루어진다.

07 제품 평가에 해당하는 평가 항목은 ①이다.
오답 뛰어넘기 ②, ③, ④는 자기 평가 항목, ⑤는 동료 평가 항목에 해당한다.

01 ①   02 ⑤   03 ④   04 ⑤   05 ②   06 ①

01 아치 구조는 벽돌이나 석재를 쌓을 때 곡선 모양으로 쌓아 지탱하는 구조를 말한다.

02 둥근 자석은 '넓고 튼튼한 돔 구조 모형 만들기'에서 필요한 준비물이 아니다.

03 아이디어 창출하기 단계에서는 문제를 해결하기 위해 관련 정보를 수집하고, 창의적인 아이디어를 구상한다. 서희와 동현이는 대화를 하면서 창의적인 아이디어를 구상하고 있다.

04 문제 확인하기 – 아이디어 창출하기 – 아이디어 구체화하기 – 실행하기 – 평가하기의 순서대로 창의적 문제 해결 활동이 이루어진다.

05 아이디어 구체화하기 단계에서는 선정한 아이디어를 프리핸드로 스케치하여 구체화한다.

06 자기 평가에 대한 질문들이 제시되어 있다. 평가하기 단계에서는 자기 평가, 동료 평가, 제품 평가 등이 이루어진다.

01 생산 기술	02 ⑤	03 ③	04 ⑤	05 ⑤
06 ⑤	07 ①	08 ⑤	09 ⑤	10 ②	11 ①
12 ⑤	13 ③	14 ②	15 ④	16 ①	17 ①
18 ②	19 ⑤	20 ①	21 ②	22 ④	23 ②
24 ①	25 ③	26 ①	27 ①	28 ②	29 ③
30 ①	31 ②	32 ④			

[서술형 문제] 33~47 해설 참조

02 두 개의 반대로 회전하는 롤러 사이를 통해 금속을 일정한 형태로 만드는 것을 압연이라 한다.

03 공정은 제품이나 구조물을 설계에 따라 가공, 조립 등의 방법을 통해 완성하는 단계이다.

04 단조는 제품을 두드려서 만들기 때문에 조직이 치밀하고 단단한 특징이 있다.

05 공기 취입 성형은 플라스틱 가공법으로, 플라스틱 관을 틀에 넣어 압축 공기를 넣으면 틀 모양대로 페트병이 만들어진다.

06 제조 과정의 결과로 제품이 완성된다.

07 자전거 생산 과정은 부품 가공, 프레임(차체) 용접, 도장 공정, 조립 공정의 단계로 나눌 수 있다.

08 제조 기술은 제조 기술이 실현되는 데 이용되는 모든 활동을 체계화한 것으로, 투입, 과정, 산출 및 되먹임 등의 단계로 이루어진다.

09 제조 기술 시스템의 투입 요소는 재료, 자본, 인력, 에너지, 설비, 시간 등이 있다.

10 조립은 가공한 부품들을 하나의 제품으로 결합하는 것이다.

11 도금은 금속 또는 비금속의 표면에 다른 금속을 사용하여 피막을 만드는 처리 방법이다.

12 제조 기술은 재료를 유용한 제품으로 변화시켜 경제적 가치를 높인다.

13 중세에는 수공업이 발달되어 공장제 수공업의 형태로 발전하였다. 즉, 공장이라는 개념이 도입되었던 시기이다.

14 가내 수공업에 비해 생산량이 증가하였다.

15 일관 생산 방식은 생산 과정을 몇 개의 작업으로 나누어 순서대로 조립하는 방식으로, 생산성이 더욱 향상되었다.

16 플로어링은 목재의 옆면에 홈과 촉을 만들어 끼울 수 있도록 하여 체육관이나 마룻바닥 등에 이용된다.

17 목재는 가볍고, 가공하기 쉬우며, 부드럽고 따뜻한 느낌을 준다. 또한, 무늬가 아름답고, 열과 전기가 잘 통하지 않는다. 반면, 타기 쉬우며, 썩기 쉽고, 재질이 고르지 못하며, 건조하면서 수축되어 변형이 생긴다.

18 파티클 보드는 재질이 고르며, 소리를 흡수하는 성질이 있어, 가구, 칸막이, 실내 장식재 등에 이용된다.

19 플라스틱은 가볍고 열과 전기를 전달하지 않으며 색채를 자유롭게 넣을 수 있다.

20 순철은 탄소가 거의 없는 철로, 재질이 연한 순수한 철이며, 전기가 잘 통한다.

21 황동은 구리와 아연의 합금으로, 색깔이 아름다워 전기 재료, 장식품, 악기 등에 이용된다.

22 알루미늄에 구리, 마그네슘을 넣어 만든 것으로, 가볍고 강하다. 비행기나 자동차 몸체, 등산 스틱 등에 이용된다.

23 취성은 금속에 충격을 가했을 때 잘 깨지는 성질을 말한다.
연성은 금속을 잡아당겼을 때 잘 늘어나는 성질을 말한다.

24 문제 확인은 기술적 문제를 구체적으로 확인하는 단계이다.

25 • 기획: 어떤 건설 구조물을 만들지 구상하는 단계
• 설계: 기획 단계에서 구상한 건설 구조물을 도면으로 표현하는 단계
• 시공: 설계도에 따라 건설 구조물을 만드는 단계

26 어떤 건설 구조물을 만들지 구상하는 단계로서, 건설 구조물의 사용 목적, 규모와 예산, 대지 조건, 공사 기간 등을 고려하여 기획한다.

27 계획 설계는 설계를 의뢰한 사람의 추상적인 요구로부터 하나의 형태를 만들어 내는 과정이다. 실시 설계는 기본 설계를 바탕으로 실제로 집을 지을 수 있는 상세한 계도를 만드는 과정이다

28 건설 시공은 착공 준비, 가설 공사, 토공사, 기초 공사, 골조 공사, 마감 공사, 완성으로 진행된다.

29 철근-콘크리트 공사는 철근 콘크리트, 철강재, 벽돌 등의 재료를 사용하여 구조물의 하중을 지탱하기 위한 벽체, 기둥, 보, 바닥 등의 주요 구조를 만드는 공사이다.

30 건설 기술은 지역적 특성에 따라 다양한 재료를 사용하여 발전해 왔다. 제주도는 화산섬이라 돌이 많고, 바람이 강한 특성이 있다.

31 정수장은 우리가 사용하는 깨끗한 물을 공급하는 환경 분야 설비이다.

32 사장교는 주탑에서 상부 구조를 여러 지점에 케이블을 연결하여 지지하는 교량이다. 인천 대교는 사장교 형태로 영종도와 송도 국제도시를 잇는 길이 18,380m의 다리로 우리나라에서 가장 긴 다리이다. 주탑의 높이가 230.5m이다.

서술형 문제

33 • 주조: 금속을 녹여 틀에 부어 제품을 만든다. 예 맨홀 뚜껑
• 단조: 금속에 열을 가하거나 상온에서 망치나 해머로 두드려서 제품을 만든다. 예 골프채
• 압연: 반대로 회전하는 두 개의 롤러 사이를 통과시켜 만든다. 예 창문틀
• 압출: 금속에 열을 가하여 부드럽게 한 후 구멍을 빠져나오게 하여 일정한 모양을 만든다. 예 전선
• 압축: 얇은 금속판을 형틀 위에 올려놓고 강하게 눌러 모양을 만든다. 예 식판

34 자동차 제조 기술의 발달은 그와 관련한 수송 기술의 발달을 촉진시키며, 원료와 관련된 에너지 산업의 발달이 이루어진다. 또한, 자동차에 만드는 데 필요한 금속 재료의 발달, 전기 및 오디오 산업의 발달 등 제조 기술은 다른 산업 발달에 큰 영향을 준다.

35 장보고 과학 기지의 외벽에는 골프공처럼 작은 홈들을 파 놓았는데, 이는 강한 바람이 부드럽게 지나가게 하고, 지붕에 눈이 쌓이는 것을 예방하는 역할을 한다.

36 산업화 이후 철, 유리, 시멘트 등 새로운 건설 재료가 개발되고, 철골 구조와 철근 콘크리트 구조가 발달하면서 대형 건설 구조물, 고층 건설 구조물, 대형 철제 교량 등이 건설되었다.
오늘날에는 건설 공법이 발달하여 초고층화, 설계 및 시공의 자동화, 건설 자재의 규격화 및 대량 생산화가 이루어지고 있으며, 정보 통신 기술과의 융합으로 정보화·지능화된 구조물이 생겨나고 있다.

37 트러스 구조란 직선의 재료를 삼각형 형태로 연결하여 그물 모양으로 구성하는 구조를 말한다. 재료의 낭비가 적어, 구조물을 가볍게 만들 수 있다. 또한, 기둥의 간격이 멀어도 사용할 수 있다.

💡⚡ 창의 융합 코너　　　　95쪽

문제 해결 과정　화성의 조건
가. 화성은 지구에서 아주 멀리 떨어진 곳이다.
나. 화성 우주기지는 지구에서 건설 자재를 운반하기가 매우 어렵다.
다. 화성에는 집을 지을만한 원료가 있다.

예시 답안　우주선 크기의 한계와 연료를 생각하면 많은 재료와 기술을 화성으로 운반하기는 불가능하다. 따라서 지금 우리가 사용하고 있는 건설 기술 방법으로 건축물을 짓는 대신, 제조 기술에 사용되고 있는 3D 프린터를 이용하여 기지를 건설할 수 있다. 즉, 화성 표면의 흙은 고운 모래 입자로 되어 있다. 이 모래 입자를 접착제를 이용해서 원하는 모양으로 출력한다면 간단한 건축 자재를 대신할 수 있다. 즉, 벽돌이나 시멘트 대신 레골라스를 이용한 화성 기지를 건설하는 것이다

2015 개정 교육과정

금성의 새로운 평가문제집

중학교 **기술·가정① 평가문제집**

기술편

발행일 · 2018년 3월 1일 초판 발행
발행인 · 김인호
발행처 · 금성출판사
주소 · 서울특별시 마포구 만리재옛길 23 (우)04210
등록 · 1965년 10월 19일 제10-6호
구입문의 · TEL 02-2077-8144~6 / mall.kumsung.co.kr
내용문의 · TEL 02-2077-8902(기술), 8147(가정)

• 이 책의 내용에 대한 일체의 무단 전재와 무단 복제를 금합니다.

www.kumsung.co.kr
금성출판사